Quellen und Forschungen zur Reformationsgeschichte

Im Auftrag des

Vereins für Reformationsgeschichte

herausgegeben von Gustav Adolf Benrath

———

Band XLV

GÜTERSLOHER VERLAGSHAUS GERD MOHN

MARGARETE STIRM

Die Bilderfrage
in der Reformation

GÜTERSLOHER VERLAGSHAUS GERD MOHN

CIP-Kurztitelaufnahme der Deutschen Bibliothek

Stirm, Margarete
Die Bilderfrage in der Reformation. — 1. Aufl.
— Gütersloh: Gütersloher Verlagshaus Mohn, 1977.
   (Quellen und Forschungen zur Reformationsgeschichte; Bd. XLV)
   ISBN 3-579-04302-1

ISBN 3-579-04302-1
© Verein für Reformationsgeschichte, Heidelberg 1977
Gesamtherstellung: Buchdruckerei Heinrich Schneider, Karlsruhe
Printed in Germany

Meiner Mutter und meinem Vater,
der die Fertigstellung dieser Abhandlung
nicht mehr erlebte.

„Was wir von Gott reden und erkennen, wird vergehen.
Es sind nur Fragmente . . .“

1. Korinther 13, 8 ff.

Zum Geleit

„Das Bild, das Calvin ablehnt, ist nicht das Bild, das Luther erlaubt und wünscht." Diese Feststellung trifft Margarete Stirm in ihrer umfassend fundierten neuen Durchforschung der Bilderfrage bei den Reformatoren. Wer sich von den tradierten, das Verhältnis der Konfessionen belastenden Klischees befreien lassen will, der lese und studiere dieses, den gesamten Bereich der Reformation durchleuchtende Werk. Er wird mit Freude erkennen, daß gerade die beiden entscheidenden Reformatoren zutiefst nach ein- und demselben fragten, nach dem einen Wort Gottes und seiner Verkündigung. Bei Calvin dominierte die Sorge, daß neben dem einen, von Gott in Christus geschenkten Offenbarungswort den „Bildern", deren Kult die Stimme des Evangeliums so verhängnisvoll überwuchert hatte, eine offenbarende Kraft und Funktion zugesprochen würde. Das „zweite Gebot"! Daraus brauchte aber kein „Bildersturm" zu erwachsen. Bei Luther, für den dieses zweite Gebot im ersten aufgeht, ist alles beherrscht von der Freiheit des Evangeliums, das sich auch der durch die Schrift gegebenen Bilder bedienen darf. Die Bilder werden ihm zur Predigthilfe für die Einfältigen und Schwachen. Daraus brauchte aber auch kein neuer Bilderkult zu resultieren. Wir Erben eines Jahrhunderts, das zu einer Apotheose der Kunst für den religiösen Menschen führte, wir Zeitgenossen eines Umbruchs, der die Indienstnahme der Kunst für die Verkündigung und Anbetung neu zu begreifen beginnt, haben allen Anlaß, auch in der Bilderfrage zurückzugreifen zu den gemeinsamen Wurzeln reformatorischen Denkens unter der uns alle befreienden und bindenden Frage nach dem Worte Gottes. Indem Margarete Stirms Untersuchung dazu hilft, bietet ihr Buch einen besonderen Beitrag zu der ökumenischen Überwindung falscher Fronten in der Bejahung einer in der Schrift gegründeten Evangeliums-Union, die nicht gemacht oder konstruiert, sondern in der Erkenntnis der Wahrheit des Wortes Gottes empfangen und gewonnen wird.

Frühjahr 1976   D. Heinrich Vogel

Vorwort

Die vorliegende Arbeit wurde im Frühjahr 1973 unter dem Titel „Die Bilderfrage bei den Reformatoren" von der Kirchlichen Hochschule Berlin als Dissertation angenommen. Zur Drucklegung sind einige Kürzungen und kleine Änderungen vorgenommen worden. Der Anhang der Dissertation, eine Betrachtung des Buches „Der Christ und das Schöne" von Heinrich Vogel, ist in dieser Ausgabe nicht enthalten. Er wird in: Theologia Viatorum, Jahrbuch der Kirchlichen Hochschule Berlin 13 (1977) veröffentlicht werden.

Dankbar gedenke ich an Herrn Prof. D. Otto Weber, der meine Arbeit über Jahre hinweg geduldig betreute und förderte. Herzlich danke ich Herrn Prof. D. Heinrich Vogel für die Ermutigung, das nach dem Tode von Prof. Weber abgebrochene Unternehmen doch zu einem Abschluß zu bringen. Hinzu kommt der Dank an Prof. Dr. Johannes Wirsching, der die Verlegung meiner Arbeit durch den Verein für Reformationsgeschichte vermittelt hat.

In der Reformationszeit zeigte sich auch in der Bilderfrage in Unterschied und Einheit eine Vielfalt an Einsichten und Stellungnahmen. So hoffe ich, mit meiner Untersuchung einen klärenden Beitrag geleistet zu haben, der vielleicht auch für die Verarbeitung der heute anstehenden Fragen hilfreich sein könnte.

Im Frühjahr 1976   Margarete Stirm

Inhalt

2. Teil

DIE BILDERFRAGE BEI DEN SCHWEIZER REFORMATOREN

Vorbemerkung

Es geht in dieser Arbeit nicht um die heutige Stellung der lutherischen und der reformierten evangelischen Kirche zur Bilderfrage, sondern ausschließlich um die Bedeutung des Bilderverbotes für die Zeit der Reformation. Diese methodische Einschränkung halte ich für sinnvoll und habe mich bemüht, ohne Voreingenommenheit jede Stimme ernsthaft zu hören, ohne die Absicht, den einen oder anderen der Reformatoren zu verteidigen. Dazu gehört auch der Verzicht auf eine eigene ausdrückliche Stellungnahme.

Das Schwergewicht liegt auf der Position Luthers, Zwinglis und Calvins, die nebeneinander dargestellt werden mit dem Versuch, sie aus ihrer eigenen Sicht heraus zu verstehen und miteinander zu vergleichen[1]. Es wird dabei nach den kirchengeschichtlichen Zusammenhängen, nach der Auslegung und Bewertung des Bilderverbotes, nach den theologischen Grundlagen sowie nach dem besonderen Anliegen in dieser Frage bei den Reformatoren und nach der für die Entscheidung Luthers und Calvins wichtigen Auffassung von der Aufgabe eines Bildes im kirchlichen Bereich gefragt werden.

---

1. In den bereits vorhandenen kleineren oder größeren Untersuchungen der Bilderfrage werden entweder die lutherische oder die reformierte Stellung behandelt:

Friedrich Buchholz: Protestantismus und Kunst im 16. Jh., Leipzig 1928.

Paul Lehfeldt: Luthers Verhältnis zu Kunst und Künstlern, Berlin 1892.

Hans Preuß: Martin Luther, der Künstler, Gütersloh 1931.

Christian Rogge: Luther und die Kirchenbilder seiner Zeit, Leipzig 1912.

Marta Grau: Calvins Stellung zu den Künsten (Dissertation) 1917.

Gustav Lasch: Calvin und die Kunst, 1909.

Mit diesen Arbeiten, die — soweit sie Luther behandeln — von jeweils ganz verschiedenen Voraussetzungen ausgehen und zu verschiedenen, ja entgegengesetzten Ergebnissen kommen, verbindet mich nur die Benutzung des gleichen Quellenmaterials.

Näher steht meine Arbeit der Untersuchung von Hans von Campenhausen, der auch beide Seiten behandelt:

Hans Freiherr von Campenhausen: Die Bilderfrage in der Reformationszeit, in: ZKG 68, 1957, S. 96—128; sowie in: ders., Tradition und Leben, 1960, S. 361—407.

Am nächsten komme ich in der Fragestellung den z. T. recht kurzen Abschnitten über die Stellung der Reformatoren zur Kunst, die in zahlreichen Aufsätzen über die heutige Stellung der lutherischen bzw. der reformierten Kirche zur christlichen Kunst enthalten sind. Etwa:

Peter Brunner: Die Kunst im Gottesdienst (Leiturgia Bd. 1, Kassel 1959, S. 313 ff.).

Oskar Söhngen: Kirchenbau und kirchliche Kunst in heutiger Zeit (Die Ev. Christenheit in Deutschland, S. 325 ff.).

Martin Wittenberg: Das Kreuz im Gotteshause, in: Kunst und Kirche 21, 1958, S. 51 ff.

Jan Weerda: Die Bilderfrage in der Geschichte und Theologie der reformierten Kirche, Karlsruhe 1956.

Die in solchen Aufsätzen notwendige Kürze hat aber, wo es nicht bei einer Andeutung bleibt, sondern zu bestimmten Thesen führt, zwangsläufig eine Verkürzung, z. T. sogar eine Verzerrung des Sachverhaltes zur Folge.

1. Teil:

Luthers Beitrag zur Bilderfrage

A. Luthers Stellung zur Bilderfrage seiner Zeit

I. Das Bilderverbot in Luthers katechetischen Schriften

1. Der Text des Ersten und Zweiten Gebotes in Luthers Katechismen und in den katholischen Beichtbüchlein

Während in Luthers Bibelübersetzungen bei Ex. 20, 2 ff. und Dt. 5, 6 ff. der Text der Gebote mit dem vollen Wortlaut einschließlich des Bilderverbotes exakt wiedergegeben ist[1], findet sich in seinen Katechismen nicht der volle biblische, sondern ein stark abgekürzter Text. Die Vorrede: „Ich bin der Herr, dein Gott" enthält nur der Nürnberger Druck des Kleinen Katechismus von 1531 und 1558[2]. Der Zusatz: „Der ich dich aus Ägypten geführt habe" fehlt durchweg. Das 1. Gebot lautet in der ‚Kurzen Erklärung' von 1518, der ‚Kurzen Form' von 1520, dem ‚Gebetbüchlein' von 1522, dem ‚Kleinen Katechismus' und der Auslegung des ‚Großen Katechismus' von 1529:

„Du solt nit andere gotter haben"[3],

in der ‚Instructio' und in ‚Decem Praecepta' von 1518:

„non habebis Deos alienos",

und im ‚Großen Katechismus':

„Du sollt kein andere Götter haben neben mir"[4].

Luther bringt also als Erstes Gebot nur Ex. 20, 3 bzw. Dt. 5, 7. Das Bilderverbot fehlt in allen katechetischen Schriften. Als Zweites Gebot zählt Luther das

---

1. Innerhalb des 1. Gebotes finden sich abgesehen von rein sprachlichen Unterschieden vier Varianten:

    1. Vorrede: Der Nebensatz in Ex. 20, 2 ist in der 1. pers. sing., bei Dt. 5, 6 in der 3. pers. sing. gehalten (Bindseil-Niemeyer S. 160 u. 366).

    2. 1. Gebot: Statt wie sonst bei Luther ‚neben mir' bringt die Dt.-Übersetzung ‚vor mir' (Bindseil-Niemeyer S. 366).

    3. Bilderverbot: In Ex. 20 übersetzt Luther ‚Gleichnis', in Dt. 5 von 1523—28 ‚Gestalt' (Bindseil-Niemeyer S. 366).

    4. Ex. 20, 23: In der Übersetzung von 1545 fehlt ‚euch'. (Bindseil-Niemeyer S. 162).

2. Bek. Schr. 507, vgl. Literaturverzeichnis u. S. 242.

3. WA 1, 250, 3; Cl II 40, 3 = WA 7, 205; WA 10/2, 378, 2; Bek. Schr. 507, 40; 560, 5.

4. WA 1, 258, 3 und 398, 5 Instructio pro confessione peccatorum 1518; Bek. Schr. 555, 14 f.

Namensgebot[5]. Um die Zehn-Zahl der Gebote zu erhalten, muß er das Zehnte Gebot teilen. Die auf das Bilderverbot folgende Begründung fügt er an den Schluß der Zehn Gebote an[6].

Luther hat in seinen Katechismen nicht nur den Dekalog um einige erläuternde Nebensätze gekürzt, sondern auch das Bilderverbot weggelassen.

Die Bezeichnung ‚Katechismus' für den Lehrstoff des christlichen Elementarunterrichtes stammt von Luther[7]. Er hat sie in etwas veränderter Bedeutung von der Alten Kirche übernommen. „Bücher, die ausdrücklich für den religiösen Unterricht der Jugend berechnet waren, hat die mittelalterliche Kirche nicht besessen."[8] Es gab jedoch Beichtbüchlein, teils für den Geistlichen, teils für den Laien bestimmt. In diese sind oft die Zehn Gebote als Sittenspiegel aufgenommen oder sogar darin erläutert worden.

In Beilage I habe ich den Text des 1. und 2. Gebotes aus einigen katholischen Beichtbüchlein zusammengestellt. Aus der Betrachtung ergibt sich:

Der Wortlaut des 1. Gebotes variiert; je nachdem, ob nach Dt. 6, 5 (Nr. 1—3), Mt. 4, 10 (Nr. 4), Ex. 34, 14 (Nr. 5), in freier Kombination nach diesen Texten (Nr. 6), oder nach Ex. 20, 3 (Nr. 7 u. 8), bzw. Ex. 20, 2a. 3 (Nr. 9) zitiert wird.

Allen gemeinsam ist das Fehlen des Bilderverbotes und der Begründung[9]. Als Zweites Gebot wird das Namensgebot gezählt.

Luthers Katechismustext stimmt fast mit dem Text der Heidelberger Bilderhandschrift (Nr. 7) überein. Er hat nur „andere Götter" statt dort „fremde Götter", fügt im Großen Katechismus „neben mir" hinzu und bringt im Nürnberger Druck des Kleinen Katechismus wie Stephanus Lanzkrana in der „Hymmelstrass" (Nr. 9) die Vorrede vor dem 1. Gebot. Luther hat also, indem er statt des vollen 1. Gebotes (Ex. 20, 2—6) nur einen Teil (Ex. 20, 3) nahm, sich einem der verkürzten traditionellen Memoriertexte der katholischen Kirche, die sich im Mittelalter gebildet hatten, angeschlossen[10]. Bekanntlich hat Luther keineswegs kritiklos den Inhalt der katholischen Beichtbüchlein in seine Katechismen übernommen. Er

---

5. Kurze Auslegung 1518 WA 1, 250; Kurze Form 1520 WA 7, 205;
Kleiner Katechismus 1529 Bek. Schr. 508, 1 f.;
Großer Katechismus 1529 Bek. Schr. 555, 16 f.;
Decem Praecepta WA 1, 399.

6. Bek. Schr. 567, 34 f. und 641, 38 ff.

7. Johannes Meyer: Historischer Kommentar zu Luthers Kleinem Katechismus, Gütersloh 1929, S. 121, 6 ff.

8. Ferdinand Cohrs: Die evangelischen Katechismusversuche vor Luthers Enchiridion, Bd. I 239, 4.

9. Der Spiegel des Sünders von 1470 hat neben dem verkürzten Text auch den vollen Wortlaut von Ex. 20, 2—6 (s. Beilage I Nr. 10). Dies ist jedoch eine Ausnahme. Die folgende Auslegung zeigt, daß der Verfasser trotz des vollen Textes innerhalb der katholischen Lehre bleibt, wie sie in den anderen Beichtbüchlein vertreten wird.

10. Ob Luther gerade die von mir unter Nr. 7 und 9 aufgeführten Beichtbüchlein kannte, läßt sich heute schwer feststellen und ist für meine Frage auch nicht wichtig. Es werden viel mehr Bücher dieser Art kursiert haben, als heute festzustellen ist. Einige hat Luther bestimmt gekannt.

weiß sich zwar in der Behandlung der 10 Gebote wie des Vater Unsers und des Glaubens in der Tradition der Kirche, besonders der alten Christenheit, stehend und hat sich oft auf diese berufen[11], übt aber Kritik an der schlechten oder fehlenden Unterrichtung des Volkes in diesen Lehrstücken[12]. In dem Vorwort seines Betbüchleins von 1522 wendet er sich ausdrücklich gegen die „viel schedlichen leren unnd buchlin, da mit die Christen verfuret ... Eynß heyst Hortulus anime, das ander Paradißus anime und ßo fort an, das sie woll wirdig weren eyner starkken, gutter reformacion oder gar vertilget weren. ... auch ... die Passional odder legenden bucher"[13]. Mit der Herausgabe dieses Betbüchleins knüpft Luther zwar an die katholische Tradition an; aber nicht, um diese ungebrochen weiterzuführen, sondern um sie durch gute Gebetbücher zu ersetzen. Gerade die in den katholischen Gebetbüchlein enthaltenen Sündenspiegel veranlaßten Luther zu seinen katechetischen Schriften, die er in der „Kurzen Form der Zehn Gebote" zusammenfaßte, auf die er dann in seinem Betbüchlein 1522 zurückgreifen konnte. Er ersetzt damit nicht den bisherigen Inhalt durch einen anderen, sondern evangelisiert ihn[14]. Dabei trifft er auch inhaltlich eine bestimmte Auswahl. Wichtig für uns ist, daß Luther zwar die Vielfalt der Lerntexte auf den einen zurückführte, der sich an den Dekalogtext der Heiligen Schrift hält, und damit im 1. Gebot zugleich auf den Versuch, bereits im Lerntext das „Götter-Haben" zu deuten, der sich in anderen Memoriertexten andeutet[15], verzichtet, daß er aber überhaupt *bei*

---

11. Bek. Schr. 554, 26 ff. GK Vorrede: „Wiewohl wir's für den gemeinen Haufen bei den dreien Stücken bleiben lassen, so von Alters her in der Christenheit blieben sind, aber wenig recht gelehret und getrieben ..."
Ähnlich Bek. Schr. 557, 19 ff. GK Vorrede und Cl III 297, 28 ff.; WA 19, 76. Hinsichtlich des Dekalogs hat Luther sich hier allerdings geirrt. Dieser ist erst seit der Synode von Trier 1227 als Lehrstück vorgeschrieben. Früher hatte man das Doppelgebot der Liebe vorgezogen. Meyer a. a. O. 78, 20 ff.
Oder beginnt bei Luther die alte Christenheit schon im Neuen Testament? Dort wird ja auf den Dekalog verwiesen. In Bek. Schr. 557, 19 ff. denkt er an die Väter oder Apostel.
12. Bek. Schr. 554, A 8. Mathesius, Luthers Leben in Predigten, 129, 13—16: „Auf der Kanzel kann ich mich nicht erinnern, daß ich in meiner Jugend, der ich doch bis ins 25. Jahr meines Lebens (1529) im Bapsttumb leider bin gefangen gelegen, die zehen Gebot, Symbolum, Vaterunser oder Taufe gehöret hätte. In der Schule lase man in der Fasten von der Beicht und einerlei Gestalt."
Cl IV 118, 21 = WA 30/3, 301 Vermahnung an die Geistlichen: „Ja es war kein Docktor in aller Welt, der den Catechismum, das ist Vaterunser, Zehen Gebot und glauben gewüßt hette. Schweige, das sie ihn solten verstehen und leren, wie er denn jtzt Gott lob geleret und gelernt wird." Ähnlich Cl VII 138, 17; Bek. Schr. 501, 14 ff.; vgl. Johannes Meyer a. a. O. 71.
13. WA 10/2, 375, 3 f. und 10 ff.
14. So nach Ferdinand Cohrs und A. Götze in der Einleitung zum Betbüchlein. WA 10/2, 331 und 341.
15. Johannes Meyer a. a. O. 88.

einem verkürzten Text bleibt, anstatt wie andere[16] neben und nach ihm den vollen Text des Dekalog zu zitieren, und daß er vor allem *das Bilderverbot wie bisher wegläßt und hiermit innerhalb der Tradition der katholischen Kirche bleibt.*

2. Aufgabe und Bedeutung des Dekalogs in Luthers Katechismen

Obwohl schon vor Luther und auch zu seiner Zeit bewußt der volle Wortlaut des 1. Gebotes zitiert wurde[17], ist Luther in seinen katechetischen Arbeiten, die sich über mehr als ein Jahrzehnt erstreckten, immer beim abgekürzten Text geblieben. Auch bei den anderen Geboten hat er im Großen und Ganzen den traditionellen Text beibehalten. So läßt er z. B., wie fast alle katholischen Beichtbücher, beim 2. Gebot die Drohung und beim 4. Gebot die Verheißung weg[18], oder er behält den Ausdruck „Auferstehung des Fleisches" bei, obwohl er ihn mißbilligt[19]. Die Bemerkung „erwähle dir, welche Form du willst" in der Vorrede zum Kleinen Katechismus[20] scheint die Annahme zu bekräftigen, daß Luther auf den Wortlaut und die Form des zu lernenden Textes keinen großen Wert legte und deshalb einfach den katholischen Text übernommen hat. Aber er begründet seine Textwahl durch den Hinweis auf die Kinder und Einfältigen, die diesen Text auswendig lernen sollen. Ein häufiges Ändern würde nur Verwirrung stiften. Deshalb ist es gut, beim einmal gewählten Text zu bleiben[21]. Für die Wahl des Textes ist Kürze und Einprägsamkeit entscheidend. Der Text soll leicht auswendig zu lernen sein und gut im Gedächtnis haften[22]. *Der Katechismus bringt also nur die Kurzform des Dekalogs,* die von den Kindern auswendig gelernt werden sollte. Entscheidend für das rechte Verständnis der Gebote ist dabei weniger der Wortlaut der Kurz-

---

16. s. Beilage III. So u. a. auch Nr. 9 Baders Gesprächsbüchlein, das nach F. Cohrs in WA 10/2, 354 von Luthers Gebetsbüchlein abhängig ist. Luther war nicht der einzige der Reformatoren, der das Bilderverbot im Text des Dekalogs ausließ und in der Auslegung in den Katechismen weder das Bilderverbot noch Bilder erwähnt, obwohl nicht alle wie Luther sich hier der Polemik gänzlich enthalten. S. Beilage II.

17. s. Beilage III.

18. Bek. Schr. 572, 25 und 587, 4 f.

19. Bek. Schr. 653, 29 f. und 659, 23 ff. / GK 3. Artikel: „Daß aber hie steht „Auferstehung des Fleisches" ist auch nicht wohl deutsch geredt. Denn wo wir „Fleisch" hören, denken wir nicht weiter denn in die Scherren. Auf recht Deutsch aber würden wir also reden: „Auferstehung des Leibes oder Leichnahms". *Doch liegt nicht grosse Macht dran, so man nur die Wort recht versteht".* (Kursivsetzung von mir).

20. Bek. Schr. 503, 11 f.

21. Bek. Schr. 502, 41 — 503, 23 KK Vorrede: „Aufs erst, daß der Prediger für allen Dingen sich hüte und meide macherlei oder anderlei Text und Form der zehen Gebot, Vaterunser . . ., sondern nehme einerlei Form für sich, darauf er bleibe und dieselbige immer treibe, . . . Darumb sollen wir auch bei dem jungen und einfältigen Volk solche Stücke also lehren, daß wir nicht eine Silbe verrücken, . . . *Darumb erwähle dir, welche Form du willt, und dabei bleibe ewiglich".* (Kursivsetzung von mir).

form als die dem Text folgende Auslegung[23]. Allerdings handelt es sich hier nicht nur um den Wortlaut, sondern um den Wegfall eines ganzen oder mindestens halben Gebotes. Die Auslassung des Bilderverbotes im Lerntext der Katechismen hat Luther nie direkt begründet.

3. Das Bilderverbot als Teil des Ersten Gebotes bei Augustin, in den katholischen Beichtbüchlein und in Luthers katechetischen Schriften

Die katholische Tradition, der Luther sich in der Einteilung des Dekalogs anschließt, geht bis auf Augustin zurück, der „den Satz verfochten hat, daß man, um 10 Gebote zu zählen, leichter das Lustgebot teilen als das Bilderverbot vom Abgöttereiverbot trennen könne"[24]. Augustin wollte also das Bilderverbot nicht streichen, sondern sah es so eng mit dem Abgöttereiverbot verbunden, daß er beide als ein Gebot zählte. Er zitierte es teils mit dem vollen Text, teils abgekürzt in verschiedenen Versionen[25].

Diese Einteilung scheint jedoch schon vor Augustin bestanden zu haben. Nach Rentschka waren sich schon die Apologeten über den Wortlaut nicht im klaren[26]. Nestle findet an Hand von Randbemerkungen zum Codex Alexandrinus die „augustinisch-lutherische Zählung" auch auf „griechisch-kirchlichem Boden", weist die „griechisch-reformierte Zählung" im Codex Ambrosianus und in der syrischen Hexapla, die Talmudische Teilung im Schlußband des 1881 erschienenen Vaticanus nach und zeigt bei Clemens Alexandrinus Stromata VI eine merkwürdige Mischung der ersten beiden Zählungen[27] auf. Hieraus ist ersichtlich, daß schon seit etwa 200 nicht nur Uneinigkeit, sondern auch Unsicherheit hinsichtlich der Einteilung des Dekalogs herrschte.

---

22. Bek. Schr. 559, 28 ff. GK Vorrede: „daß man solchs in die Jugend bleue, nicht hoch noch scharf sondern kurze und aufs einfältigste, auf daß es ihm wohl eingehe und im Gedächtnis bleibe".
Wo es der Einprägsamkeit dienlich war, hat Luther den Text sogar der Überlieferung und der Heiligen Schrift entgegen umgestellt: Er setzt die auf das Bilderverbot folgende Begründung ans Ende der 10 Gebote und erhält so einen prägnanten Abschluß. s. o. Anm. 6. Nach Luthers Einteilung gehörte die Begründung zum 1. Gebot und da die ff. Gebote inhaltlich vom 1. Gebot abhängig sind, kann die Begründung gut ans Ende verlegt werden. Bek. Schr. 641, 46 ff.
Die Auswahl und Einteilung des Dekalogtextes, die Luther für seine Katechismen als Lerntext traf, war natürlich inhaltlich begründet. s. u. S. 53 f.
23. Bek. Schr. 504, 13 ff.; Cl IV, 4, 9 f.; cf. o. Anm. 19.
24. MPL 34, 621; zitiert nach Meyer a. a. O. 87.
25. Belege bei Paul Rentschka: Die Dekalogkatechese des hl. Augustin, Kempten, 1905, S. 127.
26. Rentschka a. a. O. 51.
27. Nestle: Kleinigkeiten; in Theol. Studien aus Württemberg, 1886 S. 319 ff. „Clemens Alexandrinus Stromata VI 682 behandelt Gottes Namen als zweites, Sabbath als drittes Gebot, und führt — ohne ein viertes zu erwähnen — das Elterngebot sofort als das fünfte ein" S. 322.

Die Mehrzahl der katholischen Beichtbüchlein, die nicht nur den Text der Gebote bringen, geht in der Auslegung des 1. Gebotes auch auf die Bilderfrage ein[28]. Sie rechnen das Bilderverbot also zum 1. Gebot. Es besteht die Möglichkeit, daß Luther das Bilderverbot zum 1. Gebot rechnete und nur im Merkvers des Dekalog ausgelassen, nicht aber völlig gestrichen hat. Wenn Luther das Bilderverbot wie Augustin und z. T. sogar die katholischen Beichtbüchlein zum 1. Gebot zählte, müßte er bei der Auslegung des 1. Gebotes — und er hat den Dekalog sehr oft ausgelegt[29] — auch auf das Bilderverbot und die Bilderfrage eingehen. Wider Erwarten aber erwähnt er Bilder in seinen Katechismen nur einmal im Großen Katechismus[30]. Auf die Bilderfrage selbst geht er auch hier, wie durchweg in seinen katechetischen Schriften, nicht ein. In den Katechismuspredigten von 1528 erwähnt er zwar ‚idola‘ und ‚idolatria‘[31], meint aber damit ‚Abgötter‘ und ‚Abgötterei‘, nicht Gottes- oder Heiligenbilder und deren Anbetung[32]. Luther hat also *das Bilderverbot in seinen katechetischen Schriften im Dekalogtext ausgelassen* und mit einer Ausnahme auch in der Auslegung übergangen, *nicht aber aus dem Dekalog gestrichen*. Der Grund dafür liegt in der Bewertung der Bilderfrage und der Aufgabe des Katechismus bei Luther.

---

28. Auf die Bilderfrage gehen bei der Erklärung des 1. Gebotes ein:

Bonaventura		Geffcken S. 59.
Nikolaus von Lyra	1452	Geffcken, Beilage 24 f.
Stephanus Lanzkrana	1484	Geffcken, Beilage 115.
Spiegel des Sünders	1470	Geffcken, Beilage 52.
Wolffs Beichtbüchlein	1478	Falk, S. 30.
Wolfenbütteler Handschrift		Geffcken, Beilage 177.
Nikolaus Rus Ende des 15. Jh.		Geffcken, Beilage 48 und 57.
Der Seele Trost		Geffcken, S. 6 und 46.
Albertus Magnus		Geffcken, S. 59.

29. Außer in den in Anm. 2—4 genannten katechetischen Schriften:
1519: Kurze Unterweisung, wie man beichten soll, WA 2, 60 ff.;
1520: Sermon von den guten Werken, WA 6, 204—216 = Cl I 229—241;
1521: Vom Mißbrauch der Messe, WA 8, 542—554;
1523: Predigt über das 1. Gebot, WA 11, 30 ff.;
1525: Predigt über Ex. 20, 3 ff., WA 16, 424—464;
1528: Katechismuspredigten, 1. Reihe: WA 30/1, 2—4;
1528: Katechismuspredigten, 2. Reihe: WA 30/1, 27—29;
1528: Katechismuspredigten, 3. Reihe: WA 30/1, 58—61;
1535: Eine einfältige Weise zu beten, WA 38, 365;
1530: Glossen zum Dekalog, WA 30/2, 358 f.

30. Bek. Schr. S. 564, 19 ff.: „Also ist es ümb alle Abgötterei (idolatria) getan; denn sie stehet nicht allein darin, daß man ein Bild (simulacrum) aufrichtet und anbetet, sondern fürnemlich im Herzen, welches ... Hülfe und Trost suchet bei den Kreaturen, Heiligen oder Teufeln. ..."

31. Katechismuspredigten WA 30/1, 3, 27 und 28, 11 ‚idolum‘ in der 1. und 2. Predigtreihe und in der 3. Predigtreihe ‚idolatria‘ WA 30/1, 59, 14.

32. Das bestätigt die von dem Humanisten Vincentius Obsopoeus verfaßte Übersetzung des GK. s. o. Anm. 30.

4. Theologische Bewertung der Bilderfrage durch Luther

Der von Luther herausgegebene Katechismus enthält alles, was „ein yglicher Christ zur not wissen sol, also das wer solchs nicht weis, nicht künde unter die Christen gezelet und zu keinem Sacrament zugelassen werden"[33]. Entsprechend der Aufgabe des Katechismus bringt er in seinen Katechismen, die das Glaubenszeugnis der Schrift Kindern und Einfältigen auf kurze, leicht faßliche Weise darlegen, so daß sie es auch nachsagen können und auswendig lernen[34], *allein die notwendige Grundlage christlicher Lehre*, ohne sie dogmatisch zu begründen oder gegen Ketzer und Schwärmer zu verteidigen. Dies ist allein Sache der Gelehrten und ‚perfecti'. Ketzerstreitigkeiten gehören nicht in Schriften und Reden, die sich an Kinder und Einfältige wenden[35]. Luther mißt der Bilderfrage offensichtlich noch weniger Bedeutung bei als die katholische Kirche, die sich in den Büchern für die Laien ausdrücklich gegen bestimmte Vorwürfe abschirmt, ihre Stellung in der Bilderfrage klarlegt und vereinzelt sogar vor Mißbrauch warnt. Nach Luther gehört die Bilderfrage nicht zu den Grundlagen des Glaubens, sondern zu den unwichtigen Nebenfragen und Ketzerstreitigkeiten. Dementsprechend kommt Luther bei insgesamt 14 Auslegungen des 1. Gebotes lediglich je einmal auf das Bilderverbot, auf Bilder und auf die Bilderfrage zu sprechen: In den Vorträgen über die 10 Gebote (1516/17) erwähnt er das Bilderverbot als Teil des 1. Gebotes[36]. In dem Sermon von den Guten Werken (1520) nennt er das Stiften von Bildern einen Versuch unter anderen, sich vor Gott gute Verdienste zu erwerben. Dies verstößt gegen das 1. Gebot[37]. Lediglich die durch Bilderstürmer ins Volk getragene Unruhe veranlaßt Luther in einer Predigt über das 1. Gebot (Ex. 20, 3) auf die Bilderfrage selbst einzugehen (1529)[38]. Die Bilderfrage ist kein eigenes Anliegen Luthers. Darum hat er nie aus eigenem Antrieb ausführlich über Bilderverbot oder Bilder geschrieben. Erst der Bildersturm veranlaßte ihn, sich in Schriften und Predigten eingehend mit der Bilderfrage zu befassen. Diese Ausführungen sind polemisch bestimmt. Für die Untersuchung der Stellung Luthers in der Bilderfrage hat dies zur Folge, daß wir einerseits auf polemisch gefärbte Ausführungen und andererseits auf zahlreiche in Predigten, exegetischen und erbaulichen Schriften, Briefen und Tischreden eingestreute Bemerkungen angewiesen sind.

---

33. Im GK, Cl IV 1, 5—7 = WA 30/1, 129, 14—16.

34. „Wenn Du aber bei den Gelehrten und Verständigen predigest, da magst Du Deine Kunst beweisen ... aber bei dem jungen Volk ... eine gewisse ewige Form ... daß sie es auch so nachsagen können und auswendig lernen." Bek. Schr. 503, 13 ff. Vorrede zum KK, cf. Bek. Schr. 557, 19 ff. Vorrede zum GK.

35. WA 30/1, 18, 25; WA 30/1, 109, 9 ff.; WA 30/1, 45, 20 ff.; WA 16, 437, 1; WA 28, 715, 1. Predigt zu Dt. 7, 25; 1529.

36. WA 1, 399 (lat. Bearbeitung, 1518).

37. WA 6, 211 = Cl I, 236.

38. WA 16, 437 ff.

II. Der Wittenberger Bildersturm

1. Karlstadts Reformwerk

Bekanntlich versuchten Andreas Bodenstein aus Karlstadt und andere die in Wittenberg durch Luther enstandene reformatorische Bewegung während Luthers Aufenthalt auf der Wartburg in ihrem Sinne weiterzutreiben. Man arbeitete mit besonderer Energie an der praktischen Durchführung der Reformation in Wittenberg, vor allem an der Reform des Gottesdienstes und an der Neuordnung des Sozialwesens. Dabei war die Beseitigung der Bilder zwar auch bei Karlstadt nicht die wichtigste Forderung, aber er legte auf ihre Durchführung als einer öffentlichen Absage an den katholischen Götzendienst großen Wert. In der von Karlstadt verfaßten und auf sein Betreiben am 24. 1. 1522 erlassenen Wittenberger Ordnung wird unter Punkt 13 gefordert:

„Item die bild vnd altarien in der kirchen söllen auch abgethon werden, damit die abgötterey zu vermeiden, dann drey altaria on bild genug seind."[1]

Als die von ihm erhoffte Execution ausblieb, ließ er die Schrift ‚Von Abtuhung der Bilder . . .‘ ausgehen, in der er zwar nicht direkt zum Bildersturm aufforderte, wohl aber der Obrigkeit, d. i. dem Magistrat, dessen Pflicht es nach Karlstadt eigentlich gewesen wäre, die Bilder zu entfernen, da das Warten auf die ‚Pfaffen‘, die es doch nie tun würden, sinnlos sei, schwere Strafen Gottes in Aussicht stellte und die Christen aufforderte, Gottes Gebot zu befolgen und keine Bilder mehr zu dulden[2]. Die Vernichtung der Bildergötzen war für das Volk ein deutlich sichtbares Zeichen für den Durchbruch der Reformation. Es ist also nicht erstaunlich, daß gerade solche ‚äußerliche Dinge‘ das Volk erregten und zum Mitwirken anspornten. Der Bildersturm, der Ende Januar oder Anfang Februar während der vom Rat beabsichtigten ordnungsgemäßen Entfernung der Bilder entstand, war zwar nicht direkt von Karlstadt veranlaßt oder gefordert worden und wurde auch nicht von ihm gebilligt, sondern als eine ‚beklagenswerte Ausschreitung‘[3] angesehen, war aber eine Folge seiner in Schriften und Predigten erhobenen Forderung der Bildentfernung. Auch Barge betont: „Selbstverständlich ist der Bildersturm als eine Begleiterscheinung der gesamten laienchristlichen Bewegung in Wittenberg, deren Führer Karlstadt war, anzusehen, und seine Predigten und Schriften waren es, die den Ingrimm gegen den Bilderdienst entflammten."[4] In ihnen nannte er die Beseitigung der Bilder eine gottgefällige und von Gott gebotene Tat.

---

1. Lietzmann, Kl. Texte Nr. 21 S. 5 Nr. 13.
2. Lietzmann, Kl. Texte Nr. 74 S. 20, 21—21, 14.
3. Barge: Karlstadt I, 399, 11 zitiert dazu ein Schreiben des Magistrates an den kurfürstlichen Rat Einsiedel aus CR I 545.
4. Barge: „Frühprotestantisches Gemeindechristentum" S. 100.

2. Luthers Verhalten nach dem Bildersturm

Nachdem Luther plötzlich von der Wartburg zurückgekehrt war, wandte er sich in den ‚Invocavitpredigten' u. a. auch gegen die Art, in der man mit den Bildern verfahren war. Im Anschluß an diese Predigten brachte er alles auf den status quo ante und ging damit weit hinter seine eigenen Forderungen zurück. Wenn Barges Vermutung zutrifft, sind sogar die aus der Kirche entfernten Bilder, soweit sie nicht völlig zerstört waren, in die Kirche zurückgebracht worden[5]. Karlstadt war zutiefst erstaunt und verletzt. Luther hatte alles zerstört, was Karlstadt aufgebaut hatte. Luther ist anscheinend neidisch, behandelt ihn ungerecht, gebärdet sich wie der neue Papst. In Wirklichkeit hat er klein beigegeben und seine eigene Sache verraten[6]. Bis zur Rückkehr Luthers hatte Karlstadt geglaubt, sich mit seinem Vorgehen im Einklang mit Luther zu befinden. In „Von Abtuhung der Bilder" wandte er sich nicht gegen Luther, sondern gegen die Päpste, die Gregoristen und Papisten, die Pfaffen und Mönche, Doctores und Magistros[7]. Luther hatte deutlich sein Mißfallen an dem katholischen Meßgottesdienst, an Bildern usw. geäußert und die Notwendigkeit einer gründlichen Reform des gesamten gottesdienstlichen Lebens betont[8]. All dies wurde durch Karlstadt und andere in die Tat umgesetzt. So teilte am 21. September 1521 Gabriel Zwilling in der Pfarrkirche das Abendmahl unter beiderlei Gestalt aus; im Oktober wurde im Augustinerkloster der Meßgottesdienst eingestellt und durch evangelische Predigt ersetzt. Karlstadt selbst teilte erst Weihnachten in der Stiftskirche das Abendmahl unter beiderlei Gestalt aus. Nun gingen die Augustiner dazu über, in der Klosterkirche Bilder und heiliges Öl zu verbrennen, die Meßgewänder abzuschaffen und die Liturgie deutsch zu halten. Von der Wartburg war zu allen Vorgängen eindeutig Zustimmung gekommen. „Bis über die Mitte des Januar 1522 hinaus hat Luther den kirchlichen Neuerungen in Wittenberg zustimmend gegenübergestanden; nicht eine Äußerung besitzen wir bis Ende Februar von ihm, in der er sich mißbilligend über die in Wittenberg und Umgebung getroffenen Maßnahmen aussprädhe", stellt Barge fest[9]. Auch die Mißhandlung eines bettelnden Antoniusmönches durch Studenten am 5./6. Oktober entschuldigt er[10]. Obwohl Luther bei seinem heimlichen Aufenthalt in Wittenberg Anfang Dezember von den Ausfällen einiger Wittenberger Bürger und Studenten, die einen messehaltenden Priester vom Altar

---

5. Barge a. a. O. 202 A 2.

6. Barge a. a. O. 163: In der Vorrede zur „Bitt und Vermahnung an Doctor Ochsenfart" (Februar 1522) nimmt er, die Angriffe Ochsenfarts gegen Luther und sich selbst abwehrend, Bezug auf „meines lieben Vaters Doctor Martinus Luther und meine Lehr". Nun wurde er als Verräter der evangelischen Sache, sein Wirken als „Griffe Satanä" gebrandmarkt! s. dazu Barge a. a. O. 157 f.

7. Von Abtuhung, Lietzmann Kl. T. 74, S. 5, 14; 14, 38; 10, 7; 15, 8.

8. So in „De abrogatione missae" u. ö. Über Luthers Kritik am Bilderwesen und gottesdienstlichen Leben seiner Zeit, s. u. S. 30 ff.

9. Barge: Gemeindechristentum S. 156 f.

10. Barge: Gemeindechristentum S. 157; Lietzmann Kl. T. 21, S. 5, Anm. 2.

zogen, erfahren hatte, schrieb er an Spalatin über das, was er in Wittenberg gesehen und gehört habe „omnia vehementer placent"[11]. Woher kam der plötzliche Umschwung in der Einschätzung der Wittenberger Vorgänge bei Luther?

Barge stellt in seinen Büchern über Karlstadt und über das frühprotestantische Gemeindechristentum in Wittenberg fest:

Die „Deutung, die Luthers Rückkehr in Beziehung setzen" will „zu einem angeblich seit langem eingewurzelten Mißtrauen des Reformators gegen die Vorgänge in Wittenberg oder die, die sie auf die Zwistigkeiten unter den Evangelischen daselbst, die seit langem bestanden hätten, zurückführen" will, schlägt „eine falsche Richtung" ein. „Die völlige Umgestaltung der kirchlichen Zustände, wie sie durch die Stadtordnung vom 24. Januar herbeigeführt wurde ... aber auch der Bildersturm ... erweckten nicht das Verlangen nach Luthers Gegenwart." „Erst das Schreiben des Kurfürsten an Einsiedel vom 17. Februar und der darin enthaltene, alsbald bekannt gewordene Bescheid, daß er ‚nicht in die Art, wie sie vorgenommen' willige, hatte den Umschlag der Stimmung hervorgerufen", demzufolge Rat und Freunde Luther dringend baten, nach Wittenberg zurückzukehren[12]. „Darüber, daß das (Nürnberger) Reichsregiment und der Bischof (von Meißen) für Friedrichs des Weisen Verhalten gegenüber den Wittenberger Neuerungen von entscheidendem Einfluß gewesen sind, kann fortan kein Zweifel mehr bestehen, da Friedrich der Weise diese Tatsache selbst bezeugt hat."[13] Zwar haben auch nach Barge „die politischen Befürchtungen, die Friedrich der Weise hegte, Luthers Entschluß, die Wartburg zu verlassen, nicht beeinflußt." „Ihn erfüllte ausschließlich die Sorge um sein religiöses Lebenswerk", aber „Luther hat von den Vorgängen in Wittenberg eine verzerrte Darstellung erhalten!" „Luther hat sich zwar nicht dem Willen des Reichsregiments, wohl aber dem seines kurfürstlichen Herrn gefügt und sich dessen politischen Intentionen untergeordnet. Gewiß schien ihm, dem falsch Unterrichteten, was an Reformen in Wittenberg vorgenommen war, äußerlich und geringwertig. Eben deshalb hat er auch Rücksichten auf die politische Gesamtlage zu nehmen, kein Bedenken getragen."[14]

Barge hat zweifelsohne darin recht, daß die Neuordnung des Gottesdienstes und des Sozialwesens in Wittenberg solange Fortschritte machte, bis der Kurfürst eingriff. Die katholische Seite bereitete eine Gegenaktion vor. Der Kurfürst mußte entsprechend handeln und in Wittenberg einschreiten. Barge hat m. E. auch darin recht, daß des Kurfürsten endgültiges Eingreifen mit dem Mandat im Zusammenhang stand, wenn nicht von ihm veranlaßt wurde; begründet wäre zu viel gesagt. Barge gibt selbst zu, daß dem Kurfürsten schon vorher die Art der Entwicklung in Wittenberg mißfiel. Er war sich jedoch nicht klar darüber, ob ein Eingreifen von seiner Seite notwendig und gut sei. Das Mandat gab den Ausschlag.

Fest steht, daß Luther den Vorgängen in Wittenberg zunächst seine Zustimmung gab, um dann plötzlich, geraume Zeit nach dem Bildersturm, nach Wittenberg zurückzukehren und alles, was seit seiner Abwesenheit getan worden war, rück-

---

11. Cl VI 85, 1 (Von Barge wird diese Stelle S. 157 aus Enders 3, 253 zitiert, während die folgende Ausführung Luthers nur in Anm. 4 erwähnt wird. Dazu s. u. S. 27 bei Anm. 18).

12. Barge: Gemeindechristentum S. 162; 164 f. (De Wette 2, 142, Enders 3, 298).

13. Barge: Aktenstücke, Vorwort S. III. In dem Schreiben vom 17. Februar 1522 an Hugo von Einsiedel. (Die Klammern sind von mir.)

14. Barge: Gemeindechristentum S. 175; 166 unten und 179 f.

gängig zu machen. Fest steht weiter, daß er in seinen Briefen und Predigten ähnliche, z. T. sogar dieselben Formulierungen[15] gebrauchte wie die, die bei den kurfürstlichen Versuchen, den Vorgängen in Wittenberg Einhalt zu gebieten, auftauchten und die außerdem zuvor im Reichsmandat zu finden sind. Nicht abzustreiten ist, daß Luther faktisch *das* tat, was die katholischen Prediger tun sollten: durch Predigt den alten Zustand wiederherstellen. Nach dem Aktenmaterial, das Barge gesammelt hat, sieht es in der Tat so aus, als habe Luther in dem Augenblick, da die katholische Kirche einschreiten wollte, klein beigegeben. Barge selbst stellt ausdrücklich fest, daß Luther nicht einfach dem Kurfürsten gehorchte, sondern sein gesamtes bisheriges Werk ernsthaft in Gefahr gestellt sah. Er sei aber falsch unterrichtet worden.

Es besteht die Möglichkeit, daß Luther die Situation von der Wartburg aus zunächst falsch einschätzte. Er hörte von den Fortschritten und freute sich[16]. Er nahm an, daß die Predigt nun soweit eingedrungen sei, daß man in Ruhe auch an äußere Umordnung denken konnte. Von Bildern selbst war in den Briefen Luthers überhaupt nicht die Rede. Die bei diesen Reformen gelegentlich auftretenden Unruhen in Erfurt, Wittenberg und anderorts, hält er zunächst lediglich für bedauerliche Übergriffe einiger Übereifriger[17]. Daher konnte er sich zu der Lage in Wittenberg Anfang Dezember 1521 — vor dem Wittenberger Bildersturm — noch zustimmend äußern. So in dem von Barge zitierten Brief an Spalatin,

„Omnia vehementer placent, que video et audio. dominus confortet spiritum eorum, qui bene volunt, quamquam per viam vexatus rumore vario de nostrorum quorundam importunitate praestituerim publicam exhortationem edere, quam primum reuersus fuero ad Eremum meam.“[18]

Dies ist eine eingeschränkte Zustimmung. Die Begleitumstände bei den an sich guten Reformen, die auch mit rechter Absicht angefangen wurden, gefielen Luther nicht. Darum wollte er, sobald er auf die Wartburg zurückgekehrt war, ein Mahnschreiben herausschicken, um vor Aufruhr und Unruhe zu warnen[19].

In einem Brief an Spalatin vom 17. Januar 1522 ging Luther auf die tumultartigen Vorgänge in Eilenburg ein, die der Austeilung des Sakraments unter beiderlei Gestalt vorausgegangen waren. „Wie ich selbst in Wittenberg gesehen und gehört habe; aber nun höre ich täglich maiora, werde bald zurückkehren.“[20] Luther erkannte, daß sein Mahnschreiben ohne Erfolg blieb, ja, daß es täglich schlim-

---

15. so etwa ‚Uneinigkeit‘, ‚Verwirrung‘, ‚Schwache‘ (so Luther, WA 2, 72), ‚Kranke‘ (so der Kurfürst). Barge „Gemeindechristentum“ 290, Verhandlungen Nr. 194 (CR 1, 549): „sondern mit den Kranken ein Mitleid haben.“ Instruktionen Nr. 195 (CR 1, 551): „Um der Kranken willen muß man dennoch eine Geduld tragen.“ Auch in Barge: Aktenstücke S. 28.
16. s. Barge a. a. O. 195; WA 18, 67, 15.
17. Am 15. 8. 1521; Cl VI 32 und 34.
18. Cl VI 85, 1—5 = WA 2, 410.
19. Dies hat er auch getan: Cl II 299 ff. = WA 8, 670 ff.
20. Cl VI 100.

mer wurde, und die reformatorische Bewegung in Gefahr war, in Schwärmerei und Aufruhr abzuleiten. Was Luther also vor seiner endgültigen Rückkehr im Dezember/Januar 1521/22 in Brief und Mahnschreiben schrieb und was er nach seiner Rückkehr in Wittenberg in den Invocavitpredigten sagte, galt nicht nur Wittenberg, sondern allen Gebieten, die sein Evangelium aufgenommen hatten und in denen sich jetzt solche Tumulte mehrten. Schon vor Beschluß des Mandates ist Luther entschlossen, die Wartburg zu verlassen, gegen die sich täglich mehrenden tumultartigen Ausfälle vorzugehen und die Reformation wieder in ruhigere, dem Evangelium gemäße Bahnen zu leiten. Allerdings wußte Luther bereits am 17. Januar, daß Herzog Georg von Sachsen fleißig gegen die Reformation arbeitete und drohte, das Reichsregiment gegen die Neuerungen in Wittenberg zum Einschreiten zu veranlassen. Anlaß der Rückkehr könnte das drohende Mandat gewesen sein: Luther hörte, daß die Gegenseite sich zu rühren begann, und sein Werk in Gefahr stand, von außen her mit Gewalt unter dem Vorzeichen des Aufruhrs vernichtet zu werden. Daher mußte nicht nur der Aufruhr sofort niedergeschlagen werden, sondern Luther mußte sich von diesen Leuten distanzieren. Er kam der Gegenseite zuvor. Ist Luther damit Karlstadt, d. h. seinen eigenen Leuten, in den Rücken gefallen? War die seiner Sache von außen drohende Gefahr wirklich — wie Barge meint — für Luthers Rückkehr ausschlaggebend? Hielt er den äußeren Bestand der Reformation für wichtiger als die Treue zu seinen eigenen Leuten und zu seiner eigenen Lehre? Der Parallelfall des Augsburger Reichstages läßt vermuten, daß Luther andere Gründe für seine Rückkehr hatte.

Im Jahre 1530 stand in der Tat das gesamte reformatorische Werk in Gefahr, zerstört zu werden. Aber während Melanchthon in Augsburg bei schwerer Sorge um die Sache der Reformation und um den allgemeinen Frieden in mühseligen Verhandlungen zu einer Einigung zu kommen versucht, schreibt Luther, er wünsche über die Einheit der Lehre keine Verhandlungen, weil es hierin doch zu keiner Einheit kommen könne. Es geht um das Evangelium und die Grundlagen des Glaubens. Darum wehrt er sich hier gegen den Begriff „Mittelding". Er mahnt die Seinen, keinerlei Zugeständnisse um des lieben Friedens willen zu machen und fordert schließlich am 20. 9. voll Zorn: Brecht die Verhandlungen ab. „Ego paene rumpor ira et indignatione. Oro autem, ut abrupta actione desinatis cum illis agere et redeatis"[21].

Auf die die Gesamtsituation entscheidenden Fragen wie etwa die Durchführung der Änderung der Messe und das dahinterstehende Abendmahls- und Gottesdienstverständnis, oder die hinter der Durchführung stehende Frage des Kirchenbegriffs, kann hier nicht eingegangen und somit auch nicht eine Lösung des ganzen sich mit der Rückkehr Luthers von der Wartburg ergebenden Problemkreises gebracht werden. Es muß aber gefragt werden:

1. Hat Luthers Einstellung in der Bilderfrage eine Wandlung durchgemacht?

---

21. Cl VI 394, 8 f. Zum Ganzen s. die Briefe Luthers von der Koburg an die Seinen in Augsburg (WA Br 3), etwa an Melanchthon am 29. 6. 30 (405 ff. = Cl VI 299 ff.); an Joh. Brenz am 30. 6. (417 ff. = Cl VI 312 ff.); an Jonas, Spalatin, Melanchthon und Agricola am 15. 7. (479 ff. = Cl VI 331 ff.); an Melanchthon am 26. 8. (577 ff. = Cl VI 376 ff.).

2. Liegt in der Bilderfrage ein Unterschied in der Lehre[22] zwischen Karlstadt und Luther vor, der sich auf das Reformationswerk entscheidend auswirken mußte? Ist Luthers Eingreifen in Wittenberg von der Bilderfrage her notwendig, zum mindesten begründbar?

22. Barge selbst sieht entscheidende Unterschiede zwischen Karlstadt und Luther im Kirchenbegriff und im Glaubensbegriff (Barge a. a. O. 185 ff.; 195; 212) und stellt fest, daß für Karlstadt, im Gegensatz zu Luther, die Äußerlichkeiten im Kultus nicht kirchliche Adiaphora seien (a. a. O. 212).

III. Luthers Stellung zu den Bildern bis Ende Februar 1522

Da die Bilderfrage kein eigenes Anliegen Luthers war, finden sich vor der Auseinandersetzung mit den Bilderstürmern lediglich beiläufige Bemerkungen zur Bilderfrage in seinen exegetischen und erbaulichen Schriften. Aus der Zusammenstellung dieser Gelegenheitsäußerungen ergibt sich, daß Luther bereits vor seiner Rückkehr von der Wartburg eine eindeutige und theologisch fundierte Stellung in der Bilderfrage hatte.

Die früheste Äußerung Luthers über Bilder findet sich in der Römerbrief-Vorlesung von 1515/16, wo Luther zu Römer 14, 1 ff. bemerkt: Für die Christenheit gibt es keinen Unterschied mehr zwischen sakralen und profanen Zeiten, Orten und Dingen. Die strengen Vorschriften des Gesetzes Mose etwa über bestimmte Festzeiten, verbotene oder erlaubte Speisen, Fastenzeiten usw. sind für uns nicht bindend. Jeder Tag ist ein Festtag. Jede Speise ist erlaubt. Ebensowenig gibt es nach dem Neuen Gesetz unumstößliche Regeln für die Gestaltung von Kirchenbau, Kirchenschmuck und Kirchenmusik.

„Orgeln, Altarschmuck, Kelche, Bilder und alles, was man heute in den Kirchen hat", sind nicht heilsnotwendig. Es sind Schatten, Zeichen, Kinderspiel. Andererseits wendet Luther sich gegen die häretische Auslegung des Neuen Gesetzes durch die Pigharden, die all diese unnötigen Dinge ausmerzen wollen. Solange die Liebe zum Nächsten durch ihren Gebrauch nicht verletzt wird, sind sie erlaubt[1]. Für die Bilderfrage ergibt sich: *Bilder gehören nicht zu den Dingen, die ein Christ haben muß. Er kann sehr gut ohne sie auskommen. Verboten sind sie jedoch nicht.* Sie gehören zu den Dingen, die uns im Neuen Gesetz freigegeben sind.

In „den Vorträgen über die Zehn Gebote", die Luther bereits von „Juni 1516 bis Fastnacht 1517 unter großem Zudrang des Volkes gehalten" hat[2], teilt er zu Beginn der Auslegung des 1. Gebotes die Übertretung des Gebotes in exterior idolatria und interior idolatria ein. Der äußere Abfall von Gott besteht in der Anbetung von Holz, Stein, Tieren und Gestirnen, „ut notum est ex vetere testamento et libris gentilium"[3]. Das Bilderverbot als ein Teil des 1. Gebotes verbietet nicht Herstellung und Besitz von Bildern, sondern die Anbetung von Kultbildern, eine z. Z. des Alten Testaments häufige Art des Götzendienstes.

Die große Gefahr des Abfalls seiner Zeit sieht Luther weniger in dem groben Aberglauben der Anbetung von Bildern aus Holz und Stein als in der Irrlehre der Werkgerechtigkeit. Hinter dem Versuch des frommen Katholiken, durch „kirchen, altar, Closter stifften und schmucken ... tzu den heiligen lauffen ... roßenkrentz und psalter betten, und das alles nit fur einem abtgot, sondern fur dem heiligenn creutz gottis odder seiner heiligen bild thun"[4], sich bei Gott ein Gut-

---

1. Cl V 292 ff. = WA 56, 493 ff.
2. WA 1, 394.
3. WA 1, 399, 12 ff. (zitiert nach der Umarbeitung von 1520).
4. WA 6, 211 = Cl 1, 236, 14 (1520).

haben zu erwerben, sich damit „den Himmel zu erkaufen"[5], verbirgt sich die Überschätzung der eigenen Kraft, die Vermessenheit, die meint, Gottes Zorn durch eigene Anstrengung besänftigen und ohne Gottes Gnade auskommen zu können; verbirgt sich die Unterschätzung der eignen Schuld, die Geringachtung des Zornes Gottes und des Ernstes seines Gerichtes und die Verachtung seiner Liebe in Christus. Es ist der Teufel, der durch den Papst, seine Bischöfe und die Predigermönche die Menschen von Christus weg und zu ihren eigenen Werken und damit in die Hölle führt. Luther sieht hierin die Ketzerei der Novatianer neu erstehen[6]. Der spätere Reformator wird nicht müde, immer wieder und wieder auf den „schrecklichen Irrtum," ja die Sündhaftigkeit der „Werkgerechtigkeit" hinzuweisen, die sich in unzählig vielen Formen äußerte. Das Bilderstiften war nur eine der vielen Möglichkeiten, sich Verdienste vor Gott zu erwerben. Darum werden Bilder im Zusammenhang des Verdienstgedankens immer nur als ein Beispiel unter anderen, manchmal überhaupt nicht genannt. Es geht Luther um wichtigere Dinge als um Bilder. Er rüttelt an den Grundfesten der katholischen Lehre, aufgebaut auf dem Gedanken der Kirche als der Verwalterin der göttlichen Gnadengaben und Heilsgüter[7]. Gegen ein Kreuz, ein Bild Gottes oder der Heiligen, ja sogar gegen ein Gebet vor ihnen zu Gott hat Luther, wenn es ohne den Nebengedanken des Verdienstes geschieht, nichts einzuwenden.

Die zwangsläufige Folge der Verdüsterung des Bildes von Christus zu dem eines zornigen Richters, ja eines Teufels, der die Menschen mit seinem Schwerte umbringen, erbarmungslos in die Hölle stoßen will[8], ist die Zuflucht zu Maria und den Heiligen, die nun an Stelle, ja gegen Christus um Gnade und Fürbitte angefleht werden[9]. Auch dies findet seinen Niederschlag in der bildenden Kunst. So werden Maria und Johannes der Täufer rechts und links des zornig auf seine Wunden weisenden Christus dargestellt, wie sie für die armen Sünder um Gnade bitten[10]. Oder Maria breitet ihren Mantel aus und läßt darunter die zitternden Menschen vor dem schrecklichen Zorne Christi Zuflucht finden (Schutzmantelmadonna)[11]. Durch die Hinwendung zu Maria und den Heiligen erlangten die Madonnen- und Heiligenbilder in der Volksfrömmigkeit große Bedeutung. Den groben Aberglauben des Volkes, das Bild und dargestellte Person verwechselt,

---

5. WA 10/1, 1. Abtlg. 252 f. (Dezember 1522); WA 33, 84, 30 ff. und 85, 23 ff., Predigt über Joh. 6 (1531).

6. So von Luther in vielen Predigten in späteren Jahren im Rückblick geschildert. Als Beispiel hier einige Zitate, bei denen Luther das „Richterbild" erwähnt, wenn er den Irrweg, den der Papst, seine Bischöfe und Predigermönche den armen Gläubigen wies, schildert: WA 47, 275 f.; WA 48, 8 f.; WA 47, 310, 19; WA 33, 84, 30; WA 33, 85, 24; WA 47, 276.

7. s. die 95 Thesen und deren deutsche Erläuterung. Cl I 3 ff. und 11 ff.

8. WA 17/1, 430, 18; WA 47, 310, 7 ff. und 277, 4 ff. (1537) in der Rückschau geschildert.

9. WA 47, 275 f.; WA 45, 86, 1.

10. WA 37, 420, 30 f. (1534); WA 33, 83 ff.; WA 48, 8.

11. WA 47, 276, 18 ff. und 310, 15 f.

Stein und Holz anbetet, Wallfahrten zu besonderen „wunderkräftigen" Bildern unternimmt, kleine Heiligenbilder und Kreuzchen, Holzschnitte, denen oft Gebete und Segenssprüche beigegeben sind, als Amulett mit sich herumträgt[12], lehnt Luther entschieden ab. Als Beispiel zitiert Luther einen Vers, in dem Christophorus mit seinem Bilde identifiziert und diesem Wunderkraft zugeschrieben wird, und sagt hierzu: „Vide, ut hic impius virtutes tantas non deo, sed imagini ligneo et picto tribuat."[13] Luther weiß wohl, daß das Volk bei manchen Bildern nicht mehr zwischen dem Bild und dem dargestellten Heiligen unterscheidet, wie es nach katholischer Lehre vorgeschrieben war. Er sieht aber das Hauptübel nicht hierin, sondern in dem durch die „papistische" Predigt hervorgerufenen Vertrauen auf den durch das Bild dargestellten Heiligen. Wenn schon der Anblick eines Bildes einfältige Menschen erfreuen kann, sollte eher der Anblick des Kreuzes, das — anders als Christophorus — durch die Heilige Schrift autorisiert ist, den Betrachter zum Freuen bringen[14]. Auf Christus soll der Trostsuchende schauen, nicht auf ein Christophorusbild. Ebenso wendet sich Luther gegen die damals üblichen Madonnenbilder.

> „Aber die meyster, die vns die selige iunpfraw also abemalen vnd furbildē, das nichts voracht, sondern eytel groß hohe ding in yhr antzusehen sind, was thun sie anders, den das sie vns gegē die mutter gottis halten allein, vnd nit sie gegen got, damit sie vns blod vñ vortzagt machen, vn das trostlich gnaden bild vorblende". Man sollte in Wort und Bild zeigen, „wie in yhr die vberschwēcklich reychtum gottis, mit yhrer tieffen armut, die gotliche ehre mit yhrer nichtickeit, die gotlich wirdickeit mit yhrer vorachtūg, die gotlich grosse mit yhrer kleynheit, die gotlich gutte, mit yhrē vnuordiēst, die gotlich gnade mit yhrer vnwirdickeit zu sammē kūmen sind."

Aus dem Anblick eines solchen Bildes, das uns Maria als ein Beispiel der großen göttlichen Gnade vor Augen hält, würde uns Trost und Zuversicht erwachsen, Lust und Liebe zu Gott, ‚der uns arme nichtige Menschen' auch nicht verachten, sondern gnädig anschauen wird. Statt dessen wird dem Gläubigen solch ein tröstlich Gnadenbild verhängt, wie man es mit den Bildern und Altarschreinen in der Fastenzeit macht und dafür ein Bild Mariens vorgehalten, das sie gänzlich von eines Menschen Gestalt abhebt, so daß der Betrachter sie für göttlich hält, ja daß einige sogar „bey ihr als bei einem gott hilfe und trost suchen". Luther hat Sorge, daß zu seiner Zeit mehr Abgötterei getrieben werde als je in früheren Zeiten[15]. Schuld daran ist die falsche katholische Predigt, die von Maria und den Heiligen, von Altar-stiften, Wallfahrten, Ablaßbriefen etc. redet, statt von Christus und der

---

12. s. o. bei Anm. 4; gegen Wallfahrten: Cl I 392, 17 ff.; WA 1, 422, 30 ff. (1518); WA 7, 241 (Predigt über Mt. 2, 1 ff. 1521); Cl I 155, 8 ff. und 160 (1519).

13. WA 1, 413, 6 ff.: Decem praecepta (1518); 11—13 Christophore sancte, virtutes sunt tibi tantae: Qui te mane videt, nocturno tempore ridet, Nec Satanas caedat nec mors subitanea laedat. An anderer Stelle nennt Luther die Christophoruslegende der „größten Gedichte und Lügen eine" (1522), WA 10/1, 2. Abtlg. 83, 3 ff.

14. WA 1, 413, 28—29 Quintum. Cur non Crux Christi inspecta facit ridere inspectores, quae habet authoritatem scripturae? nisi melior forte imago Christophori quam Christi, Cum crux Christi ipsa sit vere sola quidam Christophorus.

15. Cl II 156, 31—157, 19 = WA 7, 569 f. (Magnificat, 1520/21).

Liebe zum Nächsten[16]. Aus Menschen haben sie Götter gemacht, und das Volk betet nun Holz und Stein an, hält von Menschenhand gemachte Gebäude, hält Gold und Silber für Gottes Heiligtum. Aber, so betont Luther bereits 1518 in einer Fastenpredigt, Holz und Stein, Reliquien und silberne Monstranzen sind wertlos. Das wahre Heiligtum ist der lebendige Christ in der Nachfolge Christi unter dem Kreuz. Doch von diesem Heiligtum will heute niemand etwas wissen. Unsere Bischöfe und Häupter fliehen davor. Dagegen herrscht kindische Andacht und Heiligkeit[17].

Der gesamte katholische Gottesdienst erschöpft sich in

„singen, leßen, orgeln, meßhalten, metten, vesper vn ander getzeite beten, kirchen, altar, Closter, stiften vn schmucke, glocken, kleinod, kleid, geschmeid auch schetz sammlen, zu Rom, tzu den heiligen lauffen ..., vns bucke, knypogen, roßenkrentz vnd psalter betten, ..." „groß geprenge, mit bullen, sigel, phanen, ablas, damit das arme volck gefuret wirt zu kirchen bawen, gebenn, stifften, beten." Wer das Wort Gottesdienst hört, der denkt „an den glocken klang, an steyn vnd holtz der kirchen, an das reuchfaß, an die flämen der liecht, an das geplerre in den kirchen, an das golt, seyden, edelstein der korkappen vn meßgewād, an die kilch vnd monstrantzen, an die orgeln vn taffeln, an die procession vnd kirchgang, vn das grossist an das maulplepperen, vnd pater noster steyn zelen. Da hyn ist gottis dienst leyder kummen."[18]

Durch die wachsende Überbetonung all dieser äußeren Dinge, zu denen auch Bilder gehören, begann der echte Kern, der ursprünglich dahinter stand, mehr und mehr abzusterben, so daß der Gottesdienst, entleert und entwertet, zu einer bloßen Scheinhandlung erstarrte, zum „Unfug" und „Affenspiel" wurde, d. h. zu einer ihres Sinnes beraubten, gedankenlos nachgemachten Übung[19]. Die Messe, der Hauptbestandteil des Gottesdienstes, sollte „ein Gedenken des heiligen Leidens Christi sein." Aber was ist daraus geworden? Wer gedenkt noch des Leidens Christi so, daß der Ernst des Zornes Gottes ihn zu Boden schmettert und die Liebe in Christus, der am Kreuz für ihn gelitten hat, ihn wieder aufhebt? Wer erblickt noch sein gesamtes Leben in Feiertag und Alltag, in Freud und Leid, unter dem Zeichen des Kreuzes Christi? Wer nimmt Gottes Zorn und Gottes Liebe, wie sie sich am Kreuz Christi treffen, gleichermaßen ernst?

„Wir haben das weßen yn eynem scheyn vorwandelt, vnnd das leyden Christi bedenken, alleyn auff die brieff vnnd an die wendt gemalet."[20]

Luther wendet sich nicht gegen das Kruzifix, nicht gegen Kreuzigungs- und Stationsbilder, sondern gegen die Verkehrung des wahren Glaubens in einen nach außen gerichteten Scheinglauben. Er wendet sich dagegen, daß z. B. Stationsbilder an den Wänden darüber hinwegtäuschen, daß niemand mehr in Wahrheit an das Leiden Christi denkt. Er wendet sich dagegen, daß dies alles ist, daß der Glaube fehlt. Hier muß von der Wurzel auf ein neuer Anfang gemacht werden. Das

---

16. EA 16, 38 und 40 (1521) Predigt über Matth. 2, 1 ff. = WA 7, 241 ff.
17. WA 1, 271.
18. Cl I 236, 9—13 und 237, 5—7 = WA 6, 211 f. (1520) Von den guten Werken; Cl II 180, 9—18 = WA 7, 596.
19. Bei Luther bedeutet ‚Geplerr' Betrug, Blendwerk WA 36, 44 A 2.
20. Cl I 156—160 (1519).

Scheingebäude muß zerstört und die Leere aufgedeckt werden, damit Raum wird für Gottes Gerechtigkeit. Luther kann soweit gehen, zu sagen, man sollte einmal all diese großartigen Kirchen zerstören und abbrechen und das Wort Gottes an einem ganz gewöhnlichen Ort, im Haus oder unter dem Himmel predigen[21]. All dieser falsche Prunk muß weg; es muß gezeigt werden, daß dies leerer Wahn ist, daß Gottes Heil an all diese Dinge nicht gebunden, daß dies alles nicht heilsnotwendig ist, sondern daß allein Gottes Gerechtigkeit, sein Zorn und seine Gnade, allein der Glaube an den Gekreuzigten und Auferstandenen heilsbringend und heilsnotwendig ist.

Andererseits findet sich bereits hier die später unermüdlich vorgebrachte Bitte: Nehmt Rücksicht auf die Schwachen, solange sie auf euch hören und nicht gegen den Glauben streiten. Nicht sie, sondern die, die ihnen diesen falschen Gottesdienst eingebleut haben, sind schuld. Man muß sie sanft aus dem Werkglauben zum echten Glauben führen und ihnen eine Zeitlang diese äußeren Dinge noch lassen, bis sie im Glauben gefestigt sind[22]. So macht Luther dem Anfänger im Glauben das Zugeständnis, daß ihm Bilder und dgl. Dinge zugelassen sein mögen, die dem gefestigten Christen verboten werden müssen[23]. Denn es genügt nicht, einfach die Anbetung der Bilder zu unterlassen. Der Schaden sitzt tiefer: im Herzen. Darum kann ein Mensch sich aus eigener Kraft nicht vom Götzendienst abwenden. Allein das Hören auf Gottes Wort und der daraus geschenkte Glaube befreit von der Macht der Götzen. Deshalb muß einerseits mit dem Anfänger im Glauben Nachsicht geübt werden, bis er im Glauben gefestigt und von der Macht des Götzen und seines Bildes völlig befreit ist; und andererseits dem gefestigten Christen ein solches Bild abgesprochen werden, wenn er sich nicht des Rückfalls in die Abgötterei schuldig machen soll. Es genügt nicht, sich einfach von den Götzen abzuwenden, sondern Gott muß um seine Hilfe, um das Geschenk des rechten Glaubens gebeten werden[24]. Darum fordert Luther nicht einfach Entfernung der Bilder und Beseitigung des falschen Gottesdienstes, sondern er fordert zuerst und vor allem die Predigt des Evangeliums. Der rechte Gottesdienst besteht im Hören und Annehmen des Wortes Gottes. Gott fordert nicht „kirchen pawen, wallen, stiften, meßhören, diß oder das", sondern Gott fordert einen Menschen, der aus seiner Gnade lebt, der ihn seinen Gott sein läßt, seine Hilfe annimmt, ihn allein lobt, ihm dankt. „Sihe, das ist der rechte gottis dienst, datzu man keyner glocken, keyner kirchen, keyneß gefeß noch tzyerd, keyner lichte noch kertzen, keyner orgelln noch gesang, keyniß gemelds noch bildniß, keyner taffellnn noch altar ... bedarf."[25] Wer auf Gott vertraut, braucht keine Heiligenbilder mehr; wer einen

---

21. Cl I 402, 31 ff. (1520); An den christlichen Adel ... WA 10/1, 1, 264, 4 f. und 252 f. (1522) zu Acta 6, 3—15.

22. Cl I 238 f. (1520).

23. WA 1, 271, 9 ff. (1518).

24. WA 1, 399, 26: „fides verbi mei te faciet liberum a diis alienis et verum cultorem dei."

25. WA 10/1, 1, 38, 15—39, 14 (Kirchen-Postille).

‚gnädigen Gott hat', wird nicht mehr Gottes Gnade erkaufen wollen: Der wird das für derlei Dinge verwendete Geld den Armen geben[26]; für den erlischt die Macht der Bilder.

Luther hat das an sich selbst erfahren. Von einem Vertrauen Luthers auf irgendwelche Bilder wird uns zwar weder von Luther selbst noch von anderer Seite etwas berichtet, aber Luther erwähnt im Rückblick seine Furcht vor dem Bilde Christi, eine Furcht, die tief in seinem Herzen verankert war. Luther ist bekanntlich den Weg der selbstgeschaffenen Gerechtigkeit in seiner Klosterzeit bis zur äußersten Konsequenz gegangen[27], wobei ihm Gottes Zorn immer mächtiger und seine eigne Kraft immer geringer geworden ist, bis ihn schließlich der bloße Anblick eines Bildes, das Christus als Richter darstellte, „wie man ihn gemalet hat auff dem Regenbogen zu gericht sitzend und seine Mutter Maria und Johannes den Teuffer zu beiden Seiten als furbitter gegen seinen schrecklichen zorn"[28], in Furcht und Schrecken versetzte. Dieses Bild hat sich so in sein Herz eingeprägt[29], daß er sich Christus nur noch unter diesem Bilde vorstellen konnte, ja, daß er Christus als Teufel erblickte[30], so daß er schon bei der bloßen Erwähnung des Namens Christi seine Augen abwandte, weil vor ihm sofort dieses schreckliche Bild erstand, wie Christus als Richter auf dem Regenbogen thront mit dem Schwert des Gerichtes in der Hand[31]. Auch das Bild des am Kreuz hängenden Christus wurde ihm zur Anklage. Er schlug die Augen nieder vor ihm und hätte lieber den Teufel gesehen als dieses Bild. So sehr war sein Herz durch die ‚papistische' Lehre vergiftet[32]. Erst nachdem ihm das Licht des Wortes von der Gnade Gottes in Jesus Christus aufgegangen war, hat das Bild, das Christus als Richter darstellte, seine Schrecken für Luther verloren. Er konnte es wenige Jahre später in Schriften und Predigten unbefangen als Beispiel verwenden. So schon 1518 in der Auslegung von Psalm 109 zu Psalm 45, 7[33]. Vor allem das Bild Christi am Kreuz gehörte nun zu den für Luther tröstlichen Bildern. Bei seiner Betrachtung des heiligen Leidens Christi (1519) hatte Luther das Bild des Gekreuzigten vor Augen[34]. So wurde aus dem Bild, das der Mönch haßte und nicht mehr sehen mochte, für den Reformator ein Bild, das ihn in seinen Anfechtungen zu trösten vermochte. Freilich, nicht das Bild selbst tröstete ihn. Aber so wie das Bild des richtenden Christus dem Mönch seine

---

26. WA 1, 245, 39—246, 1 (1517 Sermon von Ablaß und Gnade); WA 1, 598, 22 ff. (1518); WA 10/1, 1, 257 f.

27. WA 33, 87, 32—88, 8 „undt wen ich mich den gleich zu tode marterte ... den wo Christus verlassen wirdt do muß verzweiffelung folgen ... bleibet Christus in deinem hertzen ein Richter." (vgl. Holl: Ges. Aufsätze I 16 ff.).

28. WA 46, 8, 33 Predigt über Joh. 16 (1538).

29. WA 36, 44, 15 f. (1532); WA 37, 420, 24 ff. (1534).

30. WA 45, 86, 1.

31. WA 41, 268, 6 f. (1535); und in anderen Predigten: WA 33, 90, 17 (1531); 26, 296, 9 (1532); 46, 730, 25 (1538); 47, 275, 33 ff. (1537).

32. WA 47, 310, 7 ff.

33. WA 1, 694, 21 ff. (1518).

34. Rogge ‚Luther und die Kirchenbilder seiner Zeit' S. 20, Anm. 66.

verzweifelte Lage vor Augen führte, so erinnerte und mahnte ihn später das Kreuzesbild als das eigentliche Gnadenbild[35], an Gottes rettende Tat für ihn. Auch den Heiligenbildern hat Luther ihre bisherige Bedeutung genommen. Sie sollen Leben und Taten der Heiligen als Beispiel für die Gnade Gottes zeigen.

Die Bilderfrage war für Luther bis zum März 1522 keine theologisch wichtige Frage, aber seine Theologie schlug sich nieder in seinem Verhältnis zu bestimmten Bildern sowie zu Bildern im allgemeinen. Bereits vor seiner Rückkehr von der Wartburg war alles im Ansatz vorhanden, was Luther zur Bilderfrage zu sagen hatte. In den Gelegenheitsäußerungen Luthers über Bilderverbot und Bild vor seiner Auseinandersetzung mit den Bilderstürmern wendete Luther sich gegen die katholische Kirche, die ‚Papisten‘. Er stimmt zwar mit der in den Beichtbüchlein[36] dem Volk vorgetragenen Lehre in der Beurteilung des Bilderverbotes als eines Teiles des 1. Gebotes, das sich gegen den Abfall der Juden zum heidnischen Bilderdienst richtet, überein und rechnet das Bilderverbot zum Alten Gesetz, das durch das Neue Gesetz aufgehoben sei, unterscheidet sich jedoch von der katholischen Kirche seiner Zeit durch die Stellung zum Bilde selbst. Ein Bild ist nach Luther zwar erlaubt, aber nicht, wie die Papisten sagen, notwendig. Auf die theoretische Unterscheidung von Anbetung und Verehrung geht er nicht ein. Sie wird in der Haltung des einfachen Gläubigen dem Bilde gegenüber nicht beachtet. Luther wendet sich energisch gegen den falschen Bildgebrauch auf Grund der falschen Einschätzung der Bilder durch das Volk, das einerseits im Stiften kostbarer Altäre und Bilder eine Möglichkeit sah, sich bei Gott Verdienste zu erwerben und das andererseits bestimmte Bilder, vor allem Marien- und Heiligenbilder, verehrte, ja anbetete und von ihnen Hilfe jeder Art erwartete. Diese falsche Einstellung zum Bilde wurde durch die irreführende Predigt der ‚Papisten‘ verursacht und hat sich in bestimmten, besonders beliebten Bildtypen niedergeschlagen. Gegen diese bildgewordene Irrlehre wendet sich Luther in Schrift und Predigt. Dabei wendet er sich weniger gegen die offizielle katholische Lehre, als gegen den tatsächlichen Bildgebrauch, in dem der wahre Charakter der katholischen Irrlehre zum Durch-

---

35. WA 2, 689 = Cl 1 165 (1519). Diese Stelle wird von Buchholz in ‚Protestantismus und Kunst im 16. Jh.‘ S. 65 als Beispiel für die bei den Reformatoren gewandelte Betrachtungsweise eines Bildes wie des Schmerzensmannes zitiert. Luther redet jedoch an dieser Stelle weder vom ‚Schmerzensmann‘ noch von irgendeinem anderen Christusbilde. Er spricht hier vom Augenblick des Sterbens, von der Todesfurcht und dem Anblick des Todes, der Sünde und der Hölle, die den Sterbenden schrecken. Nur wer jetzt das Bild des Lebens, der Gnade und des Himmels anschaut, ist gerettet. Diese drei Bilder aber sind alle der Blick auf den Gekreuzigten, der meinen Tod besiegt, meine Sünden getragen, meine Hölle überwunden hat. Es ist nicht an die andächtige Betrachtung eines frommen Bildes gedacht, sondern an das wortlose Gebet des Sterbenden, etwa so wie es Paul Gerhardt in seinem Liedvers ausspricht: ‚Erscheine mir zum Schilde, zum Trost in meinem Tod und laß mich sehn dein Bilde in deiner Kreuzesnot.‘ Evang. Kirchengesangbuch Nr. 63, Vers 10.
Vgl. dazu: „Was ist dein einiger Trost im Leben und im Sterben?“ Heidelberger Katechismus 1563 (Die Bekenntnisschriften der reformierten Kirche, ed. E. F. K. Müller S. 682).
36. s. Exkurs I: Die Auslegung des Bilderverbotes in den katholischen Beichtbüchlein.

bruch komme. Die Einstellung des Volkes zum Bild ist als Folge der falschen papistischen Lehre und Predigt ein Teil des Scheinwesens des katholischen Gottesdienstes. So zeigt auch der Inhalt der Äußerungen Luthers, was formal bereits festgestellt wurde: Die Bilderfrage gehört für Luther nicht zu den grundlegenden Glaubensfragen und damit zu den wichtigen Fragen in der Auseinandersetzung mit der papistischen Lehre, sondern ist nur ein Randgebiet, auf dem u. a. auch die schädlichen Folgen der katholischen Irrlehre sichtbar wurden.

Die Hochachtung der Bilder ist lediglich ein äußeres Zeichen, ein Symptom der in viel tieferen Schichten liegenden Verderbnis. Darum ist die Bilderfrage nur eine Randfrage. Es geht um die Entleerung des Gottesdienstes, den Verlust des echten Glaubens an Christus. Daß Luther die radikalen Forderungen seiner frühen Zeit später nicht zur Durchführung brachte, hat einen doppelten Grund: Die Einsicht in die Verstrickung des einfachen Menschen in das äußerliche Gottesdienstwesen und die Erkenntnis der Nebensächlichkeit dieser „äußeren Dinge" gegenüber der Tiefe der Verderbnis, gegen die nicht die Hand, sondern der Mund als Werkzeug Gottes, d. h. allein das gepredigte Wort Gottes, wirksam ist. Diese Erkenntnis ist später von Luther im Kampf gegen die Bilderstürmer immer wieder betont worden[37]. Schon vor 1522 forderte Luther dazu auf, keine Bilder mehr zu stiften und anzubeten und regte die Maler zu einer neuen Gestaltung der Christus- und Marienbilder an. Gottesbilder werden von Luther vor 1522 nicht erwähnt.

---

37. s. o. S. 34 und unten S. 43.

IV. Auseinandersetzung Luthers mit den Bilderstürmern

Nach Luthers Rückkehr nach Wittenberg fand bei Luther in der Bilderfrage ein Frontwechsel statt. Die bisherigen Gelegenheitsäußerungen richteten sich durchweg gegen das praktische Verhalten des Volkes und die dahinterstehende Irrlehre der ‚Papisten'. Jetzt wandte er sich in Predigten und polemischen Schriften gegen Karlstadt und die ‚Bilderstürmer'. Es geht um die Frage der Bilderbeseitigung.

1. Karlstadts Bilderlehre

Karlstadt geht in seiner Schrift „Von Abtuhung" der Bilder[1] ausführlich auf die Bilderfrage ein. Er wendet sich gegen die ‚Papisten', Gregoristen, Pfaffen und Mönche, doctores und magistros und bekämpft nicht nur den Gebrauch, der von ‚Pfaffen' und vor allem Laien von den Bildern gemacht wird, sondern die falschen Bildgötzen selber.

Karlstadt fordert Entfernung sämtlicher Bilder aus den Kirchen und bei den Gläubigen. Besonders verwerflich sind Bilder, die auf dem Altar stehen[2]. Er erwähnt das Kruzifix, Bilder Christi und der Heiligen wie Christophorus, Paulus, Petrus und Barnabas[3].

Die Forderung der Bildentfernung begründet er mit dem Bilderverbot oder dem Ersten Gebot. Gott verbietet alle Bilder: „du solst kein bilder habē", nicht machen, nicht behalten, nicht fürchten, nicht anbeten, nicht ehren[4]. Karlstadt rechnet das Bilderverbot wie Luther zum Ersten Gebot: Gott verbietet Bilder, weil sie gefährlich und schädlich sind. Sie verleiten die Menschen zur Abgötterei. Die Bilder müssen abgeschafft werden, weil sie ‚Ärgernis' bieten und zum Mißbrauch verleiten[5].

Dies beweist er aus dem Verhalten der Menschen zu den Bildern. Die Menschen setzen Bilder an die Stelle Gottes: In die Kirchen, wo Gott allein wohnen, herrschen, geehrt, angerufen und angebetet werden soll. Dort erzeigen sie ihnen die Ehre, die Gott allein gebührt, indem sie sie anbeten und ehren[6]. In ihre Herzen, denn sie rufen sie an und erwarten Hilfe von ihnen, obwohl Gott allein helfen kann. Wer sich fürchtet, ein Bild zu entfernen, hat einen Abgott im Herzen. Aber „got wil eyn gantz vn voll hertz inhabē, und magk in keinem weeg leyden, das ich eyn bildnis vor meinen ougen hab." Ein Bild vor Augen haben, ist für Karlstadt dasselbe wie ein Bild im Herzen haben. Wer ein Bild ansieht, betet es an.

---

1. Lietzmann: Kleine Texte Nr. 74 (1522).
2. a. a. O. 7, 24; 10, 21 f.; 14, 3; 16, 2; 4, 23 f.; 8, 11 f.
3. a. a. O. 10, 11; 9, 7; 11, 2 und 6; 13, 15 f. und 39; 14, 11 f.
4. a. a. O. 21, 38; 4, 22; 6, 26; 13, 9; 7, 24; 16, 6; 20, 2 f.; 19, 16; 7, 32.
5. a. a. O. 18, 27; 6, 3; 14, 3; 12, 3 § 13 der Wittenberger Ordnung; Lietzmann: Kleine Texte Nr. 21 S. 5.
6. Lietzmann: Kleine Texte Nr. 74 S. 4, 27 und 34; S. 8.

Deshalb haßt Gott Bilder und solche, die sie anbeten[7]. Diese Gleichsetzung wird in den katholischen Beichtbüchlein nicht vorausgesetzt, entspricht aber weitgehend dem Verhalten des katholischen Laien.

Ein weiteres Argument gegen Bilder Gottes erwähnt Karlstadt einmal, wertet es aber nicht aus: Gott ist „unverbildlich"[8].

Karlstadt weist die Einwände der ‚Bilderfreunde' zurück:

1. Bilder sind zwar äußerliche Dinge, aber „wan du got eusserlich wilt eherē ... solstu seine ceremonie und seinem gesetz nachvolgē." Das Gesetz aber sagt deutlich, daß Altäre und Bilder heidnisch und menschlich, aber nicht von Gott geboten, sondern verboten sind[9].

2. „Etliche bildbekusser sprechen: Das alhte gesetz verbeut bilder und das neuwe nit. Aber wir volgen dem neuwen, nit dem alten gesetz." Dagegen betont Karlstadt: „Christus beweyßet seyne laher aus Moise vnd Propheten ...". Wer Bilder erhalten will, weil nur das Alte Gesetz sie verbietet, der muß auch die anderen Gebote des Dekalog nicht mehr halten. „Vnd verbott der bylder statt oben ahn, alß das meynste vnd groste."[10]

3. Bilder können nicht als *„Bücher der Laien"* verwendet werden. Sie sind stumm, lehren nichts und nützen niemandem[11].

Diese drei Argumente stammen aus dem ‚papistischen Lager', gegen das Karlstadt sich in seiner Schrift wendet. Die ersten beiden finden sich aber auch unter den Gelegenheitsäußerungen Luthers vor der Auseinandersetzung mit Karlstadt. Das dritte Argument ist von Luther in der Zeit vor dem Bildersturm, in der er sich gegen den falschen Bildgebrauch wandte, nicht genannt aber bei seiner Aufforderung zu einem anderen Bildgebrauch vorausgesetzt worden.

2. Vergleich zwischen Karlstadt und Luther vor der Auseinandersetzung

Aus dem Vergleich der Ausführungen Karlstadts mit Luthers Gelegenheitsäußerungen aus der Zeit bis zu seiner Rückkehr ergibt sich: Karlstadt sieht wie Luther im Bilderverbot einen Teil des 1. Gebotes und entnimmt die Motivierung des Bilderverbotes ebenfalls dem 1. Gebot. Er begründet seine Forderung, die Bilder zu entfernen, mit dem Mißbrauch, der mit den Bildern getrieben wird.

Neu gegenüber Luther ist die Gleichsetzung von Bild und Götze. Es ist nicht möglich, ein Bild vor Augen zu haben, ohne es anzubeten. Der Gebrauch, den die Menschen von den Bildern machen, zeigt, daß die Anbetung der Bilder eine zwangsläufige Folge ihres Vorhandenseins ist. Darum verbietet Gott im Bilderverbot, ein Bild zu machen. Hieraus ergibt sich die unbedingte Forderung der

---

7. a. a. O. 14, 39; 12 ff.; 6 und 13; 19, 3 f. und 11 f.; 5, 7 ff.
8. a. a. O. 7, 16.
9. a. a. O. 90, 17 ff.
10. a. a. O. 21, 15—39.
11. a. a. O. 9 ff.

Entfernung des Götzenbildes. Bei Luther ist die Vernichtung des Bildes vor Augen eine zweitrangige Frage. Wichtig ist ihm vor allem die Entfernung des Götzenbildes aus dem Herzen. Karlstadt kennt diese Abstufung nicht, weil bei ihm das Bild „vor Augen" mit dem Bild „im Herzen" zusammenfällt.

Während Luther nicht die Bilder, sondern den Mißbrauch, der mit ihnen getrieben wird, verurteilt, bekämpft Karlstadt die Bilder selbst. Während Luther lediglich Bilder, in denen der papistische Irrglauben zum Ausdruck kommt, ablehnt, die Entfernung der abgöttischen Bilder aus den Kirchen wünscht und echten Bildgebrauch und brauchbare Bilder fordert, fordert Karlstadt die Entfernung sämtlicher Bilder aus Kirchen und Privathäusern. Dahinter steht der Gedanke: Sind sie erst einmal gefällt, wird niemand sich mehr vor ihnen fürchten. Sind sie erst einmal aus den Augen, kann niemand mehr sie anbeten.

Während Luther in dem Bilderglauben lediglich das Symptom einer tiefer sitzenden Verderbnis und in dem Bilderkampf eine zweitrangige Aufgabe sieht, hält Karlstadt den Bildgötzen für den Erzfeind und den Bilderkampf für eine Bewährungsprobe des echten Glaubens.

Während Luther gegenüber der sich u. a. im Bilderstiften äußernden Werkgerechtigkeit und gegenüber dem Scheinglauben und Aberglauben des Bilderdienstes die Predigt des gekreuzigten Christus fordert, die die Menschen zu echtem Glauben und aufrichtigem Gottesdienst ruft, fordert Karlstadt mit gleicher Heftigkeit das Stürzen der Bildergötzen als Zeichen des Durchbruchs der Reformation. Die Kritik Luthers an dem Unwesen des Bilderstiftens und an der Entleerung des Gottesdienstes fehlt bei Karlstadt.

Es besteht bereits vor der Rückkehr Luthers nach Wittenberg in der Bilderfrage ein deutlicher Unterschied zwischen ihm und Karlstadt. Karlstadt, der sich bis zu der unerwarteten Reaktion Luthers im Einvernehmen mit Luther glaubte, hat sich hierin getäuscht. Es scheint so, als habe auch Luther erst kurz vor seiner Rückkehr die andere Richtung, in der Karlstadt lief, bemerkt. Dies muß man Karlstadt zugutehalten, der sich so — von seiner Warte aus berechtigt — de facto aber unberechtigt — von Luther ungerecht behandelt fühlt. Luther selber hat in seinen Invocavitpredigten Karlstadt nicht genannt.

3. Luthers Kritik an Karlstadt und den Bilderstürmern

Auffallend ist, daß Luther gerade da, wo er sich gegen die Bilderstürmer wendet, besonders scharfe Worte gegen Bilder findet:

„Ich verwerfe die bilder" / „wie es wol besser were, wir hetten sie gar nicht" / „... war ists, das die ferlich sind vnnd ich wolt es weren keyne auff denn alltaren" / „man kans nit läugnen, das die bylder böse seindt von wege jres mißbrauchs" / „ich wolt sie weren in der gantzen weldt abgethann, von wege jres myßbrauchs." / „Also man die bilder zur Eychen, ym Grymmetal, zum Birnbaum und wo solch geleuffte mehr zu den bilden ist (wilchs denn rechte abgöttische bilder sind und des teuffels herberge) zu breche und zu störete, ist löblich und gut."[12]

Luther stimmt mit Karlstadt auch nach dem Sturm darin überein, daß bestimmte Bilder zur „Abgötterei" verleiten und daß der Mißbrauch, der mit diesen Bildwerken getrieben wird, Grund genug ist, um gegen sie vorzugehen. Dennoch behält Luther den bisher eingenommenen Standpunkt bei und weist Karlstadt und die Bilderstürmer deutlich auf die bestehenden Unterschiede hin. So steht vor oder nach jeder der soeben zitierten Wendungen Luthers ein „aber", „obwohl", „jedoch" oder ein ähnlicher einschränkender Ausdruck.

„War ists das die ferlich sind vnnd ich wolt es weren keyne auff den alltaren. *Aber* darumb sie verbrennen und schenden vnnd nicht leyden, werden wir nicht beweyßen das recht sey", / „damno imagines, *sed* verba" / Daß man die Bilder in den Wallfahrtskirchen zerstört, „ist löblich und gut. *Aber* daß die drumb sundigen sollten, die sie nicht abbrechen, ist zu viel geleret."[13]

Luther reagiert auf die Argumente der „Bilderfeinde", indem er zuerst ihrer Kritik am Mißbrauch zustimmt, dann aber ihr Verhalten angreift und ihre Gründe widerlegt. Gegenüber Karlstadt, für den Bild und Götze identisch sind und der darum die Vernichtung aller religiösen Bilder fordert, betont Luther, man müsse zwischen einem Bild, das man nur anschaut, und einem Bildgötzen, auf den man sein Vertrauen setzt und den man anbetet, unterscheiden[14]. Dies hatte Luther bereits vor dem Wittenberger Sturm und seiner Rückkehr gesagt. Nun geht er noch einen Schritt weiter: Man muß nicht nur zwischen gefährlichen, zu falschem Gottesdienst führenden und ungefährlichen, profanen Bildern unterscheiden, sondern man muß Bildgebrauch und Bild gesondert sehen.

„die bilder seindt weder sonst noch so,
sie seindt weder gut noch böse."[15]

Luther betrachtet das Bild als eine religiös neutrale Sache. Er zählt es zu den sogenannten Mitteldingen; das sind neutrale, wertfreie Gegenstände, die außerhalb von Gut und Böse liegen[16]. Damit sieht er in den Bildern reine Objekte, rechnet sie zu Gegebenheiten wie Sonne und Sterne, die man gar nicht aus der

---

12. WA 10/3, 26 und 31; Cl VII, 372, 32; Cl II, 328 32; Cl VII, 375, 19 f.; Cl VII, 374, 27 f.; WA 18, 74, 21—75, 3.

13. Cl II, 328, 32 f.; WA 10/3, 26, 31; WA 18, 75, 3—4. (Kursivsetzung von mir).

14. WA 28, 677 f. (Predigt 1529).

15. Cl VII, 376, 11 f.

16. Vgl. W. Trillhaas, Adiaphoron, in: ThLZ 79 (1954) 457—462: „Der Begriff des Adiaphoron stammt aus der Stoa: ... eine an den Dingen haftende Neutralität ... Erst im Mittelalter wurde der Begriff auf das Gebiet der Handlungen übertragen. (Thomas v. Aquin)".

Luther hat den Begriff in der ursprünglichen Bedeutung als wertfreien Gegenstand (Bild) und in der umgewandelten Bedeutung (Bild haben) gebraucht.

Welt schaffen kann[17]. Man kann auch durch Entfernen einiger Bilder in einigen Kirchen nicht alle Bilder aus der Welt schaffen. Es wird immer noch irgendwo irgendwelche Bilder geben, zu denen die Menschen dann laufen werden. Die Gefahr des möglichen Mißbrauches der Bilder rechtfertigt noch lange nicht das heftige Vorgehen gegen sie und die Forderung ihrer unbedingten Vernichtung. Wenn die Versuchung durch eine Sache ihre Ausrottung bedingte, müßten auch Sonne und Mond, Wein und Frauen und vieles andere vernichtet werden. Das Gegenargument, das ihm bei der Verhandlung mit den Orlamünder Schwärmern entgegengehalten wurde: „Nein, das sind Kreaturen von Gott, die Bilder aber sind Produkte von Menschenhand", hat Luther nicht beachtet[18]. Luther übersieht hier scheinbar, daß Bilder nicht, wie Sonne und Mond, von Anbeginn der Welt vorhanden waren, sondern erst durch Menschenhand geschaffen wurden und dadurch keine außerhalb der menschlichen Sphäre stehenden neutralen Objekte, sondern durch den Menschen, der sie gemacht hat, in einem bestimmten Sinne qualifiziert bzw. disqualifiziert sind. Andererseits wußte und bemerkte er z. B. sehr wohl, daß ein Marienbild, je nachdem, wie es vom Künstler gestaltet wurde, zur Anbetung reizen kann oder nicht. Dies bringt er in seinem Magnificat deutlich zum Ausdruck, lehnt diese Art Madonnenbilder ab und fordert die Maler auf, die Bilder so zu malen, daß sie nicht zur Abgötterei verführen. Karlstadt gegenüber geht es aber nicht um die Herstellungsweise eines Bildes, es geht auch nicht darum, ob überhaupt und wie dann ein Bild gemacht werden soll — sondern es geht hier und jetzt um die Frage: Müssen alle Bilder unbedingt und sofort vernichtet werden[19]? Dabei liegt der Ton auf den Worten: ‚alle', ‚unbedingt' und ‚sofort'. Luther selbst hatte vor 1522 die Entfernung einiger Bilder gefordert und hielt auch nach dem Sturm diese Forderung aufrecht[20]. Aber nicht alle Bilder müssen entfernt werden, sondern nur die, auf die das Volk sein Vertrauen setzte. Und auch diese müssen nicht unbedingt und nicht sofort vernichtet werden. Nicht die Tatsache der Beseitigung, sondern die Gewaltsamkeit und Unrechtmäßigkeit des Vorgehens und vor allem die hinter der Beseitigung stehende Haltung veranlaßte Luther zum Eingreifen[21]. Karlstadt, der die sofortige Vernichtung der Bilder heftig fordert, spricht ihnen damit eine Macht über die Menschen zu, die sie nicht haben. Für Luther hat kein Bild von sich aus irgendeine Macht über Menschen. Auch die

---

17. Cl VII, 375, 25 ff. Der Gegensatz ‚sichtbar : unsichtbar', bei Luther ‚außen : innen', findet sich schon bei Augustin. Nach Heinrich Barth: Die Freiheit der Entscheidung im Denken Augustins, S. 11 ff., liegt das Böse nach Augustin weder im Subjekt noch im Objekt, sondern in der Bewegung der Seele, in ihrer Zuneigung zum weniger Guten; es ist Entfernung von Gott und Mißbrauch des Guten. „malum esse est enim male uti bono". De nat. bon. 36.
Nach Luther liegt das Böse nicht im Objekt, aber im Subjekt (im Herzen des Menschen), das von dem Objekt falschen Gebrauch macht.
18. WA 15, 345, 28—346, 1 (1524).
19. WA 28, 677, 3.
20. WA 28, 677, 1; Cl VII 372, 32 und 374, 27 f.
21. WA 28, 678, 4 „sed per magistratum"; Cl VII, 366.

Bilder in den Wallfahrtskirchen sind tote, leblose und darum machtlose Materie, Holz und Stein. Sie sind vollkommen ungefährlich für den, der weiß, daß sie keine Macht haben. Aber die Menschen, die sie dort aufgestellt haben und die, die zu ihnen laufen, sprechen ihnen solche Mächtigkeit zu, indem sie sie an Gottes Stelle setzen und anbeten. Das Böse sitzt nicht in den Bildern, sondern im Menschen. Ob ein Bild schädlich ist oder nicht, hängt von der falschen oder rechten Bildbetrachtung, d. h. vom Betrachter selber ab. Sein Glaube entscheidet. Deshalb geht es Luther um den Menschen selbst, um die Vernichtung des Götzenbildes in seinem Herzen. Es kommt weniger darauf an, alle vorhandenen Bilder zu entfernen, als den Aberglauben an diese Bilder zu zerstören, ihnen ihre scheinbare Macht zu nehmen und ihre Machtlosigkeit und Nichtigkeit zu offenbaren. Das geschieht durch die Predigt[22]. Luther denkt bei der Auseinandersetzung mit den Bilderstürmern nicht an den Künstler, der Gutes oder Böses in das Bild hineinarbeiten kann, sondern an den Betrachter, für den es zunächst ein außerhalb seiner selbst stehender Gegenstand, ein totes Ding, „Holz und Stein", leblos und gefahrlos ist. „Ein solches Bild kann mir nicht schaden noch mich verführen"[23]. Erst durch die Art der Betrachtung kommt das Bild auch für den Betrachter zum Leben, gewinnt eine bestimmte Bedeutung für ihn. Und Karlstadt haben Bilder nach seiner eigenen Aussage von Jugend an sehr viel bedeutet[24]. Früher hat er sie verehrt und gefürchtet, später gehaßt; die Furcht blieb. Obwohl Karlstadt noch nicht frei von dem Glauben an die Macht der Bilder war, hat er ihre Entfernung gefordert, in der Annahme, der Sturz des „Götzen" werde ihm jegliche Angst nehmen. Einen toten Gegenstand kann man weder lieben noch hassen oder fürchten. Karlstadt hat, ohne es zu erkennen, weiterhin an die Macht der Götzen, deren Entfernung er forderte, geglaubt und damit selber das 1. Gebot übertreten. Luther hat dies erkannt und zugleich die Gefahr für die Bevölkerung gesehen. Er hat zugleich erkannt, daß der Unterschied zwischen Karlstadt und ihm weniger in der Auslegung des Bilderverbotes, als in der Bewertung der Bilder liegt[25].

4. Karlstadts Schriftbeweis

Für die Radikalität der Ablehnung der Bilder kann Karlstadt sich Luther gegenüber auf den Wortlaut des Bilderverbotes berufen. Er tut dies bereits in der Schrift „Von Abtuhung" und in verschärftem Maße später Luther gegenüber in seiner Schrift „Ob man gemach faren . . ."

---

22. WA 16, 440, 1 f. (1525): „Quae ita destruenda, ut corda davon wenden: Quid mihi idolum, si cor non heret in eo." WA 10, 3, 26 und 31; „ich verwerfe die bilder, doch mit dem wort . . ." Cl VII, 372, 32; WA 15, 219, 22; Cl VII, 34 ff.; WA 18, 75, 8 nicht mit Gewalt entfernen, sondern „Setze eynen prediger hyn."

23. Cl VII, 374, 12.

24. Von Abtuhung, Lietzmann Kleine Texte 74, S. 19.

25. WA 16, 436, 8—10.

„Du solst nit fremde gotter haben. Du solst kein ... bild machen". Gott hat
geboten „das wir kein bildnüs machē noch die gemachtē leidē sollen"[26].
Gott verbietet im Dekalog das Machen und also auch das Behalten von Bildern
und gebietet durch Mose und durch die Propheten die Vernichtung aller Bildergötzen. Darum müssen sie unverzüglich vernichtet werden. So zeigt es uns das
Beispiel der Propheten und Könige im Alten Testament. Man muß der Schrift ge-
horchen, darf sie nicht ändern, nichts dazu tun und nichts weglassen. Er wirft
Luther vor, er lasse das „machen" weg und mache den Zusatz: nicht gleich, denn
man muß auf die Schwachen Rücksicht nehmen[27].
Luther antwortet Karlstadt in doppelter Beweisführung:
    1. „nach der weyse des gesetz Mose"
    2. „auff Euangelische weyse"[28].
Es geht in diesen beiden Gedankengängen um die Fragen:
    1. Welche Bilder werden im Bilderverbot verboten?
    2. Welche Bedeutung hat Moses Gesetz für uns?
Es muß also zunächst Luthers Auslegung des Bilderverbotes und dann die
Geltung des Bilderverbotes und sein bleibender Gehalt nach Luther dargelegt
werden.

5. Luthers Auslegung des Bilderverbotes

a) Hermeneutische Voraussetzung

Luther entgegnet Karlstadt, der sich auf den Wortlaut des Bilderverbotes beruft: Man darf Gottes Wort nicht mit einem toten Buchstaben verwechseln. Nicht
der Wortlaut, sondern der Wortsinn entscheidet. Es ist falsch, aus einem Textganzen ein bestimmtes Wort herauszunehmen und sich darauf zu versteifen. Um
einem Schriftwort wirklich gerecht zu werden, muß man den Gesamtzusammenhang, in dem ein Wort steht, beachten und den Sinn des Textes zu erfassen
suchen[29]. So bemerkt Luther zu Dt. 4, 2: „Hoc non est addere, quando ego verba
Mosi ausstreich et declaro." Man kann einen Text mit so viel Worten auslegen,
wie man will. So haben es die Propheten getan und auch „Christus addidit
multa et demit"[30]. Denn die Zeiten und damit die Menschen und ihr Wortschatz
ändern sich (aliud tempus, homines). Deshalb muß man mit anderen Worten (alia
verba) dasselbe sagen. Wichtig ist allein, daß der Wortsinn erhalten bleibt (modo
idem intellectus maneat)[31]. Auch in der Abendmahlsfrage betont Luther: Man

---

26. Von Abtuhung S. 7, 18−36; Ob man gemach faren ... Bl. C ij.
27. a. a. O. Blatt B ij und D.
28. WA 18, 68, 27 f.
29. WA 18, 69, 9 f.
30. WA 28, 547, 6 ff. (Predigt über Dt. 4; 1529).
31. WA 28, 584, 4 ff.

darf dem Wort und damit dem Textganzen nicht einen anderen Sinn geben, wie es z. B. die „Schwärmer" tun, die das Wort stehen lassen, aber den „verstand" wegnehmen[32].

Bekanntlich hat Luther sehr viel Wert auf den Wortlaut des Abendmahlstextes gelegt.

> „... er sol und mus so stehen, wie die wort lauten. Denn Gott hat yhn selbs also gestellet, und niemand thar einen buchstaben widder davon noch dazu thun." Es sind Gottes Worte. Darum soll man „einen tutel und buchstaben größer achten denn die gantze welt und dafur zittern und furchten als fur Gott selbs"[33].

Es entsteht der Verdacht, Luther habe in der Abendmahlsfrage einen anderen hermeneutischen Maßstab angelegt als in der Bilderfrage. Hat Luther beim Abendmahlstext „auf ein Wort gepocht", oder ist er beim Bilderverbot vom Wortlaut abgewichen? Wie läßt sich Luthers Auslegung der beiden Stellen ohne Widerspruch zueinander verstehen?

1. Luther will auch beim Bilderverbot nicht den Wortlaut ändern, sondern wehrt sich dagegen, daß ein Wort aus dem Zusammenhang herausgenommen, für sich gestellt und darauf gepocht wird: „machen, machen ..."

2. Beim Abendmahlstext hat er nicht ein Wort herausgenommen und darauf gepocht[34]. Der Eifer um das „est" entsprang dem Bemühen, jedes andere Wort, das dafür eingesetzt werden könnte, auszuschalten, weil nur ein „ist" Brot *und* Leib stehen läßt, auf deren sakramentale Einheit Luther allen Wert legte. Das „est" ist die Klammer, die beide zusammen hält. Es muß im Text stehen bleiben[35]. Auch hier geht es ihm nicht um ein einzelnes Wort, sondern um das Ganze, den „rechten verstand des textes".

3. „Wo die heylige schrifft ettwas gründet zu gleuben, da soll man nicht weichen von den worten, wie sie lauten, noch von der ordnunge, wie sie da stehet. Es zwinge denn eyn ausgedruckter artickel des glaubens, die wort anders zu deutten odder zu ordenen."[36]

Es geht Luther in beiden Fällen um den Wortsinn, den rechten Inhalt des Gesamttextes. Der Wortlaut soll bei Glaubensaussagen unverändert aus der Heiligen Schrift aufgenommen werden. Nur wenn ein Glaubensartikel es unbedingt erfordert, darf hier in der Auslegung vom Wortlaut abgewichen werden.

---

32. WA 28, 548, 1 f.

33. Cl III, 463, 33—35; 466, 28—36.

34. In „Vom Abendmahl Christi, Bekenntnis" 1528 sagt Luther, der Text rede deutlicher von der Gegenwärtigkeit des Leibes, wenn das „ist" fehle: Cl III, 486, 4 f.

35. Cl III, 460, 1 ff. und 357, 15 f. Es handelt sich um den beim Abendmahl gesprochenen Text.

36. WA 18, 147, 23—26; WA 15, 773, 7 f. als Beispiel dafür, wie nach Luther der Wortsinn über dem Wortlaut steht und so vor einer falschen Auslegung bewahrt. Der ‚Kelch' aus Psalm 116, 12 f. ist nicht auf den Kelch des Abendmahles zu deuten, sondern auf das dem Herrn auferlegte Kreuz (d. i. Leiden).

b) Auslegung des Bilderverbotes

Nach dem hermeneutischen Grundsatz, über den Inhalt eines Schriftwortes entscheidet nicht allein der Wortlaut, sondern der sich aus dem Gesamtzusammenhang
ergebende Wortsinn, legt Luther das Bilderverbot aus:

> „Das erst gebot dringt dahyn:
> Wir sollen alleyne einen got anbetten, vñ keyn bilde ... das anbetten ist ver-
> botten und nicht das machen."[37]

Luther sieht im Bilderverbot kein selbständiges Gebot, sondern ordnet es mit
Augustin und den ihm folgenden katholischen Lehrern dem 1. Gebot zu. Es ist
ein Teil des 1. Gebotes. Der von Luther in seinen Katechismen als 1. Gebot zitierte
Text ist demnach nicht das ganze Gebot, wohl aber der „Hauptspruch"[38], der zugleich Kriterium für das rechte Verständnis des Gesamtgebotes ist. Das Bilderverbot darf nicht gesondert vom 1. Gebot betrachtet werden[39]. Kriterium dafür, ob
ein Bild verboten oder erlaubt ist, ist das 1. Gebot[40]. Luther hat das Bilderverbot
dem 1. Gebot nicht nur zugeordnet, sondern auch inhaltlich untergeordnet. Da es
kein selbständiges Gebot ist, kann es auch keine eigene Aussage haben. Das 1. Gebot ist seinem negativen Inhalt nach Abgöttereiverbot. Es verbietet, sein Herz an
etwas anderes zu hängen als an Gott[41]. Da das Bilderverbot keine andere Ausrichtung haben kann als das 1. Gebot, darf darauf nur bezogen werden, was mit
Abgötterei zu tun hat. Das Bilderverbot ist dann lediglich eine nähere Bestimmung zu „alienos deos"; ein Beispiel dafür, was unter „Abgötter" zu verstehen
ist[42]. Als nähere Erläuterung der negativen Seite des 1. Gebotes enthält das Bilder-

---

37. Cl VII, 373, 6 ff. = WA 10/3, 26 ff., Invocavitpredigt 1522. Auslegungen des
Bilderverbotes bringt Luther in ff. Schriften: Von beider Gestalt des Sakraments zu nehmen (1522) Cl II, 311 ff. = WA 10/2, 33 f. Wider die himmlischen Propheten von Bildern
und Sakramenten, (1524—25) WA 18, 62—88.
Jahrpredigten: 1523 über das 1. Gebot: WA 11, 31 ff.
          1525 über Exodus 20: WA 16, 437—445.
          1529 über das Deuteronomium: WA 28, 677—679. 714—717.
Vorlesung über das Deuteronomium 1525: WA 14, 603—606.
38. WA 18, 69, 16 ff.
39. WA 16, 443, 7 ff.
40. WA 28, 678, 30 ff.; WA 16, 443, 10 ff.: „Quae sunt contra verstand ... gottsche
bilder."
41. Bek. Schriften 560 (GK).
42. WA 16, 436, 8 f. zu Ex. 20, 3: „Non habebis. hoc est 2. Weret, ne habeant alienos
deos et exponit deos: ne scilicet faciant imaginem."; WA 18, 69, 16—21: „Denn disser
spruch ‚Du sollt keyne götter haben' ist ia der heubt spruch, das mas und zil, darnach
sich zihen, lencken und messen sollen alle wort, die hernach folgen. Denn er zeyget an ...
die meynung disses gespottes, Nemlich, das keyne ander götter seyn sollen. Darumb mus
das wort ‚Machen' ‚bilde' ... nicht weytter zuverstehen seyn, denn das keyne götter und
abgötterey draus werde."

verbot nach Luther lediglich eine negative Aussage: Das Bilderverbot verbietet Bilder, „qui sunt dei coram deo"[43]. Ein Bild, das man zum Gott macht; an Gottes statt anbetet, liebt und sein Vertrauen darauf setzt, verstößt gegen das 1. Gebot und ist darum verboten. Ein Bild, das nicht Gottes Stelle einnimmt und so Gottes Ehre verletzt, sondern nur angeschaut wird, ist erlaubt. „Das Anbeten ist verboten und nicht das machen."[44] Freilich muß ein Bild erst hergestellt werden, bevor es angebetet werden kann, aber im Gesamtzusammenhang ist das Wort „machen", auf das Karlstadt sich so versteift, von secundärer Bedeutung. Es muß dem Sinn des Abgöttereiverbotes entsprechend auf „anbeten" bezogen werden. Denn dies ist die im 1. Gebot gemeinte Sünde[45]. Luther weist auf den in Lev. 26, 1 auf das Bilderverbot folgenden Finalsatz hin: „Yhr sollt euch keyne götzen machen noch bilde, das yhr anbetet."[46] Verboten ist nicht das Machen, sondern, dem Tenor des 1. Gebotes entsprechend, das Anbeten eines Bildes. Verboten ist es, aus einem neutralen Bild einen Götzen zu machen. Der profane Gebrauch eines Bildes ist nicht verboten. Luther hat weder den Wortlaut des Bilderverbotes geändert, noch dessen Sinn nach seiner Bildauffassung umgewandelt, sondern er hat es aus einem größeren Zusammenhang heraus verstanden. Dadurch erhielt es einen Sinn, der nach Luthers Bildauffassung nicht das Bild, sondern die Anbetung des Bildes trifft. „Non est disputatio de substantia, sed usu et abusu rerum."[47] Nicht von Bildern an sich, sondern vom rechten oder falschen Gebrauch der Bilder ist die Rede. So wird aus: ‚Das Bilderverbot verbietet Bilder, *weil* sie angebetet werden' durch Luthers Bildauffassung: ‚Das Bilderverbot verbietet Bilder, *sofern* sie angebetet werden'[48]. Luther hat in der Tat, indem er den Ton auf ‚anbeten' legte, das Wort ‚machen' fast überflüssig gemacht.

c) Die Bildanschauung im Alten Testament

Als Beweis für seine Auslegung führt Luther einige Schriftstellen an, die zeigen sollen, daß die Israeliten nur wegen Bildern bestraft wurden, die sie angebetet hatten, und daß es Altäre und Säulen gab, die — obwohl solche Steine an anderer Stelle ebenso wie Bilder verboten wurden — nicht entfernt werden mußten, wenn sie nicht angebetet, sondern als Gedächtnismal verwendet wurden[49]. Aus

---

43. WA 16, 445, 5.
44. Cl VII, 373, 9; WA 28, 716, 10 f.; WA 16, 441, 3 f.; WA 28, 677, 4 f.; WA 18, 69, 7 ff.; WA 28, 678, 4 f.
45. WA 18, 69, 5 ff.
46. WA 18, 70, 4 ff.
47. WA 28, 554, 5 ff.
48. WA 18, 70, 35.
49. WA 14, 621, 20 ff.; WA 18, 70, 14 ff.; Cl VII, 373, 14 ff.; Jos. 24, 26; Lev 26, 1; 1. Sam. 7, 12; Jos. 22, 21 f.; Num. 21, 8 f.

der Nichterwähnung der Gedächtnis-Bilder, die man nur anschaut wie die Kinder ihr Bilderbuch, schließt Luther auf Erlaubnis dieser Bildart im Alten Testament[50].

Wenn das Alte Testament, wie Luther meinte, auch unkultischen Bildgebrauch kannte, ist dieser Schluß angebracht. Nach den Erkenntnissen der heutigen alttestamentlichen Wissenschaft kannte das Alte Testament jedoch wie seine heidnische Umwelt nur Kultbilder. Die Herstellung eines Bildes hatte nur den einen Zweck der Anrufung und Verehrung Gottes im Bilde. Daher sind für das Alte Testament ‚Bild machen‘ und ‚Bild anbeten‘ auswechselbare Begriffe[51]. Unter der Voraussetzung dieser Bildauffassung ist der Satz: „Du sollst dir kein Kultbild machen" gleichbedeutend mit: „Du sollst kein Bild anbeten" und das Bilderverbot kann zu Recht als Teil des 1. Gebotes mit rein negativer Aussage angesehen werden. Luther setzt aber eine andere Bildauffassung voraus. Er kennt unkultischen Bildgebrauch. Deshalb fällt für ihn Bildgebrauch nicht mit Bilderdienst zusammen, ebensowenig wie Götzendienst Bilderdienst sein muß. Zu seiner Zeit gibt es unkultischen Bildgebrauch und bildlosen Götzendienst. Von einem unkultischen Bildgebrauch ist im Bilderverbot und im gesamten Alten Testament weder im positiven noch im negativen Sinne die Rede. Von einem Bilderverbot her, das lediglich den Gebrauch von Kultbildern verbietet, kann direkt weder ein Beweis für noch ein Beweis gegen profanen Bildgebrauch geführt werden. Solange keine selbständige negative und positive Aussage des Bilderverbotes genannt werden kann, bleibt das Bilderverbot Zusatzbestimmung zum 1. Gebot. Soll das Bilderverbot auch für unkultische Bilder, bzw. unkultischen Bildgebrauch gelten, muß eine andere Begründung als die dem 1. Gebot entnommene für das Verbot der Herstellung erbracht und damit das Bilderverbot als selbständiges Gebot neben dem 1. Gebot gewertet werden.

Karlstadt hat dies nicht getan. Er hat nicht erkannt, daß nach der zu seiner Zeit üblichen Bildauffassung[52] für die Forderung der Vernichtung eines Bildes der Hinweis auf die mögliche Anbetung nicht genügt. Er beruft sich lediglich auf das 1. Gebot oder den Wortlaut des Bilderverbotes und streitet zugleich die Möglichkeit eines profanen Bildgebrauches ab. Damit bleibt er bei der Auslegung des Bilderverbotes innerhalb der Bildauffassung des Alten Testamentes, das nur den kultischen Bildgebrauch kannte, obwohl er selber einen profanen Bildgebrauch kennt und ausübt.

Diese Inkonsequenz auf der Seite der Bildergegner ist auch von Luther erkannt worden. Als Beweis führt er die Bilderstürmer selbst an. Wenn sie so konsequent wären wie ihre Worte, müßten sie alle Bilder, mindestens alle Bilder mit religiösem Inhalt, entfernen. Dies tun sie jedoch offensichtlich nicht. Münzen und silberne Gefäße, auf denen Bilder sind, behalten sie[53]. Sie lesen Luthers Bibelüber-

---

50. WA 28, 678, 6.
51. siehe Exkurs II: Das Bilderverbot im Alten Testament, Abschnitt 2 und 3.
52. siehe Exkurs III: Die christliche Bildanschauung.
53. WA 14, 622, 14 f.

setzungen, obwohl diese mit Bildern geschmückt sind[54]. Der Zorn der Bilderstürmer richtet sich lediglich gegen einen bestimmten Bildtyp, eben gegen die „Teufelskopfer". Durch ihre verschiedene Haltung Bildern gegenüber zeigen sie selbst, daß es Bilder gibt, die nicht angebetet werden und die deshalb auch nicht zerstört werden müssen. Auch sie kennen einen unkultischen Bildgebrauch und unkultische Bilder und handeln danach, streiten diese Tatsache aber bei ihrer Auslegung des Bilderverbotes ab. Im Blick auf die „Teufelskopfer" ist es Karlstadt und den Bilderstürmern nicht möglich, wie Luther zwischen dem Bild als einem neutralen Gegenstand und dem abgöttischen gegen das 1. Gebot verstoßenden Bildgebrauch zu unterscheiden. Diese Bilder sind für sie Götzen. Sie müssen alle vernichtet werden. Denn hier ist Bildgebrauch gleichbedeutend mit Götzendienst.

Karlstadt ist mit seiner Auslegung des Bilderverbotes durch die dabei vorausgesetzte Bildauffassung im Alten Testament steckengeblieben.

6. Geltung und Anwendung des Bilderverbotes

Karlstadt beruft sich nicht nur auf den Wortlaut des Bilderverbotes, sondern führt viele Stellen aus der Heiligen Schrift an, in denen nicht nur Herstellung und Besitz von Bildern verboten, sondern ihre Vernichtung befohlen wird[55].

Die Beweiskraft dieser Stellen für die Notwendigkeit der Vernichtung der Bilder zu seiner Zeit bestreitet Luther. Die Gründe dafür liegen in seinem Schrift- und Gesetzesverständnis. Daher wendet er sich bei der Erörterung der Bilderfrage in einem zweiten Gedankengang seiner ‚gesetzlichen Beweisführung' gegen den Schriftgebrauch der ‚Schwärmer' und ihre Betonung des mosaischen Gesetzes[56].

a) Hermeneutischer Grundsatz

Luther geht aus von einer allgemeinen Betrachtung über das Wesen des Wortes Gottes und die rechte Art, die Heilige Schrift zu lesen. Karlstadt und die Bilderstürmer können zwar die Heilige Schrift anführen, aber „discrimen faciendum inter verbum dei et verbum dei"[57]. Das Wort Gottes ist keine zeitlose Sentenz, gleichsam in den leeren Raum hineingesprochen, sondern lebendige, gezielte Rede. Nicht das Wort Gottes ist situationsgebunden, wohl aber der Mensch. Das Wort Gottes trifft den Menschen in der Situation, in der er sich gegenwärtig befindet. Nicht jedes Wort, das Gott einmal gesprochen hat, gilt, weil es Gottes Wort ist, für alle Menschen und alle Zeiten. Was Gott unseren Vätern

---

54. WA 18, 82, 20 ff. (1525).
55. Von Abtuhung: S. 17, 9 (Jes. 31, 7 und Micha 5, 12); S. 18, 27—30; S. 19, 37 (Jer. 10, 11); S. 20, 11 ff. (Dt. 7, 5); S. 20, 38 (2. Kg. 23, 4 ff.); S. 20, 33 (2. Kg. 18, 3 f.).
56. WA 16, 372, 4 f. und 10; 437, 1 ff.; 383, 3.
57. WA 16, 437, 7 f.

gesagt hat, muß nicht unbedingt auch uns gesagt sein. Wir müssen nicht auf das vergangene, sondern auf das gegenwärtige Wort Gottes achten. Nicht jedes Schriftwort ist ein mich treffendes Gotteswort. Man muß unterscheiden zwischen der Heiligen Schrift, die zuerst einmal vergangenes Wort Gottes ist und dem lebendigen gegenwärtigen Wort Gottes, das mich aus der Schrift heraus trifft[58]. Luther wendet sich damit gegen einen rein schematischen Gebrauch der Schrift. „Vide ergo non solum, quod verbum sit dei, sed an te tangat."[59] Zur Erläuterung vergleicht Luther Gott mit einem Hausvater, der nicht allgemein gehaltene Befehle an sein Gesinde erteilt, sondern jedem einen ihm allein geltenden Auftrag gibt[60]. Als Beispiele aus der Heiligen Schrift führt Luther einige Befehle Gottes an Adam, Noah, Abraham und David, sowie Christi Aufforderung an Petrus, einen Fisch zu fangen, an, bei denen es deutlich ist, daß sie nur diesen bestimmten, einzeln angesprochenen Menschen gelten[61]. Daraus ergibt sich: Bevor Karlstadt und die Bilderstürmer ihre radikale Forderung erheben und unter Berufung auf Mose und die Propheten durchsetzen durften, hätten sie zunächst prüfen müssen, ob die dort erteilten Befehle auch Heiden und Christen betreffen oder nur das Volk Gottes zur Zeit des Alten Testamentes. Luther stellt fest:

„Ex hoc textu non superant, ut effringantur idola, quia dico, quod hoc Judaeis dictum."[62]

Der Befehl der Vernichtung der Götzenbilder ist situationsgebunden. Er gilt allein den Juden. Deutlich wird dies bei der dem Vernichtungsbefehl der Götzenbilder entsprechenden Anweisung, alle Feinde Israels als Feinde Gottes umzubringen. Sollte Mose auch für die Christen gelten, müßten diese alle durch Mose und die Propheten ausgesprochenen Befehle Gottes befolgen[63].

b) Bedeutung und Geltung des Dekalogs

„Mose est constitutus praedicator Judaici populi."[64]

Mose hat das Gesetz im Auftrag Gottes allein dem jüdischen Volk gegeben, um ihr Leben zu regeln. Es ist der „Juden Sachsenspiegel"[65]. Dies gilt nicht nur für das Judizial- und Zeremonialgesetz, bei dem die Zweckbestimmung auf Israel

---

58. WA 16, 438, 9—439, 1; 14, 722, 21—23 (Vorlesung über Dt. 1525): „... ut videamus: exemplo patrum nec verbo Dei praeterito, quod iam desiit cum facto praeterito, sed soli verbo Dei praesenti de facto praesente fidere et niti debeamus."
59. WA 16, 385, 2; cf. WA 16, 384, 1 ff.; 430, 2; 388, 1 f.
60. WA 16, 388, 4 ff.
61. WA 16, 384, 1 ff.; 438, 3 f. (Mt. 17, 27).
62. WA 16, 439, 4 f. (Predigt über Ex. 20, am 24. 9. 1525).
63. WA 18, 87, 8 ff.
64. WA 16, 386, 7.
65. WA 18, 81, 14 f. (1525).

ohne weiteres deutlich ist, sondern auch für den Dekalog, aus dem sich jene erst ergeben. Mose selbst deutet die 10 Gebote auf Israel. Im Vorwort zum Dekalog stellt Gott sich als der vor, der Israel aus Ägypten herausgeführt hat. Diese Tat, durch die er Israel zu seinem Volk gemacht hat, ist sein Kennzeichen und der Name, unter dem er von seinem Volk angerufen sein will[66]. Es wird von niemandem bestritten, daß diese Tat speziell dem jüdischen Volk galt. Dennoch will man das, was Gott Israel gesagt hat, auf die Christenheit beziehen, indem man „ex Aegypto" allegorisch auf „ex peccato" deutet: Wir sind von demselben Gott zwar nicht aus der Gefangenschaft in Ägypten, wohl aber aus der Gefangenschaft unter den Sünden befreit worden. Luther lehnt diese Auslegung ab.

Obwohl Luther selbst früher gern und viel allegorisiert hat, lehnt er später die Allegorie als eine Spielerei ab, die nur auf Holzwege führt. Was von den Vätern berichtet wird, ist nicht nur ein Schein gewesen, sondern die Tat selbst. Es war großer Ernst. Sie hatten nicht nur die Hülse, sondern auch den Kern, d. i. den Glauben. Gott hat hier wirklich gehandelt, und hier ist wirklich geglaubt worden. Deshalb muß man beim Wortsinn bleiben und darf dem Text nicht durch allegorische Deutung einen anderen Sinn geben. Indem man aber durch Allegorie die zeitlichen und örtlichen Gegebenheiten umdeutet, nimmt man den Texten ihren geschichtlichen Eigenwert. Dies gilt vor allem für das Alte Testament, aber auch für das Neue Testament. Für uns hat nur das Geltung, was nicht situationsbedingt ist. Als „exempla fidei, charitatis et crucis" sind auch die situations-gebundenen Berichte für uns wertvoll[67].

Das Gesetz, das Mose den Juden gegeben hat, ist lediglich jüdisches Volks-gesetz und geht Heiden und Heidenchristen nichts an. Es kann, weil es ein be-sonders guter Gesetzescorpus ist, den christlichen Gesetzgebern anderer Völker als ein Beispiel dienen, das hie und da freiwillig, nicht gezwungen, nachgeahmt wer-den kann[68]. Karlstadts Einwand, das Gesetz sei nicht Einzelnen, sondern dem ganzen Volk gegeben, ist hiermit abgewiesen. Karlstadt ist bereit, die Einschrän-kung auf das jüdische Volk für die Judizial- und Zeremonialgesetze zuzugeben, nicht aber für die 10 Gebote. Sonst wäre die Folge, daß ein Christ töten, stehlen, usw. ... darf[69]. Luther erwidert: Diese Gesetze gelten den Heiden genau so wie den Juden. Jenen hat Gott es durch Mose vom Himmel gegeben, den Heiden in die Herzen geschrieben. „Christus (Mat. 7) selbst fasst alle propheten und ge-setze ynn dis natürliche gesetze."[70] Was am Gesetz Moses auch für die Christen

---

66. WA 16, 424, 1—425, 3.

67. WA 28, 604, 2; WA 16, 69 f. und TR V 5285 (Okt. 1540); WA 16, 275; 16, 391 f.; WA 16, 70, 8. Auf diesem Weg kommt Luther später wieder mehr zur Allegorie zurück. Doch bleibt die Forderung, daß sie nur „secundum analogiam fidei" geübt und kein Glau-bensartikel darauf gegründet werden darf; WA 16, 73, 6.

68. WA 16, 371 ff. (1525); WA 16, 392, 2; WA 16, 376, 1; WA 16, 377, 6—378, 5; WA 18, 81, 14 ff.

69. „Ob man gemach faren" Blatt C i j (nach WA 18, 76, A 1 zitiert). „Ob man gemach faren" Blatt A i j und iij und B i j. „Von Abtuhung" 21, 35 ff.

70. WA 16, 379 (Rm. 2, 14 f.); WA 18, 80, 30 f. (Mt. 7, 12).

52

gültig ist, ist das allen Völkern und allen Zeiten geltende göttliche Gesetz[71]. Die Juden haben den Vorzug, dies Gesetz durch Mose direkt von Gott bekommen zu haben. Aber sie haben es dadurch in ein geschichtliches Gewand eingekleidet erhalten[72]. Alles, was am Gesetz Mose situationsgebunden ist, geht uns nichts an. „Lex Mosi hat soll weren usque ad Christum."[73]
Das mosaische Gesetz gilt nur bis zum Kommen Christi. Christus hat das Gesetz — im doppelten Sinn — aufgehoben: Moses Amt hat ein Ende[74]. Das Gesetz Gottes aber ist durch Christus erfüllt. Den Christen gilt nicht mehr das Gesetz Mose, sondern das Evangelium Christi. „verbum, quod me tangit . . . est nostrum Evangelium."[75] Nur das Schriftwort, das von Christus redet und zu Christus führt, gilt uns. Christus ist das Kriterium für die Geltung — nicht für die Auslegung — der Schrift für uns. „Wenn Moses sagt von dem Christo, so nem ich in an; sonst soll er mir nichts sein."[76] Das Evangelium gilt mir ganz gewiß, weil es allen Menschen und nicht wie das mosaische Gesetz einem Volk allein gilt[77]. Von

---

71. WA 16, 380. Der Begriff der lex naturae findet sich schon in der alten griechischen Philosophie. Windelband-Heimsoeth: „Lehrbuch" S. 63: „etwas überall und immer Geltendes, ein von der Verschiedenheit der Völker, Staaten und Zeiten unabhängiges und damit für alle maßgebendes Gesetz". In diesem Sinne wird er auch von Luther gebraucht. Luther lag weniger daran zu sagen, die Heiden hätten ein ihnen von Natur eingeborenes Vernunftgebot, als zu sagen: Gottes Gesetz gilt allen Menschen, nicht nur dem einen Volk der Juden. Auch für ihn ist das natürliche Gesetz durch den Teufel verfinstert und müssen die Menschen wieder daran erinnert werden. WA 16, 447. Juden und Heiden haben es, obwohl sie es kannten, übertreten.
Luther hat den Begriff „natürliches Gesetz" benutzt, weil er ihm ermöglichte, das mosaische Gesetz als Volksgesetz von dem für alle Menschen geltenden Gesetz Gottes abzusetzen. Dies ist in Front gegen die Schwärmer gesagt, die die Geltung des Dekalogs für uns auf Mose stützen wollen.
72. WA 16, 390, 3 und WA 18, 77, 3 ff.
73. WA 15, 729, 15 f.
74. WA 16, 374, 1 f; Karlstadt zitiert dagegen Matth. 5, 17. Christus habe das Gesetz nicht aufgehoben (Von Abtuhung S. 21).
„Bei Karlstadt" ist „das Neue, den alten Bund überbietende am Evangelium . . .: Es gibt uns die Möglichkeit, das Gesetz Mosi zu erfüllen, . . ." „d. h. für ihn ist das Evangelium eine neue und endgültige Bindung des Gläubigen an das „Gesetz des Alten Bundes." Hayo Gerdes: Luthers Streit . . . S. 27 und 28. Dann hat Luther also darin recht gesehen, daß Karlstadt die Christen wieder ins Alte Testament ziehen wollte, Gesetz trieb, statt Evangelium. WA 16, 372, 4. Deshalb mußte Luther so scharf zwischen Gesetz und Evangelium trennen. Wo im Alten Testament Evangelium zu finden war, hat er es mit Freuden aufgenommen als das für ihn Wertvollste am AT.
WA 18, 77, 6 ff.: „hat er (Gott) selbs zwo cerimonien . . . hyneyn gesetzt. Nemlich die bilder und den Sabbath". Diese sind „cerimonien auch auff yhre weyse, auff gehaben ym newen testament . . ." WA 18, 78, 12: „Das aber die bilderey ym ersten gebot auch eyne zeytliche cerimonien sey, schleußt S. Paulus . . . 1. Kor. 8, 4."
75. WA 16, 386, 4 f.
76. TR V Nr. 5535.
77. WA 16, 386 f.

Christus sprechen im Alten Testament die Verheißungen, die für Luther das Wertvollste am Alten Testament sind. Auch das 1. Gebot enthält Christus. Deshalb gilt es auch uns[78]. Wir brauchen nicht an den Gott zu glauben, der die Juden aus Ägypten geführt hat. Gott hat für uns durch Christus einen neuen Namen erhalten. Das Werk, bei dem wir Gott ergreifen und anrufen dürfen, ist die Tat Christi, der uns aus Sünden errettet und aus dem Tode geführt hat[79]. Luther kommt hiermit nur scheinbar zu demselben Ergebnis wie die allegorische Deutung. Er hat nicht einfach „aus Ägypten" durch „aus Sünden" ersetzt. Durch die Ablehnung der allegorischen Deutung von Ägypten hat er dem mosaischen Gesetz seine geschichtliche Einmaligkeit als Volksgesetz der Juden bewahrt. Durch die schroffe Gegenüberstellung Moses zu Christus hat er gezeigt, daß dem Gesetz durch Christus der tödliche Charakter genommen ist[80]. Christus hat uns von dem Gesetzeszwang befreit. Wir sind nun frei zu einem jeden Werk, durch das die brüderliche Liebe und der Friede nicht verletzt werden. Das Gesetz wird erfüllt durch Glaube und Liebe[81]. Denn Christus hat das Gesetz erfüllt. So beruht die Geltung des Gesetzes für uns auf der Tat Christi.

c) Der Dekalog in Luthers Katechismen

Der *Text*, den Luther in seinen Katechismen bringt, ist zwar formal aus der katholischen Kirche übernommen, entspricht jedoch inhaltlich dem Schrift- und Gesetzesverständnis Luthers. Er hat in seinen Katechismen den geschichtlichen Mantel des Dekalogs, der nur dem Volke Israel galt, weggelassen und das im Dekalog besonders gut formulierte Gottesgesetz, das allen Menschen gilt und das durch Christus neu erfüllt ist, übernommen. Deshalb fehlen in Luthers Katechismen der Beisatz: ‚der ich euch aus Ägypten ... geführt habe', das Bilderverbot, der Sabbath[82] und die irdischen Verheißungen und Drohungen. Dies sind inhaltlich sehr verschiedene Aussagen, denen nur die geschichtliche Bedingtheit gemeinsam ist. Der Beisatz über Ägypten kennzeichnet die Gründungstat Gottes. Der Sabbath gehört zu den Zeremonialgesetzen, die dem Volk Israel gegeben sind, damit es sich keinen eigenen Gottesdienst ausdenkt[83]. Auch das Bilderverbot nennt Luther gelegentlich eine „zeitliche cerimonie". Doch liegt dabei der Ton auf ‚zeit-

---

78. WA 28, 604, 10.

79. WA 16, 425; WA 28, 604, 9; WA 16, 425, 3—5.

80. Vorrede aufs Alte Testament 1523: Bindseil-Niemeyer VII 304 f.

81. WA 2, 477 und 491 (Kl. Gal. Kommentar); Luther geht soweit, daß er den Dekalog für entbehrlich erklärt. Wer Christus hat, kann „neue Decalogos" machen. Er hält nur wegen der Schwärmer am Dekalog fest. Denn wir sind nicht alle Apostel. Es ist gut, gewisse Gebote zu haben. Der Dekalog des AT ist besonders klar ... WA 39, 1, 47 (Disputationsthesen 1535).

82. „Sabbath halten" ersetzt Luther in seinen Katechismen durch „Feiertag heiligen". Bek. Schr. 508, 12.

83. WA 14, 644, 19 ff.

lich', ,im Neuen Testament aufgehoben': „. . . solche eusserliche ding alls bilde und
sabbath ym newen testament frey sind wie alle andere cerimonien des gesetzes".
Zeremonie ist in diesem Fall ein Sammelbegriff für all das, was im Alten Testament galt, aber im Neuen Testament nicht mehr gilt[84].

Bei der *Auslegung* des Dekalog legt Luther das Hauptgewicht auf das 1. Gebot,
weil es die Hauptsache, den Grund unseres Glaubens enthalte[85]. Darauf kommt es
an, „non quod faveam idolis, sed ut sciamus, in quo sit fides nostra fundata"[86].
Unser Glaube ist in Christo gegründet. Für uns ist der Inhalt des 1. Gebotes: ,Du
sollst Gott, den Vater Jesu Christi fürchten, lieben und ihm vertrauen.' Das
Evangelium von Christus ist bereits im 1. Gebot mit enthalten[87]. So wird Luther
die Vorrede zur „Promissio omnium promissionum, fons et omnis religionis et
sapientiae caput, Evangelium Christi complectens."[88]

d) Die Geltung und Anwendung des Bilderverbotes

Der Unterschied zwischen Karlstadt und Luther besteht nicht in der Auslegung
des Bilderverbotes, sondern in der auf einer anderen Bildanschauung, einem anderen Schriftverständnis und dem sich daraus ergebenden Gesetzesverständnis beruhenden Anwendung des Bilderverbotes. Die von Luther 1525 in einer Predigt
gegebene Erklärung des Bilderverbotes:

> „*Non habebis:* hoc est 2. Weret, ne habeant alienos deos, et exponit deos: ne
> scilicet faciant imaginem celestis rei i. e. ne pingant solem, lunam, stellas
> neque imaginem hominis habeant."[89]

hätte auch Karlstadt geben können. Aber Luther fügt im Blick auf die Schwärmer,
die sich auf diesen Text berufen, auf Grund seines Schriftverständnisses und seiner
Bildanschauung ein doppeltes ,Aber' an:

> „Sed discrimen faciendum inter verbum dei et verbum dei!"
> „Sed talia, die man an gots stat setzt."[90]

Das Bilderverbot ist nach Luther im 1. Gebot verankert. Nicht sein Inhalt ist
zeitlich bedingt, sondern seine besondere Erwähnung im Dekalog. Als Aktualisie-
rung des 1. Gebotes für das jüdische Volk des Alten Testaments nennt es den
Hauptabgott, die große Versuchung für die Juden durch die heidnische Umwelt.

---

84. WA 18, 77, 5 ff.; 18, 78, 12; 15, 395, 11 f.; 18, 79, 3 f. s. o. Anm. 74.

85. WA 28, 565, 1 ff.

86. WA 16, 439, 5 f.

87. Das 1. Gebot gebietet, daß „wir Gott über alle Ding fürchten, lieben und vertrauen" (Bek. Schr. 507, 42 f.; GK), „ihn allein anbeten, loben und ihm danken sollen"
(WA 14, 641, 33 ff.); WA 28, 600 f.; WA 30, 2, 385, 2 ff. (Glossen zum Dekalog).

88. Das 1. Gebot enthält nicht nur alle Gebote (WA 30, 1, 62, 5 f.), sondern steht über
allen, ist „ihr Maaß und Regel" (WA 14, 611, 31 ff.; WA 28, 551, 5 und 600, 10 — 601, 1).
Nach J. Meyer: Hist. Komm. S. 171 hatte das 1. Gebot bereits im Mittelalter eine hervor-
ragende Stelle. Zum Prinzip ist es aber nicht erhoben worden.

89. WA 16, 436, 8 — 10.

90. WA 16, 437, 7 f. und 441, 3.

Schon im Neuen Testament werden Bilder überhaupt nicht mehr erwähnt[91]. Als Verbot der Kultbilder galt es den Juden und gilt heute solchen, die Bilder als Götzen behandeln. Luther gibt zu, daß auch zu seiner Zeit noch Abgötterei mit den Bildern getrieben wurde, wenn auch nur bei dem „groben Volk"[92]. Für Christen, die wie die Juden in heidnischer Weise Bilder an Gottes Stelle setzen und anbeten, tritt die negative Aussage des Bilderverbotes, „du sollst kein Bild anbeten", erneut in Kraft. Der Mißbrauch, der mit den Bildern getrieben wurde, ist von Luther zu allen Zeiten, vor und nach dem Bildersturm in Wittenberg, scharf gerügt worden[93]. Hier liegt ein Verstoß gegen das 1. Gebot vor, das nach Luther für uns das Evangelium von Christus enthält. Sein Kriterium gegenüber Bildern und allen im katholischen Gottesdienst üblichen Zeremonien und Riten ist das Evangelium:

„Ego sane nullas ceremonias damno, nisi quae pugnant cum evangelio, caeteras omnes in ecclesia nostra servo integras. Nam et baptisterium stat, et baptismus (licet vernacula lingua fiat) habet suos ritus, sicut antea. Immo et imagines permitto in templo, nisi quas ante meum reditum furiosi fregerant."[94]

Luther unterscheidet zwischen äußerer und innerer Abgötterei[95]. Dabei ist die äußere Abgötterei, etwa die Anbetung eines Bildes nur ein Zeichen für den größeren Schaden, die innere Abgötterei[96]. Schon bei den Juden war der äußere Götzendienst nur eine Folge des inneren Abfalles von Gott. Die Wurzel der Gottlosigkeit liegt nicht in den äußeren Dingen, nicht in einem Bilde, sondern im Menschen selbst. Das 1. Gebot spricht nicht von äußerlichen Dingen. ‚Du sollst nicht fremde Götter haben vor mir', meint nicht ‚vor Augen', sondern ‚im Herzen'. „vera idolatria est in corde". „Die Abgötterei ... stehet nicht allein darin, daß man ein Bild aufrichtet und anbetet, sondern fürnemlich im Herzen".[97] Der innere Götzendienst kommt aus dem Herzen der Menschen. Es ist der Ungehorsam; jeder selbsterwählte, nicht von Gott befohlene Gottesdienst; alle Werke ohne Gottes Wort. Die eigentliche Ursache der Abgötterei ist der Unglaube: „So du im Unglauben Gott anbeten willst, wirst du einen Akt des Götzendienstes vollbringen."[98] Die Aussage des Bilderverbotes, die auch den Christen gilt, ist nicht:

---

91. WA 16, 443—445; WA 28, 716 f. (In novo testamento non curat Christus imagines) S. dazu Kittel im Th. W. II 384 f.
Nach Karl-Heinz Bernhardt: Gott und Bild S. 154 f. ist das Bilderverbot ursprünglich in der Einheit der Amphiktyonie begründet. Die ursprüngliche Motivierung wäre also geschichtsbedingt. Hat Bernhardt recht, so gehört das Bilderverbot tatsächlich zum geschichtlichen Gewand des Dekalogs — in etwas anderer Weise, als Luther es annahm.

92. WA 16, 442, 5 f.
93. WA 18, 67, 9 ff. und im Brief an den Kieler Prediger W. Pravest vom 14. 3. 1528; WA Br 4, 412, 10 f., Nr. 1239.
94. WA Br 4, 411, 7—412, 11.
95. WA 1, 399, 12.
96. WA 14, 593, 4 f. und 16 ff.
97. WA 18, 78, 28 ff.; WA 28, 586, 6; Bek. Schr. 564, 19 f.
98. WA 14, 593, 26 ff. (1525); WA 7, 232 (Thesen von 1520).

‚Du sollst dir kein Bild machen', sondern: ‚Du sollst Gottes Stimme hören'[99]. Du sollst keinen eigenen Gottesdienst aufrichten oder nach dem falschen, glänzeneren Gottesdienst der anderen schielen wie die Juden auf den Kult der Heiden. Nur der von Gott befohlene Gottesdienst ist rechter Gottesdienst. Dieser wird bereits im 1. Gebot gefordert: „. . . Das Wort, ‚ich byn deyn Gott' das Maß und Ziel ist, alles des, was von gots dienst gesagt mag werden".[100]

> „Deus et cultus sunt relativa. Nam Deus est alicuius Deus et semper est in praedicamento relationis. Deus requirit, qui invocant et colunt. Nam habere Deum est colere Deum."[101]

Die Forderung des Bilderverbotes, die uns gilt, ist die des 1. Gebotes: Glaube an Christus. „Mach dir kein bild i. e. mihi fide."[102] Die äußere Form des Gottesdienstes ist unwesentlich. Der wahre Gottesdienst umfaßt das ganze Leben. Gott wird geehrt, wenn wir sein Wort, das Evangelium von Christus annehmen. Das 1. Gebot enthält alles, was über den rechten Gottesdienst gesagt werden kann. Das Bilderverbot hat keine eigene positive Aussage, sondern nur eine negative, die speziell den Juden galt. Auch diese negative Aussage gehört in den Bereich des 1. Gebotes[103].

7. Bekämpfung des Bilderdienstes

In seiner Kontroverse mit den Bilderstürmern wendet Luther sich weniger gegen die Tatsache des Vorgehens gegen die Bilder als gegen die Art der Bilderbekämpfung[104]. Die Notwendigkeit der Vernichtung der Bilder ergibt sich für Luther nicht aus dem Bilderverbot. Eine Entfernung von Bildern, die auf einen gotteslästerlichen Bildgebrauch ausgerichtet sind, läßt sich mit dem 1. Gebot zwar begründen, ist aber nicht unbedingt notwendig. Der bei Mose und den Propheten ausgesprochene Vernichtungsbefehl Gottes galt allein den Juden damaliger Zeit. Aus dem für Luther maßgebenden Neuen Testament kann die Notwendigkeit der Bildentfernung nicht bewiesen werden[105]. Jesus selbst war die Bilderfrage unwichtig. „In novo testamento non curat Christus imagines."[106] Dagegen hatte er keine Bedenken, Münzen mit dem Bild des Kaisers in die Hand zu nehmen[107]. Von solchen Bildern war auch nach Karlstadt im Bilderverbot nicht die Rede. Luther setzt hier das neue Bildverständnis voraus und sieht die Voraussetzungen dazu bereits im Neuen Testament angedeutet. Auch Götzenbilder waren nach Paulus, sofern

---

99. WA 28, 551, 6 f.
100. WA 28, 596; WA 11, 32.
101. WA TR 5292 Oktober 1540.
102. WA 28, 600, 4 ff.; WA 28, 588, 1.
103. WA 28, 717, 16—24.
104. Cl II, 326, 35—327, 3; WA 18, 68, 4 ff.
105. WA 28, 717, 1 und 16 f.; WA 18, 74, 4 f. und 76, 6 f.
106. WA 28, 716, 13 f.
107. WA 16, 442, 9 f.; WA 18, 79, 25—80, 5; WA 28, 716, 8 f.

sie nicht angebetet wurden, ebenso bedeutungslos wie Götzenopferfleisch für den, der um die Nichtigkeit der Götzen wußte[108]. Die Apostel haben nicht Götzenbilder gestürzt, sondern das Evangelium gepredigt[109]. Die Bilderstürmer können sich also mit ihrer Forderung der Bildervernichtung nicht auf die Heilige Schrift berufen[110]. Das Volk des Alten Bundes mußte mit dem Schwert kämpfen. Dieses mußte auch die Bildwerke selbst zerstören. Christen kämpfen allein mit dem Wort, dem geistlichen Schwert. Die einzige legitime Bekämpfung der Bilder, bzw. des Bilderdienstes geschieht durch die Predigt[111]. Das aus der Forderung des 1. Gebotes sich ergebende Vorgehen gegen den Bilderdienst durch die Predigt nennt Luther „geystlich bild abthun"[112]. Weitaus gefährlicher als tote Gemälde und Statuen sind die Bildgötzen im Herzen der Menschen. Hier wird das 1. Gebot verletzt. Will man erfolgreich gegen den Bilderdienst vorgehen, muß man das Übel an der Wurzel fassen und die Bilder aus den Herzen der Menschen reißen[113]. Der schlimmste Mißbrauch, der nach Luther zu seiner Zeit mit den Bildern getrieben wurde, war nicht die Anbetung der Bilder, sondern die dem Stiften von Bildern zugrundeliegende Werkgerechtigkeit. Man meinte, ein verdienstvolles Werk zu tun, wenn man Bilder für Kirchen stiftete. Wer begriffen hat, daß Bilderstiften kein Gott wohlgefälliges Werk ist, wird sein Geld für bessere Gelegenheiten, z. B. für die Armenpflege verwenden. Ebenso wird niemand, der erkannt hat, daß ein Bild keinerlei Macht und Wert besitzt, ein Bild verehren oder anbeten. Wo wahrer Glaube an Christus herrscht, werden die Bilder bald ihre Macht verlieren und können auch keine neue Macht erlangen[114]. *Die Predigt ist das einzige legitime und wirksame Mittel zur Bekämpfung des Bilderdienstes.* Die Bekämpfung des Bilderdienstes geschieht daher bei Luther in umgekehrter Reihenfolge wie bei Karlstadt. Erst muß der Unglaube durch die Predigt beseitigt werden, dann kann das wertlos gewordene Bild vernichtet werden[115]. Es darf auch nicht nach kurzer Zeit der Predigt gegen den Bilderdienst sofort zur Bildervernichtung geschritten, sondern es muß eine Wartezeit eingelegt werden, bis die Gemeinde die Predigt aufgenommen und innerlich verarbeitet hat. Erst bei einer im Glauben gefestigten Gemeinde dürfen die Bilder aus den kirchlichen Räumen entfernt und vernichtet werden[116]. Bereits vor seiner Rückkehr von der

---

108. WA 18, 79, 3 f.

109. Cl II, 331, 35 ff. = WA 10, 2, 2, 37; Cl VII, 373, 34 ff.; Paulus in Athen: Cl VII, 369, 14 f. und 373 f.

110. WA 14, 621, 5 ff.

111. WA 14, 620, 11: „... Christianos, quorum est spiritus gladio gentes occidere et imagines tollere." WA 15, 220, 25 ff.; WA 18, 75 und 74, 6 f.; Cl VII, 368, 18 = WA 10, 3, 15.

112. WA 18, 68, 21.

113. WA 16, 440, 1; Cl II, 331, 32—34; WA 16, 440, 1 f.: „Quae ita destruenda, ut corda da von wenden. Quid mihi idolum, si cor non heret in eo." ...

114. Cl II, 329, 6 ff.; Cl VII, 374, 29 ff. und 373, 35 f. und 375, 13 ff.

115. WA 18, 67, 9 ff.

116. Cl VII, 375.

Wartburg ermahnt Luther die Wittenberger zu geduldigem Vorgehen bei den —
von Luther an sich gutgeheißenen — Maßnahmen zur äußeren Durchführung der
Reformation und zur Rücksichtnahme auf die Schwachen[117]. Die Hauptsache ist
und bleibt die rechte Predigt und der daraus erwachsende Glaube an Christus. Die
Frage, was mit den Bildern praktisch geschieht, ist zweitrangig. Wo der rechte
Glaube herrscht, können Bilder keine Macht erlangen. Darum können die durch
die Predigt entmachteten Bilder zunächst stehengelassen und, so sie sich dazu eignen, anderweitig verwendet oder ohne viel Lärm beseitigt werden[118].

Diese Entfernung der Bilder ist nun nicht mehr Aufgabe der Prediger. Auch das
Volk hat weder die Pflicht noch das Recht der Bilderentfernung. Das Bild hat
jetzt nur noch Sachwert. Der Besitzer kann darüber verfügen. Wenn es sich um
öffentlichen Besitz handelt, hat die Befugnis zur Bildentfernung nur die Obrigkeit,
die uns von Gott zur Aufrechterhaltung der öffentlichen Ordnung gegeben worden ist. Auch im Alten Bund wurden die Bilder nicht durch die Volksmenge, sondern nur durch die Obrigkeit, bzw. auf deren Befehl hin, zerstört[119]. Es sind nach
Luther folgende Grundlinien im praktischen Verhalten in der Bilderfrage einzu-
halten: Auf die notwendige Predigt von Christus, durch die den Bildern ihre
falsche Macht genommen wird, kann, nachdem unter Rücksichtnahme auf die
schwachen Gemeindeglieder der rechte Zeitpunkt abgewartet wurde, zur ordnungsgemäßen Beseitigung der wertlosen Bilder geschritten werden, wobei u. U. einige
nicht anstößige Bilder zu unschädlichem Gebrauch erhalten bleiben können.

---

117. WA 8, 411 ff.; 482 ff. (Nov. 1521); WA 8, 673 ff. = Cl II 299 ff. (Dez. 1521 geschrieben, Jan. 1522 gedruckt).
118. Cl II, 329, 17 f.
119. WA 18, 71 ff.

V. Luthers Stellungnahme zur Bilderfrage nach dem Streit

In den beiläufigen Äußerungen zur Bilderfrage nach 1522 vertritt Luther denselben Standpunkt, den er vor 1522 in kurzen Bemerkungen angedeutet und im Bilderstreit ausführlich dargelegt hatte. So führt Luther 1529 in einer Predigt zu Dt. 7, 5 f. aus: Verboten sind durch das 1. Gebot allein die „abgottischen Bilder", etwa ein Marienbild, „ibi fuit fiducia, quod Maria iuvaret in hac bild". Diese Bilder „reis weck, sed per magistratum". Aber die einfachen „Merkbilder", die nicht angebetet werden, sind erlaubt. Darum „bild sturmen heist nicht allerley bild sturmen"[1]. Und einen Monat später beruft er sich in einer Predigt zu Dt. 7, 25 auf das Buch, das er gegen Karlstadt geschrieben habe, und umreißt noch einmal kurz seinen Standpunkt: Wer ein Christ sein will, soll nicht Altäre umreißen und Bilder verbrennen und meinen, damit das 1. Gebot zu erfüllen, sondern „ut deum timeat et fidat et sit deus noster qui in omnibus necessitatibus iuvare". Wenn wir dies recht predigten, hätten wir keine Zeit übrig, uns um Bilder zu kümmern. Auch „in novo testamento non curat Christus imagines". Allein den Juden galt der zusätzliche Befehl, die Bilder zu zerstören[2]. In der 1542 von Veit Dietrich aus lateinischen Lektionen Luthers zusammengestellten Auslegung des Propheten Micha sind bei Micha 1, 7 auch die Bemerkungen Luthers zur Bilderfrage zusammengetragen[3]. Wie in seinen Gelegenheitsäußerungen von und nach 1522 und in seinen polemischen Schriften zur Bilderfrage legt Luther auch in seiner späten Micha-Vorlesung nach Veit Dietrich den Ton auf den Unterschied zwischen dem im Bilderverbot verbotenen Götzenbild und dem dort nicht erwähnten Geschichtsbild, zwischen einer das 1. Gebot verletzenden Anbetung der Bilder und einer wünschenswerten Erbauung durch gute Geschichtsbilder. Diese Unterschiede seien auch bei den Juden beachtet worden. Die schädlichen Bilder sollen entfernt werden. Von der rechten Form der Entfernung ist hier nicht mehr die Rede und darum auch nicht von dem Unterschied der Handlungsweise des Alten und Neuen Volkes durch Schwert und Wort. Dieser — nicht von Luther selber herausgegebene — Kommentar zu Micha zeigt, daß das Anliegen Luthers in der Bilderfrage vor allem in seiner positiven Seite, der Forderung, den Lauf des Evangeliums zu fördern, gehört worden ist.

---

1. WA 28, 677, 7; 678, 3 f.; 678, 1.
2. WA 28, 715, 4 und 19 f.; 715, 9 f.; 716, 13 f.
3. D. M. Lutheri Exegetica Opera Latina, hrsg. Joh. Linke Bd. 26, S. 263 ff.

VI. Ergebnis

Aus dem von Karlstadt und seinen Leuten mit Erbitterung abgelehnten Verhalten Luthers in Wittenberg nach seiner plötzlichen Rückkehr von der Wartburg ergaben[1] sich auch im Blick auf die Stellung Luthers zu den Bildern bestimmte Fragen:

Hat Luther nach seiner Rückkehr von der Wartburg anders gehandelt als seine bisherigen Äußerungen über Bilder es vermuten ließen? Hat Luther aus kirchenpolitischen Gründen seine Meinung in der Bilderfrage geändert?

Bestand in der Bilderfrage ein entscheidender Unterschied oder Gegensatz zwischen Luther und Karlstadt? War das Eingreifen Luthers in Wittenberg von der Bilderfrage aus notwendig, zumindest begründbar?

1. Einheitliche Stellungnahme Luthers zur Bilderfrage von 1516—1542

a) Theologische Bewertung der Bilderfrage

Die Behandlung der Bilder in Luthers Katechismen zeigt, daß die Bilderfrage weder ein eigenes Anliegen Luthers war, noch daß er sie für theologisch wichtig hielt. Daher hat er sich nur da ausführlich über die Bilderfrage geäußert, wo sie sein reformatorisches Anliegen kreuzte. Das geschah durch den „falschen Eifer der Bilderstürmer". Abgesehen von den Abhandlungen, in denen Luther sich polemisch-apologetisch gegen die ‚Bilderstürmer' wandte, finden sich nur Gelegenheitsäußerungen Luthers, überwiegend in Predigten. Luthers Kritik richtete sich hier z. T. gegen die Bilderstürmer, z. T. gegen die Papisten. Er befand sich in der Bilderfrage durchgehend in doppelter Frontstellung. Das hatte zur Folge, daß Luther teils von den Papisten als Bilderstürmer, teils von den Bilderstürmern als neuer Papst verschrieen wurde[2]. Durch die Kontroverse mit den ‚Bilderstürmern' hat sich die Einschätzung der Bilderfrage durch Luther nicht geändert. Geändert hat sich die Situation und der Situation entsprechend die Frontstellung und die Form der Darlegung seines Standpunktes.

b) Theologische Grundlagen und praktische Grundsätze Luthers

Auch inhaltlich hat sich Luthers Stellungnahme zu der Bilderfrage nicht geändert, wohl aber — da er notgedrungen ausführlicher auf sie eingehen mußte — entwickelt. Die theologischen Grundlagen sowie seine praktischen Grundsätze sind durchgehend gleich geblieben.

---

1. s. o. S. 24 ff.

2. Eine Schrift Karlstadts von 1524 trägt den Titel: Außlegung dieser wort Christi. Das ist meyn leyb etc. Wider die einfeltige und zwyfeltige papisten, welche soliche wort zu einem abbruch des kreutzes Christi brauchen. WA 18, 73 A 1.

Luther geht hierauf in seiner Schrift ein: Wider die himmlischen propheten (1525): WA 18, 73; 89, 20; 138.

Eckius rechnet Luther zu den Bilderstürmern, s. u. S. 104.

Während Buchholz[3] behauptet, Luther sei erst im Bilderstreit, im Kampf gegen die Bilderstürmer zur endgültigen Klarheit gekommen und habe einen Wandel in seiner Anschauung durchgemacht, ist hier[4] dargelegt worden, daß Luther bereits vor 1522 im Ansatz alles gesagt hatte, was er zur Bilderfrage zu sagen hatte. Vollkommen klar und eindeutig war Luthers Stellung von Anfang an in der Kritik an dem durch die Predigt der ‚Papisten' geförderten Bilderdienst, der sich im Bilderstiften und in der Bildanbetung äußerte; in der Kritik an bestimmten Bildern und Bildarten; in der Auslegung des Bilderverbotes und in der Art der Bekämpfung des Bilderdienstes.

Neu ist im Bilderstreit vor allem die bereits in den Invocavitpredigten auftauchende Kritik Luthers an dem Vorgehen Karlstadts und der ‚Bilderstürmer' gegen die Bilder.

Falls Luther wirklich, wie Barge vermutet, über die Ereignisse in Wittenberg falsch unterrichtet war, hätte er dies bald nach seiner Rückkehr merken müssen. Seine Äußerungen in Predigten und exegetischen Schriften zeigen jedoch, daß er nach wie vor Karlstadt gegenüber dieselben Vorwürfe aufrecht erhält und daß er nach wie vor die Unterschiede in den theologischen Grundlagen, die bereits vor dem Sturm festlagen und die — ebenfalls schon vor seiner Rückkehr — angedeuteten Grundsätze im praktischen Verhalten aufrechterhielt.

Auch in den nicht mehr polemisch-apologetisch bestimmten späten Gelegenheitsäußerungen zur Bilderfrage vertritt Luther denselben Standpunkt, den er im Bilderstreit ausführlich dargelegt hatte.

2. Luthers Gründe für sein Vorgehen in der Bilderfrage

a) Gefahr der Irrlehre

In seiner Kontroverse mit den Bilderstürmern wandte Luther sich weniger gegen die Tatsache des Vorgehens gegen die Bilder als gegen die Art der Bilderbekämpfung. Das Vernichten der Bilder an sich fand Luther noch erträglich. — Er selber hielt diese Bilder ja für schädlich und hat ihnen durch die Predigt mehr geschadet als die Bilderstürmer durch ihr gewalsames Vorgehen. — Nicht zu dulden war jedoch die falsche Theologie, die hinter diesem Treiben stand. Die christliche Freiheit war bedroht[5]. Darum mußte Luther einschreiten. Er stellte fest, daß Karlstadt sich mit der Forderung der Vernichtung aller Bilder nicht allein im Mittel der Bilderbekämpfung vergriffen hatte, sondern in das Alte Testament zurückgefallen war. Er hatte ein Gesetzeswerk aus dem Bilderstürmen gemacht und Hoffahrt in die Herzen gesetzt, als ob dies ein gutes Werk wäre, das doch auch Bu-

---

3. Friedrich Buchholz: Protestantismus und Kunst im 16. Jh. S. 4.
4. in Abschnitt III und IV.
5. WA 15, 219, 20—34 (betr. Klöster): Brief an die Fürsten zu Sachsen 1524; WA 15, 395 ff.: Brief an die Christen zu Straßburg wider den Schwarmgeist, 1524.

ben und Türken tun könnten[6]. Er predigte Gesetz statt Evangelium, ja er predigte Werkgerechtigkeit statt Glauben und war damit demselben Irrtum verfallen wie das Papsttum[7]. Karlstadt hatte seinen Nächsten „Ärgernis gegeben", indem er die Bilder vor den Augen weggerissen, aber im Herzen stehen gelassen und dazu noch neue Abgötterei aufgerichtet hatte: Falsches Vertrauen und Ruhm vor Gott[8]. Seine Predigt hatte einen falschen Inhalt bekommen. Wichtig ist nach Luther allein das, was einen Christen macht[9]. Unsere Aufgabe ist es, den von Gott abgefallenen Menschen wieder zu Gott zurückzuführen und das verkehrte Herz des Menschen wieder zurecht zu bringen. „non cupimus mutari res, sed tuum cor perversum."[10] Bilderstürmen macht keinen Christen, wohl aber die Predigt, die zum Glauben an Christus ruft[11].

Für Karlstadt mußten diese Vorwürfe Luthers wie Verleumdung klingen. Er war davon überzeugt, das Evangelium zu predigen und sich in seiner Lehre im Einklang mit Luther zu befinden. Darum fühlte er sich ehrlich verletzt und ungerecht behandelt. Der Grund für Luthers Verhalten konnte nur Neid auf Karlstadts Erfolge in Wittenberg sein. Hatte nicht Luther selber alle diese Dinge gefordert, solange er noch in Wittenberg war? Predigte er, Karlstadt, nicht auch den wahren Glauben? Er war sich eines theologischen Unterschiedes, Abstandes oder gar Gegensatzes zu Luther nicht bewußt und beharrte auch nachdem Luther ihm die Unterschiede deutlich vor Augen geführt hatte, auf seinem Standpunkt. Ja, nun erst recht. Luther ist derjenige, der wortbrüchig und rückfällig geworden ist. Er, Karlstadt allein predigt den rechten Glauben[12].

Bei Karlstadt zeigt sich der rechte Glaube u. a. darin, daß der Gläubige Bilder entfernt. Wer ein Bild anzugreifen wagt, hat die Furcht vor dem Bildgötzen überwunden. Deshalb ist die Vernichtung eines Bildes eine Tat des Glaubens; ja, sie ist der Durchbruch zum rechten Glauben[13]. Zur Voraussetzung dieser Theologie gehört ein heidnisches Bildverständnis. Das Bild selbst ist eine Gefahr. Das Bild selbst ist der zu bekämpfende und zu vernichtende Feind. Damit hat Karlstadt dem Bild eine Bedeutung beigemessen, die es — nach Luther, der sich hierbei auf das Alte und Neue Testament berufen kann — nicht hat und nicht haben darf. So kam es dazu, daß die Leute Holz und Stein stürzten und sich dabei einbildeten, einen Götzen vernichtet zu haben. Ohne es zu bemerken, glaubten sie selbst noch an die Bildgötzen und übertraten damit das 1. Gebot. Das Bild wurde wie zur Zeit des Alten Bundes zu einem Götzen. Unter dieser Voraussetzung ist seine Vernichtung zwar auch vom 1. Gebot her notwendig, Karlstadt lebte aber

---

6. WA 14, 621, 30; WA 18, 71 f.; 64, 22 f.; WA 15, 213, 16.
7. WA 15, 395, 9 f.; WA 18, 73, 12 ff. und 64, 15 ff.
8. WA 16, 444, 8 ff.; WA 18, 67 f.
9. WA 18, 64.
10. WA 28, 554, 7.
11. WA 18, 65, 1.
12. s. o. unter II 1; WA 15, 324, 8—12. Brief Karlstadts an Herzog Johann, 11. Sept. 1524; WA 18, 64, A 2.
13. Von Abtuhung S. 19.

zu einer Zeit, da das Christentum längst mit den Propheten die Ohnmacht eines heidnischen Götzenbildes erkannt und einen neuen Bildtyp geschaffen hatte, der erst durch die Anbetung, nicht bereits durch seine Existenz zu einem Verstoß gegen das 1. Gebot führt[14]. Das heidnisch-abergläubische Bildverständnis, das Voraussetzung der Auslegung und Anwendung des Bilderverbotes bei Karlstadt war, führte zu einer Überbetonung des Bilderverbotes gegenüber dem 1. Gebot; führte dazu, daß aus der unbedeutenden Bilderfrage eine wichtige Glaubensfrage wurde; führte zu einer Verkehrung der Predigt. Karlstadt predigte Gesetz statt Evangelium, predigte Mose statt Christus, predigte katholische Werkgerechtigkeit (mit umgekehrtem Vorzeichen) statt der Rechtfertigung aus Gnade.

Karlstadt setzte bei seinem Vorgehen voraus, daß in Wittenberg Furcht vor den Bildern herrschte. Nur so konnte er sich das Zögern des Rates erklären. Diese Furcht aber ist Gotteslästerung und deshalb droht dem zögernden Rat die Strafe Gottes[15]. Karlstadt forderte also den Rat und in seinen Predigten auch das Volk dazu auf, aus Furcht vor Gottes Strafe zu handeln. Luther setzte ebenfalls voraus, daß in Wittenberg heidnisch-abergläubige Anbetung und Furcht vor den Bildern herrschte. Dies aber war für Luther ein Grund, die Beseitigung der Bilder aufzuhalten. Erst muß man die Menschen von der Furcht vor dem Bildgötzen befreien, muß die Götzen durch die Predigt entmachten. Nicht aus Furcht soll ein Christ handeln, sondern aus der frohen Zuversicht der christlichen Freiheit heraus. Ein Christ soll wissen: Ich brauche Holz und Stein nicht zu fürchten und kann mit ihnen tun, was ich will. Ein Christ soll wissen: Ich brauche nicht die Hilfe von Holz und Stein, denn ich habe Gottes Gnade in Christus. Die christliche Freiheit[16] wurde in der Bilderfrage von zwei Seiten her in Frage gestellt: von der ‚papistischen' Bilderfrömmigkeit und von dem Bilderhaß Karlstadts und seiner Leute. Luther verteidigte das Evangelium von Christus in doppelter Frontstellung. Gegen die ‚Papisten' betonte er: Ein Christ muß nicht Bilder haben, sondern kann sie wohl entbehren. Gegen Karlstadt hält er fest: Ein Christ braucht zwar ein Bild nicht notwendig, er kann es aber gebrauchen, soweit dieser Gebrauch nicht das 1. Gebot antastet. Ein Christ darf Bilder beseitigen, wenn er den ordnungsgemäßen Weg einhält, aber er muß nicht alle Bilder vernichten.

b) Innere und äußere Gefährdung der Reformation

Der rechte Zeitpunkt zu einer öffentlichen, ordnungsgemäßen Entfernung der schädlichen Bilder war nach Luthers Sicht der Lage in Wittenberg 1522 noch nicht gekommen[17]. Eine bedenkliche Folge des eifrigen und verfrühten Wirkens Karlstadts war die zunehmende Verwirrung in der jungen und noch nicht genü-

---

14. s. Excurs III: Die christliche Bildanschauung.

15. Von Abtuhung S. 19 und S. 20, 19 ff.

16. WA 15, 395, 9.

17. Barge selbst gibt zu, daß die Zeit in Wittenberg für eine Neuordnung noch nicht reif war. Gemeindechristentum 189, Anm. 136.

gend gefestigten evangelischen Gemeinde selbst. Diese Befürchtung steht hinter dem Aufruf Luthers, auf die „Schwachen im Glauben" Rücksicht zu nehmen und zu warten. Karlstadt selbst bestätigte mit seinem Eifer die Behauptung Luthers, in Wittenberg herrschten noch große Furcht vor den Bildgötzen. Karlstadts Eifer gegen die Bildgötzen, seine Strafandrohung gegen den zögernden Rat, zeigten, daß er selbst den Bildern Götzencharakter beimaß. Wenn aber ein Bilderfeind dem Bilde Macht zuerkennt, wieviel mehr wird dies der Bilderfreund tun? Karlstadt setzte voraus, daß auch der passive Betrachter eines Bildersturzes erkennen wird, daß dieser gestürzte Götze keine Macht mehr hat. Luther ging davon aus, daß das eigentliche Götzenbild so fest im Herzen des Anbeters verankert ist, daß der Glaube an das Bild im Herzen bestehen bleibt, auch wenn das Götzenbild selbst fällt. Ein Bilderfreund, der die Vernichtung eines Bildes miterlebt, wird in seinem Herzen sagen: Gott wird diesen Frevel bestrafen! Ein im Grunde seines Herzens unsicherer Mensch, der von dem Eifer der Stürmer mitgerissen wurde, wird später Gewissensbisse bekommen. Die gewaltsame Entfernung der Bilder hat nicht nur keinen bleibenden Wert, sondern stellt eine innere Gefahr für die Reformation selber dar, weil sie die noch nicht völlig gefestigten Gläubigen der Reformation wieder entreißt oder in Gewissenskonflikte stürzt. Deshalb betonte Luther unermüdlich: Wo der Glaube angegriffen wird, da muß man feststehen und darf nicht weichen, auch wenn der Friede darum verloren ginge. Wo es aber nicht um die Grundlagen des Glaubens geht wie bei Bildern und Ceremonien, da soll die Liebe walten, die auf den schwachen Bruder Rücksicht nimmt, dessen Herz noch an den Bildern hängt, bis auch er durch die Predigt befreit und stark geworden nicht mehr von solchen äußerlichen Dingen abhängt[18].

Rücksichtnehmen heißt nun nicht — wie Karlstadt meint — klein beigeben, sondern durchs Wort überzeugen und bis dahin liebevolle Geduld üben. Ist das rechte Evangelium genügend gepredigt worden, dann allerdings ist Rücksichtnahme gegenüber weiterhin Widerstrebenden auch nach Luther fehl am Platze[19].

Wie Luther sich die liebevolle Behandlung der Schwachen dachte, zeigt sein Verhalten dem Kurfürsten gegenüber, der zumindest in Kultfragen und damit auch in der Bilderfrage zu den Unentschlossenen gezählt werden muß[20]. Luthers Stellung zu Reliquien ist seit 1518 eindeutige Ablehnung[21]. Dennoch stellt er an den Kurfürsten keineswegs das Ansinnen, den Reliquienschatz, den er unter viel Fleiß und Kostenaufwand gesammelt hatte[22] und der sein Stolz war, zu vernichten. Er geht vorsichtig, geduldig und liebevoll vor. Die ganze Frage wird beiläufig, z. T. scherzhaft behandelt. So schickt Luther dem erkrankten Kurfürsten ein Büchlein, betitelt ‚Die vierzehn Nothelfer', und macht ihm dadurch deutlich, worauf ein Christ sein Vertrauen setzen soll[23]. Mit gutmütigem Spott

---

18. WA 10, 3 L; Cl VII, 364 ff.; WA 10, 3, LII.
19. An Spalatin am 14. 1. 1523, WA Br 3, 16 f. Nr. 572; s. auch S. 34, 7 f.
20. Luther schreibt dem Kurfürsten am 5. 3. 1522, er sei noch schwach im Glauben. Cl VI, 105, 9 f.
21. WA 1, 270 f. und 411.
22. Paul Lehfeldt: Luthers Verhältnis zur Kunst, S. 8.
23. WA Br I 507 (Sept. 1519). Tessaradecas consolatoria WA 6, 104 ff.

beglückwünscht er im Februar 1522 den Kurfürsten zu dem „newen heiligthum". „E. f. g. hatt nu lange iar nach heyligthum ynn alle land bewerben lassen, aber nu hatt gott e. f. g. begird erhoret vnnd heym geschickt on alle kost vnnd muhe eyn gantzs creutz mit negelln, speren vnnd geysseln"[24]. Luther meint die Wittenberger Unruhen. Schließlich setzt er die Reliquien in einer ziemlich derben Satire herunter[25]. Der Kurfürst, dessen Herz an seinen Reliquien hing, gibt Schritt für Schritt nach. Zuerst wird 1522 der mit dem Betrachten der Reliquien verbundene Ablaß gestrichen. Im folgenden Jahr unterbleibt das öffentliche Zur-Schau-Stellen der Reliquien und schließlich wird die Sammlung überhaupt nicht mehr gezeigt. Zuletzt wird der gesamte Schatz aufgeteilt. Die Reliquien haben nur noch ihren Sachwert[26].

Die durch die Predigt entmachteten und entwerteten Bilder können, nachdem sie aus Rücksicht auf die noch im Glauben Schwachen eine gewisse Zeitlang geduldet wurden, ohne viel Lärm entfernt werden, damit sie nicht erneut Anlaß zur Abgötterei bieten. Gegen die ordnungsgemäße Entfernung der Bilder in Straßburg hat Luther nichts gesagt. Aber in Wittenberg war das anders gelaufen.

Auch Karlstadt wandte sich zunächst mit der Forderung der Entfernung der Bilder an die zuständige Obrigkeit, den Rat der Stadt, entfachte aber dann durch seine Predigten das Volk zum Bildersturm. Er beteuerte später, daß der Bildersturm durchaus nicht in seinem Sinne war, ja, daß er dieses Vorgehen voll und ganz verurteile. Dabei übersah er, daß der Bildersturm eine praktische Folge seiner zündenden Predigten war und auch eine Folge seiner starken Betonung der alttestamentlichen Forderungen. Luther stellt daher fest: Karlstadt hat auch das Alte Testament nicht recht verstanden. Auch hier sind nicht Bilder, sondern allein die Menschen wichtig. Darum war für den Gläubigen des Alten Bundes, der mit dem Schwert für Gott zu kämpfen hatte, im Kampf gegen den Götzenkult neben der Vernichtung der Kultgegenstände die Ausrottung der Götzendiener notwendige Forderung. Sollte die Forderung des Alten Testament, die Götzen zu vernichten, direkt auch uns gelten, müßten wir auch die Feinde Gottes mit dem Schwert umbringen[27]. Diese Konsequenz, von Karlstadt selbstverständlich zurückgewiesen, wird vom Volk gezogen werden. Das erhitzte Volk wird nicht bei den Bildern stehen bleiben, sondern vom kultischen auf das soziale und politische Gebiet übergreifen. Wer dem Volk, dem ‚Pöbel' die Macht gibt, der verführt es zu Aufruhr und Revolution. Das aber ist einem Christen nicht erlaubt. Unser Amt ist predigen und leiden[28].

Bereits in der Vermahnung vom Januar 1522 sagte Luther deutlich: Die Reformation ist nicht Menschenwerk, sondern Gottes Werk. Das diesem Werk entsprechende Mittel zur Durchführung ist nicht Menschenmacht, sondern Gottes Wort. Jede gewaltsame oder unrechtmäßige Aktion ist ein Gewinn für die Gegenseite und ein Verlust für die Reformation. Mit Gewalt werden wir den Papst

---

24. (24. 2. 1522) Cl VI, 101, 4 ff.
25. Enders III S. 346; Cl VIII Nr. 3637 b; WA 53, 404.
26. Lehfeldt a. a. O. 8; s. Enders: Luthers Briefwechsel III 346.
27. WA 14, 620, 1 ff.; WA 15, 220, 10 ff., gegen Müntzer 1524.
28. WA 15, 219, 15 f.

stärken. Satan will Unruhe stiften, um dadurch die rechte durch das Wort Gottes begonnene Reformation durch ihre eigenen Leute auf Abwege und in Mißkredit zu bringen[29]. Luther ging in dieser Schrift nicht auf die Wittenberger Unruhen, sondern nur auf das „Erfurter Pfaffenstürmen" ein. Er nahm wohl an, daß die Gefahr des Abgleitens in ein revolutionäres, schwärmerhaftes Fahrwasser außerhalb von Wittenberg größer war. Auch in dem Brief vom 17. Januar wußte Luther noch nicht, ob er nach Wittenberg zurückkehren oder woandershin gehen wird. Die Briefe aus Wittenberg bestimmten die Richtung: Er ging direkt nach Wittenberg zurück. Denn jetzt hörte er, daß dort Unsicherheit im Rat und Uneinigkeit unter den Führern der Reformation herrschten. Außerdem schienen ihm die Dinge nach den jetzigen Berichten anders zu liegen, als er ursprünglich angenommen hatte. Die Neuerungen waren nicht die Früchte langsamen Wachstums, sondern die Folgen des gesetzlichen Gewissenszwanges, den Karlstadt einführte. Er war die treibende Kraft, die alle andern mitriß. Auch Melanchthon „konnte das Wasser nicht aufhalten"[30].

Barge hat m. E. darin Recht, daß beim Wittenberger Rat und den Theologen Melanchthon, Jonas und Bugenhagen aus dem Ausschuß (dem auch Karlstadt angehörte) ein Stimmungsumschwung stattfand, der deutlich in zeitlichem Zusammenhang zu dem Brief des Kurfürsten an Einsiedel vom 17. Februar steht, in dem er klarstellt, daß er die dort durchgeführten Reformen mißbillige. Karlstadt bejahte die Reformen weiterhin, bedauerte die Ausschreitungen zwar, hielt sie jedoch für belanglos und betonte, daß die Verantwortung für das Geschehene von den anderen mitgetragen werden müßte[31]. Merkwürdig ist gewiß, daß in Wittenberg erst drei Wochen nach dem Bildersturm so schwere Bedenken auftauchen. Zu Unrecht wird nun Karlstadt die ganze Last der Verantwortung zugeschoben. Zwar war Karlstadt bei den Reformen die treibende Kraft. Er hat zumindest in der Bilderfrage nicht nur zur Bildentfernung gemahnt und zur Tat angetrieben, sondern sogar mit harter Strafe gedroht und indirekt das Volk angestachelt[32], sei es, um den Magistrat durch das Volk unter Druck zu setzen, wie Barge annimmt[33], sei es, um sie selbst zum Handeln zu bringen, wie er es auch nach Barge zu der Zeit beabsichtigt hatte, als seine Wittenberger Ordnung noch nicht vom Magistrat bestätigt worden war[34]. Unbestreitbar ist auch, daß dieser Eifer nicht im

---

29. Cl II, 306, 9 f. Dementsprechend sollte der Kurfürst, auch wenn Luther nach seiner Rückkehr gefangen oder getötet würde, nichts dagegen unternehmen. (Cl VI, 105, 21 ff. Brief an den Kurfürsten 5. 3. 1521). Tumultartiges Vorgehen hat Luther stets verurteilt. Im Mai 1521 schreibt er Melanchthon, er wundere sich, daß der Senat nicht gegen die Erfurter Unruhen eingeschritten sei. „Nam etsi bonum est incessabiles illos impios coerceri." Brief an Melanchthon. Cl VI, 32, 1 ff. = WA Br 2, 331 f. dazu Cl VI, 30 zu Wittenberg 5. 3. 1522. Cl VI, 103, 5 f. und s. o. S. 28.

30. Barge: Aktenstücke S. 17. Philipp Melanchthon an Hügold von Einsiedel. 5. 2. 1522.

31. Barge: Frühprotestant. Gemeindechristentum S. 16.

32. s. o. S. 24.

33. Barge a. a. O. 98.

34. Barge a. a. O. 100 A 1.

Sinne Luthers war, der in seinem Mahnschreiben vom Januar 1522 schreibt: „... will sie nicht ßo solltu auch nit wollen, Feristu aber fort, ßo bistu schon vngerecht vnd vill erger denn das ander teyll."[35] Andererseits hat der Rat die Wittenberger Ordnung, die nun — nach des Kurfürsten Einspruch — nicht in Kraft bleiben soll, doch auf eigne Verantwortung hin am 24. Januar bestätigt. So gesehen ist in der Tat das drohende Reichsmandat der auslösende Faktor für Luthers Rückkehr von der Wartburg gewesen. Angesichts der Gefahr von außen zeigte sich Unsicherheit im Rat, Uneinigkeit in der theologischen Leitung, Schwäche auf der einen, unfertige und von Luther unterschiedene Theologie auf der anderen Seite[36]. So ließ der äußere Anlaß den inneren Zwiespalt, in dem sich die Wittenberger Bewegung befand, zutage treten. Luther hatte Recht, wenn er sein Eingreifen theologisch begründete. Seine deutliche Sprache in den Invocavitpredigten war notwendig, um den auch von ihm befürworteten Reformen den richtigen Stellenwert zu geben. Daß er dabei kirchenpolitisch klug gehandelt hat, ist eine andere Sache. Rücksichtnahme auf die katholische Gegenseite ließ er in der Predigt vom 13. März in einer Nebenbemerkung erkennen[37]. Karlstadt konnte so nicht handeln und mußte Luthers Verhalten scharf ablehnen. Für ihn war bereits das Entfernen von Bildern ein Bekenntnis zum wahren Glauben. Für Luther gehörten Bilder und auch Reformen zu den sekundären Dingen. In den Grundlagen des Glaubens durfte auch und gerade nach Luthers Meinung weder auf im Glauben Schwache noch auf politisch Starke Rücksicht genommen werden.

c) Schlußwort

In Wittenberg, so urteilte Luther auch späterhin, sei „nichts sonderlichs vnrechts furgenomen, on das der Satanas hat zu seer auff die eyle drungen, die liebe wollen vber hupffen vnd der schwachen nicht lassen gewar nemen. da mit were denn tzu letzst new ordinantz auffkomen, die das Euangelion villeicht weniger leyden kund denn des Bapsts gesetzt"[38]. Dasselbe betonte Luther in den ,Invocavitpredigten'. Was man getan hat, war gut, aber wie man es getan hat, war nicht gut. Hinter der lieblosen übereifrigen Eile stand eine andere Theologie, ein gesetzmäßiger Zug, gegen den Luther sich wehrte. Durch die Art und die Begründung, mit der Karlstadt die von Luther zuvor geforderten Reformen durchführte, erhielten sie ein anderes Vorzeichen. Dies hat Luther nach seiner Rückkehr immer deut-

---

35. Cl II 303, 36—38.
36. Barge a. a. O. 197, 189 und 195: „Der der Wittenberger Gemeindeorganisation zugrunde liegende Kirchenbegriff weicht in wesentlichen Punkten von dem Ideal der Gemeindebildung ab, das Luther vorgeschwebt hat, wie auch sein in der Rechtfertigungslehre wurzelnder Glaubensbegriff sich mit dem Karlstadtschen nicht deckt."
37. Cl VII 381 = WA 10/3, 41: „Damit auch das ergernyß so vnsern brüdern schwestern vñ nachpavern vmb vns entwoechst vermitten werd, die jetzunder vff vns zornig seind vñ woellen vns gar todt schlagē ..."
38. Cl II 326, 39—327, 3.

licher erkannt und eindringlich betont. In Verkennung des Grundschadens, der Wurzel des Übels in der päpstlichen Kirche, hat Karlstadt sich überwiegend gegen die äußeren Anzeichen des tiefer sitzenden Schadens gewandt. Die äußeren Schäden jedoch sind bereits in vorreformatorischer Zeit erkannt und bekämpft worden. So war Karlstadts Wirken ein Rückfall in vielfacher Hinsicht: Er ist steckengeblieben im heidnisch-abergläubigen Bildverständnis. Dadurch erhielt seine Predigt einen falschen Inhalt. Seine Kritik bewegte sich in vorreformatorischer Oberfläche, wurde aber mit dem Anspruch reformatorischer Tiefe vorgebracht. Die Folge war eine Verschiebung des Schwerpunktes, ein Abgleiten in alttestamentlichen Gesetzeseifer, Rückfall in den katholischen Leistungsgedanken und Tendenz zu tumultartigem Vorgehen vor allem bei dem von Karlstadts Predigten entfachtem Volk. Viele, die an der Schwelle zum Übergang zur Reformation waren, wurden durch das wilde Wesen zurückgeschreckt. Die katholische Kirche bekam eine Handhabe zum Vorgehen gegen die Reformation. Die Gemeinde selbst wurde unsicher, uneinig und verwirrt. Die gesamte Reformation geriet in die Gefahr, in ein falsches Fahrwasser abzugleiten. In dem fanatischen Eifer Karlstadts erkannte Luther die ersten Anzeichen des Schwärmertums. Der Weg, den Karlstadt eingeschlagen hatte, führte zu Müntzer. Dieselben Vorwürfe, die er 1522 Karlstadt machen mußte, machte er 1524 in einem „für die Öffentlichkeit bestimmten Sendschreiben" an den Fürsten zu Sachsen auch Müntzer und meinte damit zugleich Karlstadt[39], von dessen „tumultuarischen Kultusänderungen, Bilderstürmen, Abtun der Altäre usw." in Orlamünde Luther bereits im Januar 1524 gehört hatte. Dadurch sah er sich in seiner Vermutung, Karlstadt sei vom selben Geist besessen wie Müntzer, in der er nur einmal durch ein Schreiben Karlstadts an Allstedt schwankend geworden war, bestärkt[40]. Luther wehrte sich gegen „seynen rottischen, stürmischen und schwermischen geyst"[41], den Übereifer am falschen Platz, der mehr Schaden als Nutzen angerichtet hat. Wegen der Bilder allein hätte Luther nicht seine Feder gerührt. Die — an sich guten — Aktionen Karlstadts in Wittenberg hätten ihn nicht bewegen können, die Wartburg zu verlassen. Grund seiner Rückkehr war die hinter dem verfrühten Handeln Karlstadts stehende falsche Theologie und die sich daraus ergebende äußere und vor allem innere Gefahr, die Luthers reformatorisches Werk zu verfälschen, das Evangelium erneut zu verdecken und die eben erst ergriffene christliche Freiheit zu rauben drohte.

---

39. WA 15, 204, 14; 204 unten; 218, 8 f.
40. WA 15, 324. Luther war mit dieser Einschätzung Karlstadts nicht allein: WA 15, 325, A 1.
41. WA 18, 68, 24.

B. Einordnung des Bildes in den evangelischen Raum

I. Das zur Zeit der Reformation übliche Bild

1. Prinzip der Auswahl

Die Reform des gottesdienstlichen Lebens in Wittenberg hielt Luther zwar auf lange Sicht für wünschenswert, um 1521/22 jedoch für verfrüht und unter falschen Voraussetzunen durchgeführt. Es hätte noch etwa zwei Jahre gepredigt werden müssen. Deshalb versetzte er 1522 alles in den alten Zustand zurück. Bereits Anfang 1523 äußerte Luther in einem Brief an Spalatin[1], jetzt sei es an der Zeit, das Abendmahl unter beiderlei Gestalt auszuteilen. Wer jetzt noch dagegen sei, sei nicht schwach, sondern hartnäckig. Die Frage der Austeilung des Abendmahles war für Luther eine Grundsatzfrage. Die Austeilung unter beiderlei Gestalt mußte um des Glaubens willen durchgesetzt werden. Die Bilderfrage war für Luther von sekundärer Bedeutung. Wohl hatte sich der ,papistische Irrglaube' auch in der Herstellung und im Gebrauch der Bilder niedergeschlagen. Hier mußte aufgeräumt werden. Aber „bild sturmen heißt nicht allerley bild sturmen"[2]. Es ging Luther in der Frage der Bildentfernung nicht wie bei der Durchführung der Austeilung des Abendmahles unter beiderlei Gestalt nur um den richtigen Zeitpunkt, sondern auch um die richtige Bildauswahl. Er handelte hier entsprechend seiner Grundeinstellung in Reformfragen. Schon 1523 hatte Luther in der ,Formula missae et communionis' den aus 1. Thess. 5, 21 entnommenen Grundsatz für die Neuordnung der äußeren Form des Gottesdienstes aufgestellt: „Nos interim omnia probabimus, quod bonum est, tenebimus"[3]. Es sollte also nach Luther eine Zwischenzeit der Auswahl eingeschoben werden. Erst danach würde der Gottesdienst wieder frei gehalten werden können, ohne all die Abscheulichkeiten, die mit der Zeit von selbst ihren Einfluß verlieren würden und so, ohne viel Aufhebens und ohne Unruhe in das Volk zu tragen, abgeschafft werden könnten[4]. Luthers Kritik richtete sich nie gegen Bilder an sich, sondern immer gegen die ,Papisten', die das Volk irregeführt hätten, und damit gegen die ,Irrlehre', die ihren Niederschlag im Bilderstiften- und Anbeten, im falschen Bildgebrauch und bereits in der Themenwahl der Bilder und ihrer Ausführung durch den Künstler gefunden habe. Deshalb ist das 1. Gebot Kriterium für die Auswahl[5]. Unter Bildern, deren Gebrauch gegen das 1. Gebot verstößt, und die darum entfernt werden sollten, verstand Luther Bilder, die den Menschen dazu verführen, statt bei Gott bei Maria und den Heiligen Hilfe zu suchen. Hinweise für die Auswahl gab

---

1. WA Br 3, 16 f. Nr. 572.
2. WA 28, 678, 1.
3. Cl II, 429, 33.
4. Bereits 1537 stellte Luther fest, daß das Papsttum an vielen Orten, so wie in Wittenberg, ausgefegt sei: WA 47, 257.
5. WA 28, 677 ff. (1529; zu Dt. 7, 5).

Luther gelegentlich in seinen Predigten. So forderte er die Entfernung der Bilder
von Maria und den Heiligen aus den Wallfahrtskirchen, z. B. zur Eiche, im Grimm-
metal, in Regensburg usw. Man hatte aus Maria, St. Barbara mit dem Kelch,
St. Michael usw. Abgötter gemacht. Das war nach Luther noch 1533 an den
Gemälden zu erkennen. Von solchem eindeutig zum Zweck der Verehrung gemachten Bildern rückte Luther ausdrücklich ab. Als weitere zu beseitigende Heiligenbilder nannte Luther die Bilder von den Heiligen Margarete, Georg, Christophorus und Katharina[6]. Besonders scharf wandte er sich gegen bestimmte Typen
des Marienbildes: die Schutzmantelmadonna, bei der die Menschen vor Christi
Pfeilen Zuflucht suchten, und die fürbittende Maria vor dem Richter Christus.
„Man solte noch solche gemelde wegthuen." Man hat damit den Leuten Furcht
vor dem ‚lieben Heilande‘ eingeflößt. „Derhalben solte man solche gemelde nicht
leiden", rief Luther 1531 in einer Predigt über Joh. 6, 37[7]. Als Gotteslästerung
bezeichnete Luther die Gleichsetzung der Werke Christi mit den Werken des hl.
Franziskus auf einem Schnitzaltar in Lüneburg[8]. Zu den von Luther abgelehnten
Bildern gehört auch das Gemälde vom Kirchenschiff. Oft benutzte er dieses Bild
in seinen Predigten als Beispiel und Beleg für die ‚Irrlehre der Papisten‘, die
zwischen Gott und Mensch den Priesterstand einschöben und somit den Christen
den direkten Zugang zu Gott versperrten[9]. Praktisch fielen unter die von Luther
abgelehnten Bilder fast alle damals in Kirchen vorhandenen Bildwerke. Folgerichtig forderte Luther im Jahre 1525 in einer Predigt, es sollte in den Kirchen
überhaupt keine Bilder geben[10]. Andererseits betonte er im selben Jahr den Bilderstürmern gegenüber, man möge ihnen wenigstens „ein kruzifix odder ein heiligenbild ... odder ein Marienbilde lassen"[11]. Luther widersprach sich hiermit nur
scheinbar. Er sah einen Unterschied darin, ob ein Heiligenbild in der Kirche
stand oder im Privathaus, nicht, weil die Kirche heilig und das Haus profan
wäre — das hatte er bereits 1515 zurückgewiesen — sondern weil die Leute sich
das einbildeten. „Fiduciam habuimus, quod idolum in ecclesia melius quam in
cubiculo."[12] Die Gefahr der Anbetung sei in der Kirche größer als in einem Hause.
In den Wallfahrtskirchen, die Luther im Zusammenhang mit seiner Forderung
der Bildentfernung nannte, war von vornherein ein anderer als abgöttischer Gebrauch ausgeschlossen. Die Bilder waren ausschließlich zu diesem Zweck dort auf-

---

6. WA 28, 677, 6 (1529); WA 37, 490 (1534); WA 30, 2, 296 Anm. 5 und 6; EA 17, 192
nach Rogge S. 16, Anm. 45.

7. WA 33, 83, 41 und 84, 16; s. auch WA 47, 275 f. (1537 zu Mt. 18).

8. WA TR 2649 b (Sept. 1532).

9. WA 38, 104, 24 (1533); WA 30/3, 407, 5 und Anm. 1; WA 41, 698, 24 ff. (1536);
WA 42, 368, 28 ff. (1536); WA TR 4829 (1543).

10. WA 14, 622, 25 (Predigt 1525).

11. WA 18, 80, 7.

12. WA 16, 440, 3 f.

gestellt worden. Diese sollte man entfernen. Die anderen könnten u. U. behalten werden. Denn privater Bildbesitz ist erlaubt[13].

2. Erlaubter und nützlicher Bildgebrauch

In der Auslegung des Bilderverbotes, der grundsätzlichen Stellung zum Bild und der Frage der Bildentfernung hat Luther keinen Wandel durchgemacht[14], wohl aber eine Entwicklung in der Beurteilung des erlaubten und nützlichen Bildgebrauches.

Im Jahre 1522 meinte Luther noch sehr unbestimmt, es könnte vielleicht jemanden geben, der Bilder richtig gebrauchen könne[15]. Er wird „sie nur von lust wegen odder umb schmuck willen an die wend malen lassen odder sonst brauchen, das on sund sey"[16]. Drei Jahre später beschrieb er genau, wie er sich den ungefährlichen und darum erlaubten Gebrauch des Kruzifixes und der Marien- und Heiligenbilder dachte. Er meinte den Bilderstürmern gegenüber, man sollte nicht wahllos alles vernichten, sondern den Leuten ein „kruzifix odder ein heiligenbild ... odder ein Marienbilde lassen ... zum ansehen, zum zeugnis, zum gedechtnis, zum zeychen"[17].

a) Zum Ansehen

Hiermit wird der Bildgebrauch in die vom 1. Gebot her gegebenen Schranken gewiesen. Erlaubt ist nur die Betrachtung, nicht die Verehrung oder Anbetung eines Bildes[18].

b) Zum Zeugnis

Luther wünschte, daß das Evangelium „gepredigt, gemalt, geschrieben und gesungen", d. h. auf alle mögliche Weise unter das Volk gebracht und so unübersehbar und unüberhörbar gemacht würde, so daß sich niemand entschuldigen könnte, er wisse nichts davon[19]. „Man kan dem gemeinen man die wort und werk Gottes nicht zu viel odder zu offt furhalten, wenn man gleich davon singet und saget, klinget und predigt, schreibt und lieset, malet und zeichnet. So ist dennoch der Sa-

---

13. WA 10/1, 2, 39, 11; WA 12, 249, 14; WA 17/2, 507, 6; WA 48, 305, 12; Aufstellung aus Preuß S. 301; WA 14, 622, 25 ff. Lehfeldt (S. 57 f.) und Rogge (S. 15) weisen nach, daß die von Luther genannten Madonnen- und Heiligenbilder noch zu ihrer Zeit in den Kirchen von Eisleben und Mansfeld zu finden waren. Man hat sie also nicht entfernt.

14. so Luther selbst: WA 10/2, 489, 5 ff. (1529).

15. Cl VII, 376, 14.

16. Cl II, 329, 17 f. = WA 10/2, 34, 16 f.

17. WA 18, 80, 7 f.

18. s. o. S. 47 f.

19. De Wette 5, 554; WA 37, 63, 9 f. (1533 Osterpredigt); WA 49, 763, 5 f. (1545); WA 45, 719, 10 (1537); WA 51, 217, 35 (1534/35).

tan ymer dar allzu starck und wacker, dasselbge zu hindern"[20]. Luther stellte das Bild in den Dienst der Verkündigung.

c) Zum Gedächtnis und Zeichen

Ein klares, einprägsames Bild hilft, einen mit Worten schwer erklärbaren Sachverhalt einem einfachen Menschen so nahezubringen, daß auch er es begreifen kann. Ein Bild haftet im Gedächtnis besser als dürre Worte. Bei dem Anblick eines solchen ‚Merkbildes' fällt dem Betrachter alles ein, was er bisher über die dargestellte Geschichte oder Person gehört hat. Das Bild erinnert ihn an Gottes Wohltaten und Strafen[21].

Mit dieser Verwendung der Bilder scheint Luther der im Mittelalter vertretenen Bildauffassung nahe zu kommen: Nach Bonaventura sind Bilder nötig „propter simplicium ruditatem, propter affectuum tarditatem, propter memoriae labilitatem", nach Nikolaus von Lyra „der ungelehrten menschen wegen ... das die trackheit der begierde (affectuum tarditas) bewegt wird ... umb vergessenheit" und nach Stephanus Lanzkrana, damit wir „durch die Bilder ermant werden, das wir gedenken an unsern herren oder sein heiliges Leiden"[22]. Luther nannte Gregor den Großen als denjenigen, der die Bilder „appellat laicorum libros"[22].

Die Äußerungen der katholischen Beichtbüchlein bei der Auslegung des 1. Gebotes über Bilder zeigen, daß man die Bilder als eine Art Ersatz für die Heilige Schrift ansah. Die Kirche darf und soll Bilder haben. Darum wurde in den meisten Beichtbüchlein, die auf die Bilderfrage eingehen, die Notwendigkeit der Bilder betont: „Die ersten Christen brauchten keine Bilder, sie hatten Christum im Herzen, jetzt müssen wir durch die Bilder an Christi Leiden gemahnt werden." Die Bilder sind nötig wegen der ungelehrten Menschen, die nicht lesen können[24]. Auch Johann Eck erklärte Bilder für nützlich, weil sie die Laien unterrichteten[25]. So hatte das Bild nach der damaligen katholischen Lehre zunächst eine didaktisch-pädagogische Aufgabe. Es gab wohl auch biblische Bilderbücher für Analphabeten[26]. Viel verbreiteter waren jedoch die Christus- und Heiligenbilder, in denen das Volk eindringlich angehalten wurde, Gott und die Heiligen zu verehren[27]. „Diese Bilder waren geradezu ein Bedürfnis für Kirche und Haus." Man konnte

---

20. WA 10/2, 458, 30 ff. (Vorrede zum Passionale 1529).
21. WA 46, 308; WA 10/2, 458, 16 ff.; WA 31/1, 415, 23 ff.; WA 28, 677, 10; WA 18, 82, 28; WA 37, 65, 39 f.
22. Geffcken: Der Bilderkatechismus des 15. Jh.s, S. 59; Beilage S. 25 und Sp. 115.
23. WA TR 3, 3674 (1537). „Der Gesichtspunkt der ‚biblia pauperum' kündigt sich schon bei Basilius und Gregor von Nyssa an und wird auch im Abendland von Paulinus von Nola gestreift ... Ausführlich wird dieser Gedanke erstmals von Nilus entwickelt." von Campenhausen in ‚Das Gottesbild' S. 87.
24. s. Exkurs I.
25. s. Beilage V.
26. So etwa die Heidelberger Bilderhandschrift, Ende des 14. Jh.s.
27. z. B. in Wolffs Beichtbüchlein, Falk a. a. O. 30 und in einem xylographischen Beichtspiegel, Falk a. a. O. 77.

nicht mehr ohne sie auskommen. Sie waren ein unentbehrliches Andachtsmittel geworden[28]. Die in den Kirchen üblichen Marien- und Heiligenbilder waren zu Lehr- und Erinnerungszwecken ungeeignet. Auf die Unterscheidung von Verehrung und Anbetung wiesen die Beichtbüchlein ausdrücklich hin. Aber nur wenige warnten vor dem abergläubischen Mißbrauch der Bilder oder klagten über unziemliche Bilder[29]. Alle ließen die Verehrung gelten. Eck stellte eindeutig fest: Bilder sind zu verehren[30]. Der Mißbrauch, der mit den Bildern getrieben wurde und der Aberglaube des Volkes, das nicht zwischen dem Bild und der dargestellten Person unterscheiden konnte, war jedoch offensichtlich. Die Bilder waren zum Gegenstand der Anbetung geworden. Für die z. Z. der beginnenden Reformation in Kirchen und Häusern vorhandenen Gemälde und Standbilder und vor allem für den Gebrauch, der von ihnen gemacht wurde, war das Argument der Laienbibel nicht zutreffend.

Luther nahm zwar Formulierungen des Mittelalters auf, griff aber unter Ablehnung des zu seiner Zeit üblichen Bildgebrauchs mit der Aufgabe, die er dem Bild gab, auf die frühe Christenheit zurück[31] und forderte erneut den alten christlichen Bildgebrauch. Das Bild sollte nach Luther bezeugen, verdeutlichen und erinnern. Die Aufgabe, die er dem Bild zuteilte, entsprach teilweise dem demonstrativen Charakter der frühen sepulkral-symbolischen Darstellungen und vor allem der später aufkommenden didaktischen Tendenz[32]. Von daher erklärt sich die stellenweise Übereinstimmung Luthers in seinen Äußerungen über den richtigen Bildgebrauch mit Asterius, Chrysostomus, Gregor dem Großen und sogar mit der für seine Zeit nicht mehr zutreffenden Argumentation der Beichtbüchlein und Ecks, soweit sie auf der genannten Tradition beruhen. Während die ‚Papisten‘ jedoch mit diesen Argumenten den üblichen Bildgebrauch verteidigten, lehnte Luther diesen als widergöttlich ab. Schon früh beklagte er sich darüber, daß die Bilder im ‚Papsttum‘ zum Ersatz des fehlenden Glaubens und zum Deckmantel der inneren Leere des Gottesdienstes geworden seien[33]. An die Stelle der Predigt des Evangeliums seien leere Gesänge und tote Bilder getreten. Während Nikolaus von Kues die Notwendigkeit der Bilder mit dem fehlenden Glauben an Christus begründete, klagte Luther gerade umgekehrt darüber, daß die Bilder an die Stelle des fehlen-

---

28. Sotzmann nach Geffcken a. a. O. 51.

29. s. Exkurs I.

30. s. Beilage V unter XVI.

31. Der Bildgebrauch zu pädagogischen und didaktischen Zwecken ist schon sehr alt. Elliger (I 17 und II 94 f.) weist ihn schon zu Beginn des 5. Jh.s vor allem in Rom nach und legt das Aufkommen einer vom Christentum neu geschaffenen Bildauffassung dar, die den profanen Gebrauch der Bilder ermöglichte. Schon Nilus, der die Bilder als Bibelersatz für Analphabeten bezeichnete (Koch: Die altchristliche Bilderfrage S. 68), Asterius, Chrysostomus und die Kappadozier (Elliger I S. 65) und Gregor der Große unterscheiden zwischen erlaubtem profanem und kultischem, durch das Bilderverbot bzw. das 1. Gebot verbotenen Bildgebrauch. S. Exkurs III.

32. s. Excurs III.

33. Cl I 155, 8 ff.; 236 f.; 402 ff.; Cl II 180 u. ö.; s. auch o. S. 33 f.

den Glaubens gerückt seien[34]. Ein Bild kann, ja darf nach Luther niemals Ersatz werden. Es darf weder Verehrung erfahren und damit an die Stelle Gottes treten, noch den Glauben, die Predigt oder das Lesen der Heiligen Schrift ersetzen wollen. Auch hiermit befand Luther sich innerhalb der Tradition des Mittelalters. In den Libri Carolini heißt es im 3. Buch:

> „Nam dum nos nihil in imaginibus speramus praeter adorationem, quippe qui in basilicis sanctorum imagines *non ad adorandum, sed ad memoriam* rerum gestarum et venustatem parietum habere permittimus . . .
> Pictores igitur rerum gestarum historias ad memoriam reducere quodammodo valent, *res autem,* quae sensibus tantummodo percipiuntur et verbis proferuntur, *non a pictoribus, sed ab scriptoribus comprehendi* et aliorum relatibus demonstrari valent."[35]

Wichtig ist, daß Luther den Ausdruck „Laienbibel" nicht wie die katholische Kirche im Blick auf die vorhandenen Heiligenbilder, sondern nur im Blick auf die Zusammenstellung der bildlich dargestellten biblischen Geschichten zu einem Büchlein verwendete. Er meinte damit das seinem Betbüchlein von 1529 beigegebene Passional[36].

3. Verwendung bereits vorhandener Bilder durch Luther

Von den kurzen Hinweisen in Predigten und Auslegungen auf bestimmte Bibelstellen als Ursprung einiger Bildmotive kann hier abgesehen werden. Sie zeigen lediglich, daß Luther den Gebrauch solcher Bilder ohne weiteres bei seinen Hörern und Lesern voraussetzte, sagen aber nichts darüber, wie Luther sich den Gebrauch dieser Bilder dachte[37].

Luther benutzte einige traditionelle Motive der Bildkunst zur Kennzeichnung bestimmter Personen. So nannte er z. B. Thomas von Aquino: „Thomas, dem man die tauben jnß Ohr malt"[38]. Dies ist nach Rinderknecht/Zeller ein katechetischer Kunstgriff, Zuhörern einer Geschichte die Personen der Handlung ins Gedächtnis einzuprägen und so Verwechslungen vorzubeugen[39].

Preuß und vor allem Rogge weisen in Luthers Schilderung biblischer Personen und Geschichten Ähnlichkeiten mit Bildern desselben Inhaltes von Mathias Grünewald, Gerhard David, Lucas Cranach, Albrecht Dürer u. a. nach, womit, wie Rogge selbst zugibt, nicht mehr gesagt ist, als daß „Luthers Anschauung der biblischen

---

34. Cl I 160, 35 f.

35. Lib. Car. III 16; MG Concilia 2 Suppl. S. 153 und III 23 a. a. O. 138, (zitiert nach Ladner a. a. O. 15) (Kursivsetzung von mir).

36. WA 10/2, 458, 29.

37. Preuß führt eine Vielzahl solcher Stellen an. Etwa WA 25, 465, 14 ff. (Preuß S. 29); WA 14, 155, 3 f.: Ex. 25, 18 ff.; WA 16, 592, 31: Ex. 26, 34; WA 51, 500: Jes. 5 (Preuß S. 42).

38. WA 10/3, 335, 9 (Preuß S. 39).

39. Rinderknecht/Zeller: Methodik christlicher Unterweisung S. 56 o.

Bilder derselben geistigen Strömung entstammt, die jene Künstler trug"[40]. Luther, der selbst ein Kind seiner Zeit war und auch in der Vorstellung biblischer Ereignisse sich z. T. innerhalb der allgemein üblichen Vorstellungen bewegte und so dem Einfluß eindrücklicher Gemälde in dieser Hinsicht nicht verschlossen war, unterschätzte die Macht des Bildes in dieser Richtung keineswegs. Gerade weil er die Eindringlichkeit, mit der ein Bild sich der Vorstellung und dem Gedächtnis einprägt, kannte, versuchte er diese Eigenschaft des Bildes in den Dienst der Verkündigung zu stellen. Dabei unterließ er es nicht, die historischen Irrtümer, die sich in viele Bilder eingeschlichen hatten, aufzuzeigen[41], um so falsche Vorstellungen, die sich im Volke gebildet hatten, auszumerzen.

Einige Beispiele:

1. Die Bekehrung des Paulus wird von den Malern so dargestellt, als habe ein Donnerschlag Paulus zur Erde geworfen. Luther meint aber, es sei weder Blitz noch Donnerschlag, „sondern ein plötzliches Licht gewesen, in welchem er den Herrn Jesum gesehen hat"[42].

2. Auf Passionsbildern wird auf dem Weg nach Golgatha Simon von Kyrene dargestellt, wie er Christus das Kreuz tragen hilft, indem Jesus die Kreuzesarme und Simon den Kreuzesfuß trägt. Das ist falsch, denn „der Evangelist Lucas sagt klar, das sie dem Simon das Creutz auffgelegt haben, das ers Jhesu nachtrüge". Bis vor das Stadttor habe Jesus das Kreuz selber getragen[43].

3. Abrahm habe seinen Sohn Isaak nicht mit einem Schwert, sondern mit einem Messer opfern wollen[44].

4. Bei der Ausgießung des Heiligen Geistes an Pfingsten solle man die Feuerzungen nicht auf die Köpfe, sondern vor den Mund malen. Genau weiß aber auch Luther nicht, wie es gewesen ist[45].

5. Mit der ‚Wurzel Jesse' ist nicht wie die Maler meinen Jesse, der Vater Davids gemeint, auch nicht Maria, sondern Christus. Auf ihn sollen nach Jesaja die Heiden hoffen. Aus ihm ist auch der schöne Baum, die Kirche gewachsen. Darum sollte man an diesem Baum die Leiden Christi und deren Früchte malen[46].

---

40. Preuß a. a. O. 31—35; Rogge a. a. O. 8—11.

41. So auch Rogge und Lehfeldt. Die folgenden Belege sind Rogge oder Preuß entnommen, aber jeweils in WA oder EA nachgesehen.

42. Rogge a. a. O. 21: aus EA 6, 146; hier zitiert aus WA 52, 613, 29 (Predigt 1535); Preuß a. a. O. 31 verweist auf Ars Moriendi.

43. WA 28, 386 (Predigt 1529) Preuß a. a. O. 33. Rogge a. a. O. 21 verweist auf das Relief an der Kanzel zu Miltenberg am Main, wo Luther 1518 auf der Reise nach Heidelberg übernachtete. Das Bild ist u. U. jüngeren Ursprungs. Aber es gab wohl häufig ähnliche Darstellungen.

44. WA 43, 215, 2 zu Gen. 22, 6b; Preuß a. a. O. 28.

45. WA 29, 348, 34; WA 46, 403, 7 (Preuß a. a. O. 30). So ist es dargestellt in einem Holzschnitt zum GK: WA 30/1, 187. Bei einem anderen Holzschnitt zur 2. Bitte des Vater Unser, zum GK 1529, ist auf dem Pfingstbild oben die Taube zu sehen. Aus dem Mund der Jünger kommen Flammen. Maria fehlt: WA 30/1, 200.

46. EA 7, 75 = WA 10/1, 2, 90 f. (2. Adventssonntag). Ist dieser Vorschlag von Cranach in seinem ‚Rechtfertigungsbild' verwertet worden?

Hinter dieser Kritik steht nicht lediglich historisches Interesse. Als Luther forderte, die Maler sollten eine Sache so malen, wie die Heilige Schrift sie schildere, ging es ihm auch bei anscheinend rein äußerlichen, an sich unwesentlichen Zügen um den Inhalt. So sollte Christi Verdienst nicht geschmälert, sein Leiden nicht verringert werden. Er hat sein Kreuz allein getragen. So sollte das Besondere der Vision des Paulus festgehalten werden. Es war nicht nur Blitz und Donner. Darum konnte Luther eine Darstellung, die historisch falsch war, bewußt dennoch unbeanstandet lassen, weil sie den Sinn seiner Meinung nach gut wiedergab.

Er bemerkte zu Ex. 34, 30, daß es sich hierbei nicht um Hörner, sondern um Strahlen gehandelt habe. Man habe sich vor dem strahlenden Angesicht Moses gefürchtet. Die Strahlen wirkten wie stoßende Hörner. „Sein Angesicht stosst wie horner"[47]. Darum behielt Luther das Bild von den stoßenden Hörnern Moses, weil „es so trefflich zu dem Gesetzesmose paßte"[48].

Mit kritischen Bemerkungen versehen, benutzte Luther solche Bilder als Anschauungsmaterial, um zu zeigen, wie es die Heilige Schrift meine und wie nicht. Gerade solche Bilder zeigten deutlich, welche Vorstellungen der einfache Mensch seiner Zeit von Gott und den Heilsgeschichten hatte. Nicht nur diese Bilder, sondern vor allem die falschen Vorstellungen wollte Luther beseitigen. Bilder, die Gott und seine Herrlichkeit allzusehr in die menschliche Sphäre herabzogen, mißfielen ihm. Aber er wandte sich weniger gegen diese Bilder als gegen Leute, die solche Bilder ernst nahmen. Darum forderte er die Vernichtung solcher kindischen Bilder nicht. Da sie dem Verstand kleiner Kinder angepaßt seien, könne man sie als Bilder für Kinder behalten.

Dazu gehörte die Darstellung von Gott-Vater als einem alten Mann mit Bart[49]. Ebenso die Vorstellung von der „rechten hand Gotts, ... da Christus sitzt ... wie man den Kindern pflegt fur zu bilden einen gauckel Hymel, darynn ein gülden stuel stehe und Christus neben dem vater sitze ynn einer korkappen und gülden krone, gleich wie es die maler malen"[50]. Auch der Teufel sieht nach Luther nicht so aus wie die Maler ihn malen. Er hat viele Gesichter und Erscheinungsarten. Dennoch konnte Luther ihn unbekümmert den „schwartzen Nickel" nennen. Oder er verwandte eine etwas abgewandelte Teufelsdarstellung — der Teufel trug auf dem Bild ein Mönchsgewand — zur Bekräftigung seiner Behauptung, das Kloster sei ein Ort, wo der Teufel mit Vorliebe weile[51]. Gelegentlich verwandte Luther das Teilmotiv eines Bildes als Ausgangspunkt oder zur Untermalung für eine Aussage, die inhaltlich mit der Hauptaussage des ganzen Bildes nicht übereinstimmte. Er sprach z. B. unter Hinweis auf ein Marienbild mit dem Jesuskind, das vielleicht in seinem Arbeitszimmer hing, von Christus, der einst als Richter

---

47. WA 41, 432, 8 f. 26 (Preuß a. a. O. 28).

48. Preuß a. a. O. 29. Weitere Belege s. dort.

49. s. u. S. 110 bei Anm. 102 und S. 111 bei Anm. 107.

50. WA 23, 131, 8 ff. (1527). Streitschrift gegen Hans Worst (Preuß a. a. O. 41 f.).

51. WA 34/2, 253, 8 (Preuß a. a. O. 225); WA 32, 514, 17 (Preuß a. a. O. 43 und 225); WA 37, 455 spricht Luther nicht — wie Preuß meint — von der falschen Darstellungsweise des Teufels durch die Maler, sondern von der falschen Vorstellung, die Menschen sich von Gott in ihren Herzen machen, indem sie ihn sich als überaus böse, ja wie den Teufel selbst vorstellen. WA 34/2, 361 f. war veranlaßt durch Eph. 6, 10. 11. Nach Paulus sieht der Teufel nicht so aus wie die Maler ihn malen, sondern ist ein großer Fürst.

kommen werde. Die Gedankenverbindung bestand darin, daß das Jesuskind schlafend dargestellt war und Christus sich im Gericht alles andere als schlafend verhalten werde. „Das Kindlin Jesus sprach er (weisete mit der Hand aufs Gemälde an der Wand), schläfet der Mutter Maria am Arm; wird er der mal eins aufwachen, wird er uns wahrlich fragen, was und wie wirs gemacht und getrieben haben."[52] Aus dem Bild des Christophorus, der nach der Legende Christus trug, ohne es zu wissen, und dabei fast ertrank, entnahm er das Teilmotiv des Stammes, auf den der Christophorus sich stützte, und erklärte dazu, ebenso stütze er, Luther, sich auf Christus. Ohne die Hilfe Christi wäre es ihm nicht möglich gewesen, sich von aller Welt schelten zu lassen und dem Ansturm des Papstes und des Teufels standzuhalten[53].

Alle bisher genannten Bilder hat Luther nicht um ihrer selbst willen, etwa weil sie so schön oder inhaltsreich wären, genannt. Stets war das Bild für ihn nur eine Art Hilfsmittel, um seine Worte zu veranschaulichen oder zu bekräftigen. Ob das Bild dabei zu seinem Recht kam, darf nicht gefragt werden. Es ging nicht um das Bild oder die Aussage des Künstlers durch das Bild, sondern um die Predigt des Evangeliums[54]. Bei allem, was Luther hörte, sah und erlebte, dachte er an die Verkündigung des Evangeliums. So konnte ihm ein Paradiesbild zum Ausdruck der gegenwärtigen hoffnungslosen Lage werden: „Die maler sind propheten, tzeygen unwissend an, wie die sach itzt steht, sie malen die hell eyn weitt offnen trachenmaul, unnd die hymelthur tzugeschlossen."[55] Unverändert und ohne Kritik am Bild selbst — aber in anderer Weise als es zu seiner Zeit üblich war — als katechetisch-homiletisches Hilfsmittel übernahm Luther nur wenige Darstellungen:

1. Das bereits genannte Christophorusbild und Bilder von St. Johannes und St. Georg, die an sich gut seien und erst, nachdem das Wort Gottes dem Volke genommen worden war, zur Abgötterei mißbraucht wurden[56].

2. Die üblichen Darstellungen von Kreuzigung, Auferstehung und Höllenfahrt Christi[57].

3. Luther benützte das seinen Hörern bekannte und auf zahlreichen Weltgerichtsbildern vorkommende Motiv der Arma Christi in einer Predigt über Rm. 8, 18 ff. im Jahre 1535 zur Veranschaulichung von Gal. 6, 17: „denn ich trage meines Herrn Jhesu Christi malzeichen an meinem Leibe.' Da redet er von solchen malzeichen wie man jnn den alten gemelden den Herrn Christum gemalet hat, das er sein creutz hat auff der achssel ligen und neben umbher negel, besem, dorne kron, geissel etc." Dann fährt er fort: „Die Zeichen, spricht er, müssen ich und alle Christen auch haben, nicht an der wand gemalet, sondern jnn unser fleisch und blut gedruckt."[58] Aus diesen Worten spricht

---

52. WA TR 2 Nr. 1755 (Rogge a. a. O. 50).

53. WA 27, 385 ff. (1528); WA TR 69, 90; WA 34/2, 524 (Predigt 1531); WA 29, 498 ff. (1529).

54. cf. Buchholz a. a. O. 13.

55. WA 10/1, 1, 36, 5 f. (Preuß a. a. O. 42). Walter Köhler weist in WA dazu auf eine derartige Darstellung im Tympanon des Westportals der Marienkapelle zu Würzburg aus dem Jahre 1440 hin.

56. WA 46, 678, 33; WA 27, 386. Die folgende Aufstellung ist nur als Erläuterung gedacht und erhebt keinen Anspruch auf Vollständigkeit.

57. s. u. S. 90 ff.

58. WA 41, 304, 23—30.

die uns bereits aus Luthers Schrift ,Vom Leiden Christi bedenken' bekannte Kritik an der Äußerlichkeit eines gemalten Glaubens, der an die Stelle des fehlenden Glaubens getreten war. Aus demselben Grunde betonte er in einer anderen Predigt man solle Christus statt an die Wände auf die Arme und ins Herz malen[59].

4. Die ungeteilte Zustimmung Luthers fand eine Darstellung des Jüngsten Gerichtes, bei der die Hölle als Drachenkopf mit weitem Rachen „den bapst selbs und alle welt verschlingt" (Papst, Kardinäle ... Kaiser, Könige ... Mann und Frau, aber keine Kinder). Das nannte Luther ein gutes Bild, um dem einfachen Mann „die Bepstliche Kirche fur zustellen"[60]. Das Bild enthielt bereits eine versteckte Polemik gegen das Papsttum.

5. Ebenfalls unverändert und polemisch gegen das Papsttum, aber unter Verneinung des Bildinhaltes benutzte Luther das Bild vom Kirchenschiff[61] und bestimmte Heiligenbilder als Beweis der ,Irrlehre der Papisten'[62]. Da diese Bildarten jedoch zu den Bildern gehören, die Luther ablehnte, können sie nicht zu den Bildern gezählt werden, deren Gebrauch Luther als unschädlich und nützlich bezeichnete.

Einige zu seiner Zeit vorhandenen Bilder verwandte Luther auch als Andachtsbilder, wenn auch anders, als es zu seiner Zeit üblich war. Das Bild, das Christus als Richter darstellt — einst von Luther wegen seiner falschen Aussage abgelehnt — wurde seit 1518 von ihm mit anderem Aussagegehalt gern und oft in Schriften und Predigten genannt[63]. Dabei nahm er seit 1522 eine Korrektur an der üblichen Ausführung des Bildes vor, um ihm den seiner neuen Glaubenserkenntnis entsprechenden Gehalt zu geben: Die Maler sollten Christus nicht als unbarmherzigen Richter aller Menschen darstellen, sondern zeigen, daß sein Schwert und seine Rute nur die trifft, die seine Gnade zurückweisen[64]. Auch Luthers Anschauung über das Christophorusbild scheint sich entsprechend seiner Meinung über den Heiligen gewandelt zu haben: 1521 nannte er die Legende von Christophorus noch eine der größten Lügen, 1531 bereits „spricht er anerkennend von ihrer symbolischen Bedeutung". Dabei hielt Luther daran fest, daß es keinen solchen Menschen Christophorus gegeben habe, und daß seine Legende erdichtet sei. Er fand diese Legende aber äußerst gut „als ein Exempel ... eines christlichen Lebens" ... „also haben sie mit dem Christoffel ein Exempel und Bild vormalen wollen, daß sie uns in unserem Leben stärkten"[65]. Dieselbe Aufgabe hatte ein Marien- und jedes Heiligenbild nach Luther bereits gegen 1521[66]. Er hatte damit diesen Bildern sozusagen den Glorienschein genommen und sie dem Betrachter nähergerückt. Sie zeigen

---

59. WA 47, 60, 20 (Predigt 1538).

60. WA 51, 500, 18. Preuß a. a. O. 42 weist solche Darstellungen vor allem auf Portalskulpturen nach. Sie sind auch auf Illustrationen zu Luthers Bibelübersetzungen (Schramm T 277: Titelbild zur Biblia 1541) und auf Cranachschen Gemälden zu finden.

61. WA 38, 104.

62. EA 17, 192 (1533) Predigt am Michaelis zu Mt. 18, 1—12.

63. s. o. S. 35 f.

64. Cl II, 301 (1522 noch vor der Rückkehr von der Wartburg). Luther hat die ursprüngliche Bedeutung des Lilienzweiges anscheinend nicht gekannt.

65. EA 7, 66 (Kirchenpostille, 2. Advent, Rm. 15, 4—13), Rogge a. a. O. 16; EA 17, 45 und 47 (Sermon vom Kreuz und Leiden, Predigt 1531), Rogge a. a. O. 17.

66. s. o. S. 32.

nun nur noch Menschen, aber eben von Gott begnadete Menschen. Damit ist unter Beibehaltung des Bildthemas ein neuer Bildtyp geschaffen worden. Nicht mehr die Madonna, sondern ein Mensch, den Gott aus seiner Niedrigkeit herausgehoben hat, schaut den Betrachter an. Ein solches Bild führt nicht zur Verehrung Mariens, sondern zur Anbetung Gottes, der seine Güte allen Menschen, also auch dem Betrachter des Bildes, schenken will. Bilder sind als Beispiele zu verwerten. So hat es auch Gregor der Große gesagt. Der Unterschied zwischen Gregor und Luther besteht darin, daß nach Gregor die Bilder ein Beispiel für ein rechtes christliches Leben sein sollen, nach Luther ein Beispiel für Gottes Taten an und für Menschen, also ein Beispiel für Gottes Gnade. Aus dem personenhaften Bild wird bei Luther ein Geschichtsbild und aus dem Götzenbild ein Erinnerungs- und Mahnbild. Die Art eines solchen Bildgebrauchs könnte man eher paränetisch als pädagogisch bezeichnen. Über das Symbol des Lammes und Johannes den Täufer, besonders das Fähnlein tragende Osterlamm und die Kreuzigung sagt Luther: „Ich habe solche Gemälde gern gesehen." Aber „es hat's niemand verstanden, was damit sei gemeinet worden"[67]. Wer dieses Bild recht verstehe, erkenne, daß es im Gegensatz zu den oben genannten Bildern, die von Christus wegführten, gerade auf Christus hinweise. Das Kriterium für die Verwendbarkeit eines Andachtsbildes scheint demnach sein Verhältnis zu Christus zu sein. Ein Bild, das auf Gott und Christus hinweist, ist gut. Ein Bild, das von ihm wegführt, ist abzulehnen. Das Bild soll also, sei es durch das Beispiel der Gnade, die anderen widerfahren ist, sei es direkt durch den Hinweis auf den Erlöser Christus, die Gnade Gottes in Christus vor Augen führen, man könnte fast sagen „anschaulich verkündigen". Am eindringlichsten geschieht das für Luther durch das Bild des Gekreuzigten. Dies Bild erstand sofort vor seinem inneren Auge, wenn er an Christus dachte[68]. Der Anblick dieses Bildes war für Luther Trost in der Anfechtung. Es erinnert ihn an das, was Christus für ihn getan hat. Diese Bedeutung hatte das Bild des Gekreuzigten bereits für Gregor den Großen.

> „Durch die Erinnerung an den Gottessohn möge deine Liebe zu dem wachsen, den du im Bild schauen willst. Wir werfen uns vor diesem nicht nieder wie vor Gott, sondern wir beten den an, an dessen Geburt oder Leiden oder dessen Sitzen auf dem Throne uns das Bild erinnert. Und während uns das Bild wie die Schrift den Gottessohn ins Gedächtnis ruft, erfreut es unser Herz ob seiner Auferstehung oder tröstet uns wegen seiner Passion."

Luther versucht, die vorhandenen Bilder entsprechend den Aufgaben, die er dem Bilde stellt, als *Anschauungsmaterial*, d. h. als didaktisches Hilfsmittel in Katechetik, Homiletik und auch Polemik und als *Andachtsbild* zu verwerten. So hat er eine Anzahl von Bildern zwar aufgenommen, aber nicht ohne sie kritisch auf Inhalt, Ausführung und bisherige Verwendung zu sichten und Vorschläge für eine bessere Ausführung und Verwendung zu machen. Kaum eines der Bilder ist von ihm so wie „bisher im Papsttum" verwendet worden.

---

67. WA 46, 683, 35 und 678, 33, Rogge a. a. O. 57.
68. s. u. S. 112 f. und 117 f.
69. nach Johannes Kollwitz in ‚Das Gottesbild im Abendland' S. 109.

Als Anschauungsmaterial, das er unverändert und vorbehaltlos übernehmen könnte, bot sich unter den überkommenen Bildern anscheinend sehr wenig. So kommt es, daß Luther

1. allgemein verbreitete Irrtümer an Hand von Bildern, die den betreffenden Irrtum auch aufweisen, aufzeigt,
2. einem Bilde nur ein einzelnes Motiv entnimmt,
3. einen bestimmten Bildtyp als nur für Kinder tragbar erklärt,
4. typisch ‚papistische' Bilder als Beweis für die papistische Irrlehre und bereits vorhandene polemische Bilder als Hinweis auf die Verderbtheit des Papsttums verwendet,
5. Bilder wie die Darstellung der Höllenfahrt und das Motiv der arma Christi mit Vorbehalt, das Richterbild mit Änderungsvorschlag und Bilder der Kreuzigung und Auferstehung zur Veranschaulichung seiner Predigt benutzt.

Nur wenige *Andachtsbilder* übernimmt Luther aus dem Papsttum: Das Kruzifix, ein Marienbild, sofern es nicht ein ausgesprochenes Madonnenbild ist, und das Bild des Christophorus oder eines anderen Heiligen, wenn die Darstellungsart dem oben genannten Kriterium entspricht. Die Bedeutung, die diese Bilder für ihn haben, entspricht dem, was er bereits 1521 von einem Marien- oder Heiligenbild erwartete. Es sind Trostbilder für den Glaubenden. Sie wenden sich an einen Menschen, der bereits an Christus glaubt. Sie sagen ihm nichts Neues, sondern erinnern ihn an das, was ihm bereits verkündigt und von ihm glaubend aufgenommen wurde. Sie sind wohl als eine Art Andachtsbild zu bezeichnen. Wesentlich ist dabei, daß die durch sie hervorgerufene Andacht das *Lob Gottes* ist.

Soweit er Marien- oder Heiligenbilder beibehält, hat Luther eine andere Auffassung über Aufgabe und Betrachtungsweise des Bildes und fordert entsprechend eine andere Ausführung. Die Zusätze: „alte Gemälde", „vor Zeiten, da man", „im Papstumb"[70], zeigen, daß Luther diese Bilder zwar nicht vernichtet haben will, wohl aber einer vergangenen Epoche zurechnet und sie so nicht erneuert haben möchte. Unverändert übernimmt er lediglich Kruzifix und Kreuzigungsbild mit Johannes dem Täufer und dem Symbol des fahnentragenden Lammes. Diese Bilder aber sind nach Luther vor der Reformation ‚im Papsttum' nicht mehr richtig verstanden und benützt worden. Die Aufgaben, die Luther dem Bilde im kirchlichen Bereich stellte, erforderten teils neue Bildthemen, teils bessere oder andere Ausführung einiger bereits vorhandener Themen. *Es war die Herstellung neuer Bilder notwendig geworden.*

So kommt es, daß Luther, der noch 1522 und 1525 die Entfernung sämtlicher Bilder aus den Kirchen für wünschenswert hielt, bereits 1525 die Begüterten dazu auffordert, Kirchen und Häuser mit zahlreichen Bildern auszustatten[71].

---

70. WA 41, 304, 26; WA 45, 86, 1; WA 46, 678, 33; WA 47, 277, 4; WA 51, 500, 18.
71. s. u. S. 86 bei Anm. 32 und 33; WA 10/2, 458, 26 ff. und WA 18, 82, 27 ff.

II. Aufgabe und Thematik des Bildes im evangelischen Raum

Der Holzschnitt bot die Möglichkeit der Vervielfältigung und der weiten Verbreitung. In der Illustration von Flugschriften und Büchern finden wir bereits den Vorläufer unserer heutigen Gebrauchsgraphik vor. Die Durchschlagskraft solcher z. T. recht derben Zeichnungen ist auch von Luther erkannt und für seine Sache ausgewertet worden.

1. Polemik im Bild

Ausgesprochene Freude machte Luther die Polemik im Bilde, auf die hier nur kurz eingegangen werden kann. Es sind u. a. die beiden Figuren des Papstesels und des Mönchskalbes, die zuerst 1523 erschienen[1], der Titelholzschnitt zu seiner Schrift ‚Wider das Papstthum zu Rom, vom Teufel gestiftet‘ und dessen Fortsetzung ‚Das Papstthum‘ (zehn Blätter mit lateinischen Überschriften und deutschen gereimten Unterschriften)[2]. Idee und Komposition des Titelholzschnittes zu Luthers Schrift ‚Ratschlag von der Kirchen‘ von 1538 und eines anderen Holzschnittes von 1538, von dem Luther an Nicolaus Hausmann schrieb: „Mitto arma Papae a me pictura seu pingi curata"[3], gehen nach Preuß mit Sicherheit auf Luther zurück[4]. Die ‚papistische‘ Gegenseite arbeitete mit ähnlichen Zeichnungen[5]. Luther war nicht der einzige und auch nicht der erste, der den Holzschnitt zu polemischen Zwecken ausnützte. „Im Grunde setzt ja die Bilderpolemik der Reformation nur fort, was das ausgehende Mittelalter angefangen hatte."[6]

2. Das Bild als didaktische Hilfe

a) Buchillustration

Das von Luther in seinen Exegesen und Predigten zur Verdeutlichung und Veranschaulichung genannte Bild wurde dann auch seinen exegetischen, katechetischen und erbaulichen Schriften als Holzschnitt beigegeben. Zunächst hatte Luther keine Zeit für die, wie er damals meinte, unwichtige Frage des Bildschmuckes seiner Schriften. So konnte es geschehen, daß 1520 einer seiner Schriften als Titelbild eine Monstranz beigegeben wurde[7]. Andererseits fand Luther großen Gefallen an

1. Cl VIII 333 = WA TR Nr. 6528; s. Lehfeldt a. a. O. 66.
2. s. Lehfeldt a. a. O. 67.
3. Enders: Luthers Briefe 11, 336.
4. Preuß a. a. O. 21 ff.
5. Lehfeldt a. a. O. 63.
6. Preuß a. a. O. 61 zitiert WA 18, 409, 17. s. auch das Bild vom Höllendrachen, das Luther so gut gefiel.
7. WA 2, 740; WA 6, 82, 19 (Preuß a. a. O. 60).

dem von Melanchthon und Cranach gemeinsam verfaßten ‚Passionale antitheton‘[8]. Und schon in der lateinischen Ausgabe des Dekalogs in den ‚Decem praecepta‘ von 1518 befindet sich auf der Titelseite Christus am Kreuz und auf der Titelrückseite Moses mit den Gesetzestafeln als Holzschnitt. Die Übersetzung von 1520 hat für jedes Gebot einen Holzschnitt[9].

Nach O. Albrecht[10] hat Luther mit den Illustrationen zu seinen Dekalogpredigten, die 1520 in Basel herausgegeben wurden, und zum Betbüchlein von 1523/24 nichts zu tun. Erst die Aufnahme der Bilder zu seinem Betbüchlein im Jahre 1529 ist von Luther selber veranlaßt worden. Dies geht aus seinem Vorwort zum Passionale hervor. Die Bibelillustrationen Luthers sind ebenso wie die Illustrationen des Betbüchleins kein novum[11]. So ist auch die Auswahl der Bilder zu seinen Katechismen, die von Melanchthon und dem Buchdrucker Rhau getroffen wurde, „teilweise durch ältere Werke aus der vorreformatorischen Zeit bedingt“. Luther hat hier lediglich „die so ausgewählten Bilder zugelassen und beibehalten“[12].

Wesentlich ist bei der Illustration der Katechismen Luthers die Einschränkung auf biblische Beispiele, während die Illustrationen der katholischen Gebetbüchlein bei den Zehn Geboten auch außerbiblische Beispiele hatten und beim Vater Unser im Mittelalter „allegorische Andachtsbilder überwogen zu haben scheinen“[13]. Die 50 Holzschnitte, „die Luther 1529 für sein deutsches und lateinisches Betbüchlein ausgewählt hat“, haben alle biblischen Inhalt[14]. Das Wegfallen außerbiblischer Beispiele und allegorischer Andachtsbilder und die Konzentration auf biblische Beispiele entspricht Luthers Forderung in der Vorrede zum Kleinen Katechismus, bei der ausführlichen Unterweisung der Kinder „imer viel exempel aus der schrifft“[15] anzuführen, und dem in der Vorrede zum Passional[16] geäußerten Wunsch nach einem Buch, in dem alle wichtigen Geschichten der Bibel im Bilde aufgezeichnet sind.

---

8. Cl VI, 37.

9. WA 1, 395.

10. WA 30/1, 633.

11. Buchholz a. a. O. 49 und Preuß: Deutsche Frömmigkeit S. 167 weisen auf R. Muther hin, der 15 deutsche vorlutherische illustrierte Bibelausgaben feststellen konnte. Wieweit die Illustration der Lutherbibel von der der Inkunabelbibeln abhängig ist, untersucht A. Schramm in ‚Der Bilderschmuck der Frühdrucke‘ und in ‚Der Bilderschmuck der Lutherdrucke‘.

12. WA 30/1, 634. Melanchthon kümmerte sich auch sonst um Buchillustration. So schreibt er an Johannes Stigel am 20. Sept. 1544, er pflege Lucas Cranach manchmal Bilder zur Bibel zu entwerfen. CR V 557 (Preuß: Martin Luther, der Künstler S. 24). Nach A. Schramm: ‚Die Illustrationen der Lutherbibel VII, weist Melanchthon verschiedentlich auf die Bedeutung des Bildschmuckes hin.

13. WA 30/1, 635. Dort wird auf Cohrs IV 368 verwiesen.

14. WA 10/2, 341.

15. WA 30/1, 350, 19 f.

16. WA 10/2, 458, 26 ff.

Die Darstellungen der Taufe, der Predigt und des Abendmahls im Gebetbüchlein und in den Katechismen, sowie Christus als Weltenrichter im Gebetbüchlein bringen zwar keine biblischen Geschichten, sind aber biblisch begründet. Während die Beispielgeschichten aus der Heiligen Schrift die großen Taten Gottes in der Vergangenheit darstellen, führen diese „Gottes Werk und Wort"[17] in Gegenwart und Zukunft vor Augen. Für die Illustration der Heiligen Schrift sind reichlich Belege dafür vorhanden, daß Luther den Buchdruckern Anweisung gab, welches Bild zu welcher Textstelle zu stellen sei[18]. Nicht nur die Auswahl der Bildthemen, auch die Ausführung der Bilder ist von Luther beeinflußt worden. Da die Bilder für Luther keineswegs nur schmückende, zum Lesen anreizende Beigabe, sondern Anschauungshilfe waren, legt er weniger Wert auf kunstvolle Ausführung als auf einfache, d. h. klare und genaue Wiedergabe der dargestellten Geschichte[19]. Er wünscht keine schmückenden Zugaben, die dem Text nicht entsprechen und den Inhalt verwischen würden. Er ist außerdem darauf bedacht, Irrtümer auszumerzen. So sind z. B. auf Luthers Veranlassung hin auf Grund seiner Textübersetzung bei der Illustration zur Offenbarung einige Bilder anders ausgeführt worden als es in der Apokalypse Dürers, die der Illustration als Vorlage diente, der Fall war[20]. Die in seinen Predigten gelegentlich geäußerten Änderungsvorschläge[21] sind in den Illustrationen seiner Schriften teilweise aufgenommen worden:

In den Illustrationen zu Luthers Bibelübersetzungen findet sich das Pfingstbild als Initiale zur Apostelgeschichte, wobei die Feuerzungen auf dem Haupte angedeutet sind[22]. In den Katechismen von 1529 dagegen ist das Pfingstbild Luthers Wünschen entsprechend ausgeführt[23]. O. Albrecht stellt in seiner besonderen Einleitung in dem Kleinen Katechismus fest: „Das Pfingstbild in Luthers beiden Katechismen berichtigt die herkömmliche Darstellung, die Maria in der Mitte der Jüngerschar zeigt. ... Falsch aber ist am Pfingstbild der Katechismen dies, daß die feurigen Zungen aus dem Munde der Apostel flammen, während umgekehrt im Betbüchlein 1529 zwar Maria in der Mitte der Apostel erscheint, aber die Flammenzungen sieht man richtiger auf den Häuptern der Versammelten"[24]. Eine Belegstelle dafür, daß Luther Maria aus dem Kreis der Jünger zu Pfingsten entfernt haben wollte, konnte ich nicht finden, wohl aber einen Beleg für den Wunsch Luthers,

---

17. WA 10/2, 458, 26.

18. WA DB 2, 272 und 274 nach Buchholz a. a. O. 7 und Preuß: M. Luther, der Künstler, S. 25.

19. s. Preuß a. a. O. 25.

20. Hildegard Zimmermann: Lucas Cranach d. Ä., S. 2; anders Buchholz a. a. O. 5, 50 und Preuß a. a. O. 24.

21. s. o. S. 75 ff.

22. Schramm a. a. O. Tafel 2, Bild 6, September-Testament, 1522. Beim NT-Deutsch 1524 fehlen die Zungen: Schramm, Tafel 47, Bild 76.

23. WA 30/1, 187 und 200.

24. WA 30/1, 635.

die Zungen statt auf den Häupten vor dem Munde zu malen[25]. Bei Isaaks Opferung ist es in Luthers Bibelübersetzungen durchweg beim großen Schwert geblieben und bei Cranachs Altargemälden ebenfalls. Das Richterbild zeigt Christus nur mit einem Schwert, das aus seinem Munde geht. Gott Vater als alter Mann mit Bart wird sehr oft gebraucht. Ebenso der gehörnte Mose, den Luther ja gelten lassen wollte. Das von Luther geliebte fahnentragende Lämmlein findet sich ebenfalls[26].

Luther wünschte spätestens seit 1529 die Illustration seiner volkstümlichen Schriften. Mit seinem Betbüchlein und seinen Katechismen greift er zwar in der Form auf katholische Vorläufer zurück, gestaltet aber ihren Inhalt sowie Thematik und Ausführung der Illustration nach reformatorischen Gesichtspunkten. So wie er das evangelische Gebetbüchlein an die Stelle der katholischen Büchlein setzt, so setzt er die evangelische Illustration an die Stelle der katholischen und so setzt er überhaupt das evangelische Bild an die Stelle des katholischen[27]. Er baut darauf, daß die Zeit für ihn arbeiten wird; d. h. daß die ‚papistischen' Bilder sozusagen ‚von selbst' aus Kirchen und Häusern verschwinden werden und daß die Menschen, die die evangelische Predigt gehört haben und hören, von selbst nach den evangelischen Katechismen und Gebetbüchern greifen und die andern wegtun werden. Als Leser dieser Bücher rechnet er vorwiegend mit „Kindern und Einfältigen", denen Bilder eine große Hilfe sind, um das, was sie gehört und gelesen haben, zu verstehen und zu behalten. Die Bilder sollen nicht nur schmückende Beigabe sein, sondern der Erläuterung und Festigung des Textes dienen. Sie haben eine didaktische Funktion. Als Inhalt haben sie „Gottes Werk und Wort" in Vergangenheit, Gegenwart und Zukunft, wie es die Heilige Schrift uns bezeugt. Die Bibelillustrationen haben ebenfalls eine didaktische Aufgabe. Sie sollen die bibli-

---

25. s. o. S. 75 bei Anm. 45. In „Von Konzilien und Kirchen", 1539, läßt er das Pfingstbild mit den Aposteln, den Jüngern und der Mutter Gottes und mit dem Heiligen Geist oben drüber schwebend, als Bild für die Kirche gelten: WA 50, 625, 16 ff.

26. Schramm a. a. O.:

Isaaks Opferung:	Tafel 30, Bild 44	(AT-Deutsch	1523)
	Tafel 63, Bild 109	(AT-Deutsch	1524)
	Tafel 140, Bild 253	(Biblia	1534)
	Tafel 221, Bild 430	(Biblia	1540)
Richterbild:	Tafel 3, Bild 12	(September-Testament	1522)
	Tafel 51, Bild 85	(NT-Deutsch	1524)
	Tafel 112, Bild 200	(NT-Deutsch	1530)
	Tafel 184, Bild 340	(Biblia	1534)
Gott-Vater:	Tafel 62, Bild 106	(Biblia	1524)
	Tafel 138, Bild 249	(Biblia	1534)
	Tafel 227, Bild 443		u. ö.
Gehörnter Mose:	Tafel 227, Bild 443	(Biblia	1540)
	Tafel 229, Bild 446—449	(Biblia	1540) u. ö.
Fahnentragendes Lamm:	Tafel 16, Bild 25	(Biblia	1522)
	Tafel 277, Bild 542	(Biblia	1541)

zu Cranach, s. O. Thulin: Cranachaltäre.

27. s. Johannes Ficker in der Einleitung zu H. Zimmermann a. a. O.

schen Geschichten dem Gedächtnis des Betrachters fest einprägen. Ihre Ausführung hat den Aussagen der Heiligen Schrift möglichst zu entsprechen und soll schlicht und leicht faßlich gehalten sein.

b) Biblisches Bilderbuch

„Fur war man kann dem gemeinen man die wort und werck Gottes nicht zu viel odder zu offt furhalten." Deshalb wäre ein Büchlein, in dem die wichtigsten Geschichten der Heiligen Schrift in richtiger Reihenfolge aufgemalt wären, eine unschädliche und nützliche Sache, eben eine rechte ‚leyen Bibel'[28]. Es ist zu beachten, daß Luther den Ausdruck ‚Laienbibel' niemals in Bezug auf die bisherigen Bilder, geschweige denn auf Heiligenbilder anwendet, sondern nur auf von ihm gewünschte Bilder und da speziell auf ein richtiges Buch[29]. Dieses sollte keine Heiligenbilder oder andere Andachtsbilder, sondern ausschließlich Geschichten der Heiligen Schrift in bildhafter Form enthalten. Den Bildern sollte ein Schriftwort beigegeben werden, so wie es beim Passional geschehen war. Dieses Büchlein würde nach Luther — anders als die papistischen Bilder — zu recht Bibel der Laien heißen, weil es 1. ein Buch wäre, und 2. als Inhalt die Geschichten der Heiligen Schrift enthielte. Er begründete die Nützlichkeit eines solchen Buches nicht wie Gregor der Große mit dem Analphabetentum des Volkes, sondern mit der menschlichen Vergeßlichkeit[30] und dem Treiben Satans, der darauf aus sei, die Ausbreitung des Wortes und Werkes Gottes zu verhindern. Diese ‚lyen Bibel' sollte nicht die Heilige Schrift ersetzen, sondern die durch die Predigt verkündigten Taten Gottes dem einfachen Volk unvergeßlich einprägen. Dies setzt das Hören der Predigt oder Lesen und Vorlesen der Heiligen Schrift voraus. Was Luther eine ‚Laienbibel' nennt, ist ein biblisches Bilderbuch für Kinder und einfache Menschen, das weder offenbaren oder verkündigen noch lehren soll, sondern einfach das Behalten der gehörten biblischen Geschichten, deren Text auch angegeben ist, erleichtern. Es hat also eine didaktische Hilfsfunktion und leistet denselben Dienst, den ein auswendig gelerntes Lied leisten kann. Luther legte großen, vielleicht größeren Wert als auf das Betrachten von Bildern, auf das Auswendiglernen von Schriftworten, Katechismustexten und Liedern. Letztere hat er sogar auch als eine Art ‚biblia rudium' — bezeichnet[31].

---

28. WA 10/2, 458, 30 f.
29. WA TR Nr. 3674: „Gregorius appellat laicorum libros. Sic pictura Christopheri." Dies ist aber lediglich eine Erwähnung, keine Zustimmung.
30. s. o. S. 72 bei Anm. 20 und 21 (cf. Calvin zu 4. Mose 15, 39; CR 24, 227).
31. WA 29, 44, 14.

3. Das Bild als pädagogisch-paränetische Hilfe

a) Wandgemälde und Altarbild (biblische Geschichte und Abendmahl)

Die rein didaktische Aufgabe des Holzschnittes als Illustration und Bilderbuch wird aufgenommen und weitergeführt durch Gemälde mit demselben Inhalt:

„Denn ichs nicht fur böse achte, So man solche geschichte — [gemeint sind die biblischen Geschichten] — auch ynn Stuben und ynn kamern mit den sprüchen malete, damit man Gottes werck und wort an allen enden ymer vor augen hette."[32]

„Das wyr auch solche bilder mügen an die wende malen, umb gedechtnis und besser verstands willen. Syntemal sie an den wenden ia so wenig schaden, als ynn den büchern. Es ist yhe besser, man male an die wand, wie Gott die wellt schuff, wie Noe die arca bawet und was mehr guter historien sind . . ."[33]

Es entspricht vielleicht nicht ganz Luthers Wünschen, wenn die aus den Katechismen und Betbüchlein bekannten Darstellungen von Taufe, Abendmahl, Beichte und Predigt z. T. in ähnlicher Ausführung (so die Predigt) auf dem Altargemälde, das 1547, ein Jahr nach Luthers Tode, in der Stadtkirche zu Wittenberg aufgestellt wurde, wiederkehrten. Luther fand es nützlich, die Hauptgeschichten der Heiligen Schrift an den Wänden der Privathäuser anzubringen. Von anderen Themen als von biblischen Geschichten ist hier aber ebensowenig die Rede wie von dem Anbringen von Bildern in Kirchen und auf Altären. Ursprünglich setzte Luther einen bildlosen Altar voraus[34]. Später räumte er die Möglichkeit ein, eine Tafel auf den Altar zu setzen, befürwortete aber zugleich als bestes Thema das Abendmahl Christi. Dies sei das dem Altar, von dem aus das Sakrament gespendet werden solle, entsprechende Bild.

„Die andern bilde von Gott oder Christe mögen sonst an andern orten gemalet stehen."[35]

Aus dieser Äußerung Luthers ist nicht mit voller Sicherheit zu entnehmen, ob er bei den „andern orten" an die Wände von Kirchen oder von Privathäusern gedacht hat. Unter den „andern Bilder Gottes oder Christi" ist, seinen Worten in der Vorrede zum Passional entsprechend, an Bilder zu denken, die Gottes und Christi Taten darstellen. Dazu könnte man vielleicht wie in den Katechismen und den Betbüchlein auch die Taten Gottes in Gegenwart und Zukunft, also Predigt, Taufe, Abendmahl (Beichte) und Jüngstes Gericht rechnen. Sicher bezeugt ist aber lediglich: Luther wünscht Gemälde mit Geschichten aus der Heiligen Schrift an Außen- und Innenwänden der Häuser[36] und befürwortet das Abendmahlsbild auf dem Altar.

---

32. WA 10/2, 458, 26 ff.
33. WA 18, 82, 27 ff.
34. Cl III 301, 26 ff.
35. WA 31/1, 415, 23 ff.
36. WA 18, 83, 4. Der Schneeberger Altar Cranachs von 1539 enthält, abgesehen vom Jüngsten Gericht und der Auferstehung der Toten, die ja auch biblischen Gehalt haben, nur biblische Geschichtsbilder.

Aufgabe der Wandgemälde ist es, „Gottes Werk und Wort" den Menschen eindringlich vor Augen zu führen.

„umb gedechtnis und besser verstands willen."[37]

Das Abendmahlsbild soll an Gottes Tat durch Jesus Christus erinnern. Das scheint dieselbe Aufgabe zu sein, die Luther dem Holzschnitt gab. Der Unterschied besteht darin, daß die Gemälde sich nicht wie das Bild im Buch und als Buch allein an die Auffassungsgabe und das Gedächtnis des Menschen richten. Das Abendmahlsbild wendet sich an das Herz.

„Das sie fur den augen da stunden, *damit das hertz dran gedecht* . . ."[38]

Das Herz aber ist für Luther der Sitz des Glaubens[39]. Auch die Wandgemälde mit den großen Taten Gottes sollen zu „furcht und glauben" gegen Gott aufrufen. Hat Luther hiermit die vom Bilderverbot gesetzte und von ihm selbst auch erkannte und oft betonte Grenze zwischen Glauben und Schauen, zwischen „Hör-Reich" und „Seh-Reich" überschritten?[40] Der Verdacht liegt nahe, ist aber unbegründet. Luther erwartet von den Wandgemälden nicht, daß sie Glauben hervorrufen, sondern daß sie bereits vorhandenen Glauben wachhalten. Es soll nicht ein Ungläubiger durch ihren Anblick bekehrt und zu einem Gläubigen gemacht werden, sondern der Gläubige soll durch ihren Anblick seinen Glauben üben.

„Damit man Gottes werk und wort an allen enden ymer vor augen hette, *dran furcht und glauben gegen Gott ubet.*" [41]

Diese Aufgabe ist pädagogischer Art, unterscheidet sich aber von der ebenfalls als pädagogisch zu bezeichnenden Aufgabe, die das Mittelalter und teilweise auch noch das „Papstumb" z. Z. Luthers den Bildern zusprach. Die Bilder sollen das Volk nicht darüber belehren, was es zu glauben habe oder wie ein Christ zu leben habe[42], sondern sollen eine stetige Erinnerung an Gottes Werk und Wort und dadurch eine eindringliche Mahnung, Gott zu gehorchen und zu vertrauen, sein. Diese Aufgabe reicht in das Gebiet der Paränese.

„Damit das hertz dran gedecht, ja auch die augen mit dem lesen *gott loben und danken müsten.*"[43]

Das Bild soll nicht bekehren, wohl aber zur Antwort auf Gottes Gnadentat aufrufen, zu Gehorsam in Furcht und Vertrauen, zur Freude in Lob und Dank.

Wie beim Passional und beim biblischen Bilderbuch wünscht Luther auch beim Abendmahlsbild auf dem Altar, daß ein Wort aus der Heiligen Schrift dabei stehe. „. . . das abendmal Christi malen und diese zween vers (Ps. 114, 4) . . . umbher schreiben, das sie fur den augen da stunden, damit das hertz dran gedecht. . ."[44]

---

37. WA 10/2, 458, 26; WA 18, 82, 28.

38. WA 31/1, 415, 26 ff. (Kursivsetzung von mir).

39. Was Luther unter ‚Gedenken mit dem Herzen' meinte, führte er im Sermon von der Betrachtung des heiligen Leidens Christi aus: Cl 1, 154—160 (1519).

40. s. u. S. 120 f.

41. WA 10/2, 458, 26 ff. (Kursivsetzung von mir).

42. s. Excurs III.

43. WA 31/1, 415, 27 f. (Kursivsetzung von mir).

Erst die Schriftworte bei dem Bild geben ihm den richtigen Sinn. Nicht das Bild allein, sondern Bild und Schriftwort zusammen sollen den Betrachter zum Lob Gottes ermuntern. Zum Bild wie Luther es wünschte, gehört das Schriftwort[45]. Das zeigt deutlich, daß Luther Gemälde ebensowenig als Ersatz für die Bibel betrachtete wie das biblische Bilderbuch. Es hat seinen Grund, wenn Luther nur das biblische Bilderbuch als ‚Laienbibel' bezeichnete. Luther sah zwischen dem Bild in Buchformat und dem Wandgemälde wohl einen graduellen Unterschied hinsichtlich ihrer Wirkung auf den Betrachter und damit hinsichtlich ihrer Aufgabe. Dennoch hielt er beide Bildarten für nützlich und unschädlich[46].

b) Das Bild als Gebetshilfe (Tod und Gericht, Auferstehung und Höllenfahrt)

Auf dem Friedhof, dem Ort, an dem man in Stille und Andacht verweilend, „den tod, das Jüngst gericht und aufferstehung betrachten und betten" sollte, wären „umbher an den wenden andechtig bilder und gemelde", „gute Epitaphia oder Sprüche aus der Schrift" gemalt oder geschrieben wünschenswert[47]. Funktion dieser Bilder wäre demnach, Trost im Leid, Stärkung des Glaubens an die Auferstehung, Hinweis auf das Gericht und mit alledem Anleitung zum Gebet zu geben. Diese Bilder erfordern eine Bildbetrachtung meditativer Art. Die Thematik solcher ‚andechtiger bilder' hat Luther nicht angegeben. Sie kann aber aus Standort und Aufgabe erschlossen werden. Luther wird an das Kruzifix und an Schriftworte und bildliche Darstellung zu Tod, Auferstehung und Jüngstem Gericht gedacht haben. Es handelt sich bei diesen Themen nicht mehr nur um biblische Geschichtsbilder, sondern um Darstellung von Glaubensaussagen, also von Ereignissen, die zwar in der Heiligen Schrift bezeugt sind, die aber nicht von Menschenaugen gesehen wurden. In den Wandgemälden, Epitaphien, Grabinschriften und Statuen auf den Friedhöfen geht es wie bei den Grabgesängen und der feierlichen Form der Bestattung um die Festigung des Artikels von der Auferstehung[48]. Das z. Z. der Reformation allgemein bekannte Bild von der Höllenfahrt Christi sollte nach Luther unverändert beibehalten werden. Er benutzte es in seinen Osterpre-

---

44. WA 31/1, 415, 24 ff.; cf. dazu auch Cl I 301, 32—306, 27.

45. Das beschriftete Bild ist an sich nichts Neues. Schon die Kunst des Hochmittelalters bedurfte der Beischrift und des Spruchbandes (Joh. Kollwitz a. a. O. 123). Bei Luther ist jedoch das Schriftwort nicht nur erläuternder Zusatz, sondern Hauptbestandteil des Bildes.

46. s. o. S. 86 bei Anm. 32 und 33. Bei bildender Kunst dachte Luther überwiegend an Wandgemälde oder Kleinbilder. Über Statuen fand ich nur eine Bemerkung Luthers: WA 44, 203, 16. Über Epitaphien redet er WA 35, 479 ff.;

47. WA 23, 375, 29 ff.; WA 35, 479, 3 ff.; 480, 17 ff.; 481, 33 (Preuß a. a. O. 75).

48. WA 44, 203 (Preuß a. a. O. 75). Wie Cranach diesen Gedanken ausführte, zeigt das Epitaph des Bürgermeisters Meienburg. Man sieht die Auferweckung des Lazarus mit der Gruppe der Reformatoren und dem Verstorbenen mit seiner Familie auf einem Bild. O. Thulin a. a. O. 76 ff.

digten oft und gern[49] und bezeichnete es als gut und nützlich, ,lieblich und tröstlich'[50].

---

49. WA 36, 159 ff. (1532); WA 37, 63 ff. (1533); WA 46, 307 ff. (1538).
50. WA 37, 64, 15; 63, 10; WA 46, 307, 12 „fein gemeld".

III. Biblisch-theologische Begründung des erlaubten Bildgebrauchs

1. Bildhafte Rede und worthaftes Bild

„Denn solch gemelde zeiget fein die krafft und nutz dieses artikels, darumb er geschehen, gepredigt und gegleubt wird."[1]
Angesichts eines Bildes von der Auferstehung, dem Jüngsten Gericht oder der Höllenfahrt ist Luther die grundsätzliche Frage zu stellen: Können und dürfen Ereignisse, die Raum- und Zeitgefüge unserer Welt durchbrechen, bildhaft dargestellt werden wie ein historisch feststellbares Ereignis? Daß Höllenfahrt und Auferstehung keine mit Augen zu schauende und im Bild festzuhaltende Ereignisse sind, hat auch Luther betont. Es ist nach ihm auch nicht die Aufgabe eines Bildes, Unsichtbares sichtbar zu machen, wie Lehfeldt meint[2]. Luther hat Kritik an der üblichen Ausführung des Bildes von der Höllenfahrt Christi gerade mit dem Hinweis auf die Undarstellbarkeit der Höllenfahrt Christi zurückgewiesen.

Man hatte beanstandet, daß es sich keinesfalls so, wie die üblichen Bilder es darstellen, zugetragen haben könne: Fahne und hölzerne Tore hätten in der Höllenglut längst verbrennen müssen. Man hatte sich lustig gemacht über die kindische Vorstellung solcher Bilder, dabei aber die Vorstellung vom Höllenfeuer beibehalten. Luther dagegen fand auch die Vorstellung von der Hölle als einem besonderen Ort unsicher[3]. Entsprechend antwortete er den ‚Klüglingen': Natürlich war die Fahne nicht aus Tuch und das Tor nicht aus Holz. Es hat sich überhaupt nicht so zugetragen, wie die Bilder es schildern, weil es ja nicht ‚leiblich' geschehen ist, sondern in einem „wesen, das gar weit über und ausser diesem Leben ist"[4]. „Si wil scharff da von reden, ist er nirgend hin gefarn."[5] Da es nicht ‚leiblich' stattfand, kann kein Mensch wissen, wie es stattfand, noch kann er es mit seinem Verstand ergründen[6]. Es übersteigt einfach den menschlichen Horizont. „Descendit ad inferos (1. Pt. 3, 19) . . . nihil certi de hac re dici potest. Credere debemus."[7] Deshalb ist es müßig, zu fragen: Wie konnte Christus in die Hölle steigen, obwohl sein Körper im Grab lag? oder: Ist er „personlich und gegenwertig nach der seele oder allein durch seine krafft und wirkung hinunter gefaren?" oder: „ob die seele allein hinunter gefaren sei, odder ob die Gottheit bey ir gewest sey."[8] Auf solche verkehrten Fragen wird es nie eine richtige Antwort geben. Es sind nicht nur unnötige, sondern nach Luther äußerst schädliche Fragen. Sie sind vom Satan eingegeben, um von der Schrift fortzulocken zu Spekulationen, in denen man, weil sie Dinge betreffen, die menschlichen Verstand überfordern, den Verstand (d. i. das richtige Verständnis) des Textes und damit seinen Glauben verlieren wird[9]. Mit der Frage, wie die Höllenfahrt sich ereignet habe,

---

1. WA 37, 65, 17 ff.; 63, 30.
2. Lehfeldt a. a. O. 86 ff. und 93.
3. WA 19, 225, 14; WA 37, 65, 26 ff.; WA 36, 159, 25 ff.
4. WA 37, 65, 15; 63, 12; 63, 20.
5. WA 36, 161, 16.
6. WA 37, 64, 38; 63, 17 f.
7. WA TR 53, 56 b.
8. WA 37, 63, 15 ff.; 64, 40 f.
9. WA 37, 64, 40; 64, 16 f.; 64, 31 ff.

kann sich höchstens befassen, wer dabei „wol verwaret an dem Wort" festhält[10]. Das können nur Gelehrte, aber weder das einfache Volk noch solche Klüglinge, die am Text vorbeispekulieren. Auch bei den ‚disputationes' der Gelehrten kommt im Grunde nicht mehr heraus, als der einfache Mensch begreifen kann. Luther will sie weder verwerfen, noch bestätigen[11]. „Quomodo factum, nescio. Is textus (Luk. 23, 46) leugnet nicht ... quomodo hoc? es nicht begreiflich. Ego credo eum descendisse i. e. dominum esse super inferos ..."[12]. Wer den Artikel von der Höllenfahrt recht verstehen will, darf nicht fragen, *wie* sie geschehen ist, sondern *was* geschehen ist. Darauf antwortet der Artikel: „Ich gleube an den Herrn Christum, Gottes Son ... d. i. an die gantze person, Gott und mensch, mit leib und seele ungeteilet, von der Jungfrawen geboren, gelidden, gestorben und begraben ... zur Helle gefaren ..." und „das uns durch Christum die Helle zerissen und des Teuffels reich und gewalt gar zu störet ist."[13]

Nun aber ist nach Luther der menschliche Verstand so geartet, daß er nicht abstrakt, sondern nur konkret, nicht ohne Vorstellungen, die dieser Welt entnommen sind, denken kann. Unseren Gedanken liegen Erfahrungen und damit Bilder und Vorstellungen aus unserer Welt zugrunde. Es bleibt uns nichts anderes übrig, als menschlich von göttlichen Dingen zu reden[14]. Wir können von Gottes Welt nur im Gleichnis und mit unzutreffender Bildersprache reden[15]. Wollten wir zutreffend von Gott reden, müßten wir schweigen. Die Begriffe weisen auf eine Wirklichkeit hin, von denen sie sich hinsichtlich ihrer Wirklichkeit ebenso unterscheiden, wie etwa das Wort ‚Brot' von dem damit bezeichneten Brot, das man essen kann[16]. So weisen die Bilder auf Gottes Heilstaten hin, ohne ihre Wirklichkeit erfassen zu können und halten, sofern sie als Gleichnis und unzulängliche Darstellung genommen werden, eben am Text der Heiligen Schrift fest. In ihrer Grobheit, die niemand direkt nehmen kann, führen sie sich selbst in ihrer Darstellung ad absurdum und wehren zugleich dadurch jeder unnützen Spekulation. Darum muß man einfältigen Menschen die göttlichen Tatsachen in recht groben und anschaulichen Bildern[17] nahe bringen; recht anschaulich, damit sie es begreifen und verstehen; recht grob, damit sie auch merken, daß es nur ein Gleichnis ist. Ein Kind oder ein einfältiger Mensch, der solch ein grobes Bild von der Höllenfahrt sieht, oder ein Osterlied unserer Väter[18] hört, in dem dasselbe gesagt wird, versteht: Christus hat den Teufel überwunden und ihm alle seine Gewalt fortgenommen. Damit hat der einfache kindliche Mensch die Wahrheit des Artikels verstanden[19].

---

10. WA 37, 64, 31.
11. WA 46, 306, 8.
12. WA 46, 310, 13—17; WA 36, 160, 11 f.
13. WA 37, 65, 3 ff.; 66, 10—12. Calvin verstand die Höllenfahrt Christi anders. Nicht als Sieg über Tod und Teufel, sondern als Qual des mit unserer Schuld Belasteten vor Gottes Richterstuhl (Schwarz a. a. O. I 184).
14. WA 46, 312, 13; Predigt 1538.
15. WA 37, 63, 25 f.; 66, 2; WA 10/1, 1, 102, 5—7.
16. WA 46, 313.
17. WA 37, 64, 8 und 32; 65, 16; WA 36, 161, 10 und 160, 5.
18. WA 37, 64, 21 f.; WA 36, 160, 5 f.
19. WA 37, 65, 39 f.; 66, 7 f.

Mehr kann kein Mensch davon erfassen, so klug und beharrlich er auch sei. Aber der Teufel versucht, den Menschen durch hohe Gedanken vom Text fortzulocken[20]. Das Bild hält nach Luther am Text fest[21]. Es muß aber auch dem Text gemäß verstanden werden. Dann hat man es recht verstanden, wenn man es nicht seiner Schilderung, sondern seiner Aussage nach ernst nimmt, „dem worte nach, wie mans malet"[22]. Das Bild bedarf des Textes, um recht verstanden zu werden. Der Text umgrenzt die Aussage des Bildes. In diesem Fall lautet sie: Christus hat wahrhaftig gesiegt[23]. Solange man bei der Betrachtung am dazugehörenden Text festhält, kann ein solches Bild „mir nicht schaden noch mich verführen."[24]

Luther beruft sich für den Gebrauch bildhafter Rede und zeichenhafter Bilder auf die Gleichnisse Jesu Christi:

> „das man mit solchen groben gemelden fasse, was dieser artikel (von der Höllenfahrt) gibt, wie man sonst die lere von Göttlichen sachen durch grobe, eusserliche bilde fur gibt. Wie Christus selbs allenthalben im Euangelio dem volk das geheimnis des himelreichs durch sichtige bild und gleichnis fur hellt."[25]

Wie dem Jesus der Evangelien alles, was er sah, zum Gleichnis für das wurde, was er den Menschen von Gott sagen wollte, wird Luther, was er sieht und erlebt — sei es Pflanze, Tier, Gebrauchsgegenstand oder nur ein Bild — zum Gleichnis.

> „Christus mit seinem predigen ist flugs in parabel hinein gefallen vnd hatt von schaffen, hirten, wolfen, weinbergen, feigenbaumen gesagt, von samen, ackern, pflugen; das haben die armen laien konnen vernemen."[26]

Ebenso macht es Luther: er redet vom Weizenkorn und von Erbsen, von den Bienen, vom Reiher, Eisvogel und seinen Jungen, vom Sperling und von der Henne mit ihren Küken, von den Windeln, in die das Kind gewickelt wird und vom Treppengeländer, an dem man sich festhält. Wer sich aus eigenen Werken erlösen will, dem geht es wie einem, der im Sand arbeitet. „Meinstu, das er (Gott) im Himel auff eim küssen schlaffe? Er wacht ...!"[27]

Gott selbst spricht durch Blumen und Vögel zu ihm.

> „Omnis creatura visibilis est parabola."
> „Creatura tota est pulcherrimus liber seu biblia in quibus Deus sese descripsit et depinxit."[28]

---

20. WA 37, 64, 16.
21. WA 37, 65, 38—40 (Rogge a. a. O. 24 Anm. 73).
22. WA 37, 63, 27.
23. WA 36, 161, 3 u. ö.
24. WA 37, 65, 36—38.
25. WA 37, 64, 7 ff.; WA 10/2, 458, 19 f.
26. WA TR 1650 (Preuß a. a. O. 212).
27. WA 4, 655, 33; WA 49, 726, 19 ff.; WA TR Nr. 4639 (Preuß a. a. O. 243); WA TR 2155 und 4652 (Preuß a. a. O. 242); WA 3, 645, 2 (Preuß a. a. O. 242); WA 10/1, 1, 80, 4 (Preuß a. a. O. 252); WA 29, 530, 19; WA 1, 276, 22 ff., 272, 40.
28. WA 3, 560, 35; WA 48, 201, 5 (1546 Eintragung in eine Bibel; Preuß 229). Dies widerspricht nicht dem u. S. 120 f. Gesagten. Luther kennt keine direkte Schöpfungsoffenbarung. Dem Reden bzw. Hören durch die Schöpfung geht das Hören des uns in der Heiligen Schrift gegebenen Evangeliums voraus.

Von daher gewinnt Luthers Predigt die Anschaulichkeit, die den Zuhörer gewinnt. Für die Bildhaftigkeit der Rede beruft sich Luther zu Recht auf Jesu Reden und Gleichnisse, bei denen auch Bultmann ‚die Plastik der Sprache, in der Begriffe, Zustände, Charaktere und Forderungen in großer Konkretheit zum Ausdruck gebracht'[29] werden, hervorhebt. Ähnliches könnte man von Luthers Predigten sagen. Dabei ist die Kreatur für Luther ebensowenig wie für Jesus Erweis Gottes[30], sondern lediglich Gleichnis und Hinweis. Das zeigt deutlich die Weise, wie er in seinen Predigten von Pflanzen, Tieren u. a. spricht:

> Wie ein Weizenkorn zwischen zwei Mühlsteinen zu Mehl zerrieben wird, geht der Mensch, das Weizenkorn Gottes, zwischen Furcht und Glaube zerrieben, nicht zugrunde. Die Menschwerdung des Sohnes Gottes ist wie das Sonnenlicht, das erst beim Aufprall auf die Erde leuchtet. Der Bienenschwarm ist ein Abbild der Kirche und auch der Eisvogel eine „figura eclesiae". Wie ein Polyp saugt der Gläubige sich an Christus fest[31].

Tier und Pflanze sind für Luther nicht Erweis der Schöpfermacht Gottes, sondern Geschöpfe Gottes, in ihrer Schönheit unnachahmlich, eine Freude für die Menschen, Hinweis auf Gottes Schöpferherrlichkeit und damit Aufruf zum Lobe Gottes. Sie können zum Gleichnis werden, das Gottes Liebe zum Menschen und des Menschen rechtes oder unrechtes Verhalten Gott gegenüber widerspiegelt. Das Evangelium, das nach Luther „Blümlein und Vöglein am Hals geschrieben ist"[32], ist die Gleichnisrede Jesu.

„Wenn du eine Nachtigall hörst, so hörest du den feinsten Prediger, der dich dieses Evangeliums vermahnet."[33]

Pflanze und Tier können nicht verkündigen, wohl aber eine Hilfe für die Verkündigung sein und an das gehörte Evangelium erinnern. Dieselbe Funktion als Gleichnis können auch tote Dinge, ja von Menschenhand hergestellte Gegenstände einnehmen: Das Wort Gottes ist wie ein Treppengeländer. Die Windeln sind ein Bild der Heiligen Schrift[34].

Zum Gleichnis gehört zweierlei: Sehen und Hören. Daher kann in den Evangelien ein Gleichnis mit ‚Sehet' beginnen und mit ‚Wer Ohren hat, der höre!' enden[35]. Zum Gleichnis gehört Bild und Wort. Der Maler kann aber nur die Bildseite festhalten. Ohne das Wort, das das Bild zum Gleichnis macht, ist das Bild eben kein Gleichnis. Das Gleichnis selbst kann überhaupt nicht gemalt werden, nur die Bild-

---

29. Bultmann: Die Geschichte der synoptischen Tradition, S. 180 f.
30. Das möchte ich gegen H. Preuß (a. a. O. 229. 237) und trotz seines Zitates aus WA 3, 557, 17 („Unde et creature vestigium sunt Dei") behaupten und mich dafür auf Luther berufen: „non ille digne Theologus dicitur, qui ‚invisibilia Dei' per ea, quae facta sunt, intellecta conspicit . . .: in Christo crucifixo est vera Theologia et cognitio Dei." Cl V, 388, 5 f., 29 f. „In seinen Kreaturen erkennen wir die Macht seines Wortes." WA TR Nr. 1160.
31. WA 4, 655, 33 (Preuß a. a. O. 256); WA TR Nr. 5968 (Preuß a. a. O. 263); WA TR Nr. 4639 und Nr. 4652 (Preuß a. a. O. 242); WA 45, 417, 35 (Preuß a. a. O. 245).
32. WA 29, 551, 7. 22 (Preuß a. a. O. 237).
33. WA 32, 462.
34. WA 29, 530, 19 (Preuß a. a. O. 257); WA 10/1, 1, 80, 4 f. (Preuß a. a. O. 252).
35. Matth. 13, 3. 9.

hälfte und dann muß das Wort bzw. der Text hinzutreten. Darum sind Luthers anschauliche Vergleiche von Künstlern nicht im Bild festgehalten worden. Ebenso haben nur wenige Gleichnisse Jesu zu Bildern angeregt. Sobald der darstellbare Teil eines Gleichnisses oder einer gleichnishaften Rede sich zu einem Sinnbild verdichtet hat, ist das Bild für den, der das zugrundeliegende Gleichnis, die Geschichte oder den Gedanken kennt, auch ohne hinzugefügtes Wort verständlich. Aus der Vielzahl der zu Luthers Zeit üblichen Sinnbilder seien die beiden am meisten bekannten und auch von Luther am häufigsten genannten, die Siegesfahne und das Lamm erwähnt, die Luther besonders gern in der ebenfalls weit verbreiteten Zusammenfassung als fahnentragendes Lamm sah[36]. Für Luther ist das fahnentragende Lamm Kennzeichen für den Sieg Christi am Kreuz. Das Höllenfahrtsbild benutzt das Sinnbild der Fahne und des Höllentores. Es soll — nach Luther — in seiner Gesamtheit als Sinnbild verstanden werden. Hier zeigt es sich, daß Luther als Sinnbild nicht nur eine bildhafte Kurzform, sondern auch ein konkretes Bild an Stelle eines mit unsern fünf Sinnen nicht faßbaren Sachverhaltes bezeichnen kann. Das Bild von der Höllenfahrt ist nach Luther zwar unzutreffend hinsichtlich seiner Darstellung, aber für den einfachen Menschen, der nicht abstrakt denken kann, eine große Hilfe, um den Artikel von der Höllenfahrt zu verstehen. Um der Klarheit der Aussage willen dürfen die einzelnen Bildmotive wie die Siegesfahne Christi oder das Höllentor nicht allegorisch gedeutet werden[37]. Es geht nicht um Fahne und Tor, sondern um den Text des Glaubensbekenntnisses: „niedergefahren zur Hölle." Das Tor hat hier nur Sinn im Gesamtzusammenhang. Luther wertet die symbolhaften Züge des Bildes wie die einzelnen Worte eines Satzes. Jedem Wort liegt ein Bild zugrunde. Jedes Wort basiert auf und tendiert nach Anschauung. Darf ich in Bildworten reden, warum dann nicht diese Bildworte, die sofort ein Bild vor meinem inneren Auge entwerfen, auch in der Tat bildhaft festhalten? Der Schritt von der gleichnishaften Rede zu deren Festhalten im Bild ist zur Zeit Jesu nicht getan worden. Als Schriftbeweis kann der Hinweis auf Jesu Gleichnisse darum nicht gewertet werden. Von gemalten Bildern ist in der Heiligen Schrift weder in positiver noch in negativer Form die Rede. Es handelt sich hier lediglich um eine Folgerung aus der Art, wie Jesus und im Alten Testament die Propheten von Gottes Welt redeten. Die Beweisführung Luthers ist also nur unter bestimmten Voraussetzungen und darum nur für ein ganz

---

36. s. o. S. 79 und 90 f. Hier ist entsprechend dem Verständnis Luthers unter Sinnbild oder Symbol die ursprüngliche Bedeutung als ‚Kennzeichen, Merkmal' (s. EKL III 1238, K. G. Steck) zugrundegelegt. ‚Eine sinnbildliche Darstellung bringt den Inhalt' einer Geschichte oder eines Gedankens ‚auf eine Kurzform' (EKL III Sp. 960 H. Jursch). Stählin, Symbolon S. 320 f. gibt selber zu, daß Luther ‚Zeichen' mit Vorliebe im Sinne von ‚Symptom', das erkannt werden will, versteht. Das hier Gesagte darf nicht auf ein anders verstandenes Symbol bezogen werden, auch nicht auf das sakramentale Zeichen, das Luther von allen anderen Zeichen und Sinnbildern deutlich abhebt. Aber auch dem sakramentalen Signum kommt nach Luther keine ‚geistliche Realität' (Stählin a. a. O. 320) zu. Es ist ohne das dazugehörende Wort wertlos. Dazu s. u. S. 102.

37. WA 37, 64, 1; 65, 34 f.

bestimmtes Bildverständnis nachvollziehbar. Luther begründet mit dem Hinweis auf Jesu Gleichnisse seine eigene bildhafte Predigt, die Zusammenstellung von Darstellungen biblischer Geschichten zu einem Bilderbuch und die Darstellung an sich undarstellbarer, weil unvorstellbarer Dinge, wie die Höllenfahrt[38]. Luther übergeht den Unterschied zwischen Gleichnis und nicht direkt zu verstehender bildhafter Schilderung eines undarstellbaren Vorganges ebenso wie den Unterschied zwischen bildhafter Rede und gezeichnetem oder gemaltem Bild. Das Höllenfahrtsbild ist für ihn nichts anderes als die gemalte Bildrede von Christi Sieg über Tod und Hölle. Er benutzt Bilder nicht anders als geschaute Lebewesen, Dinge und Vorgänge wie die Bildseite eines Gleichnisses. Darum legt er so großen Wert auf das dem Bild beigegebene Wort und das Festhalten an dem einem Bilde zugrundeliegenden Text[39]. Alles, was er schaut und erlebt, wird ihm zum Gleichnis der Geheimnisse Gottes und er weiß sich hierin im Einklang mit Jesus.

„Wie Christus selbs allenthalben im Evangelio dem volck das geheimnis des himelreichs durch sichtige bild und gleichnis fur hellt."[40]

Es ist deutlich, daß Luther in diesem Zusammenhang lediglich an die *Anschaulichkeit* der Rede Jesu gedacht hat, nicht an die Form der Rede als Gleichnis. Jesus wußte, daß der Mensch etwas besser versteht, wenn er dabei etwas sehen kann. So hat er ihnen das Geheimnis des Reiches Gottes nahe gebracht, indem er mit dem Finger auf Blumen und Vögel wies: Sehet die Vögel unter dem Himmel! Jesu Gleichnis war nicht nur bildhafte Rede. Man konnte ursprünglich während er sprach die Bildhälfte auch sehen. Er forderte seine Hörer geradezu zum Sehen auf. Er redete unter Hinweis auf die sichtbaren Dinge und Ereignisse in unserer Welt von den unsichtbaren Geheimnissen des Reiches Gottes. Anders können wir nach Luther überhaupt nicht von Gott und seinem Reich reden. Zwischen der sichtbaren Kreatur Gottes und dem von Menschenhand gemachten Bild sah Luther nur den einen Unterschied: Das Gemälde Gottes lebt und spricht darum deutlicher und eindringlicher zu uns als das tote Bild[41]. Auch die Schöpfung enthält für Luther nicht direkte Verkündigung, sondern nur Hinweis. Sie ist nur die Bildhälfte eines Gleichnisses und bedarf, um recht verstanden zu werden, des verkündigenden Wortes. Ohne das Wort, das die geschaute Kreatur zum Gleichnis macht und dem gemalten Bild den textgemäßen Sinn bewahrt, ist Kreatur und Bild stumm und wertlos, kann das Bild zu einer Gefahr werden und dem Mißbrauch anheim fallen. Nur ein so verstandener Bildgebrauch kann sich auf Luther berufen.

---

38. WA TR Nr. 1650; WA 10/2, 458, 19 f.; WA 37, 64, 9 ff.

39. s. o. S. 92.

40. WA 37, 64, 9—10; EA 20, 167 f. (Rogge a. a. O. 6 A 15) = WA 37, 64 (Preuß a. a. O. 211).

41. WA 27, 386, 6—8.

2. „Recht und Pflicht der Bilder von Luther biblisch erstritten"?
(Eine Auseinandersetzung mit Hans Preuß)

Hans Preuß behauptet, Luther habe „nicht bloß Neutralität, auch nicht bloß Erlaubnis, sondern das gute Recht, ja die Pflicht der Bilder biblisch erstritten"[1]. Als Beweis führt er viele Zitate Luthers an, in denen er die Art und Weise darlegt, in der Gott zu allen Zeiten mit seinem Volk Alten und Neuen Bundes zu reden und zu handeln pflegte.

„Denn biblisch grundlegend ist die Kondeszendenz Gottes, die sich bis zur Fleischwerdung des Sohnes hingibt. Von hier aus quillt Luthers Bewertung der Bilder im tiefsten Sinne, denn wie sich Gott in der Menschwerdung des Sohnes hingibt, so gibt er das Innere auch sonst nur durch das Äußere, das Geistliche in anschaulicher Illustration, das Wort nicht ohne mitfolgende Zeichen."[2]

Preuß will darlegen, daß Luther „Recht und Pflicht der Bilder" auf die anschauliche Redeweise der Propheten und die sichtbaren, seinen Verheißungen beigegebenen Zeichen, die in der Menschwerdung ihre Spitze fanden, zurückgeführt habe. Bildrede und signum zeigen, daß für Gott allezeit das ‚finitum capax infiniti' war und sein soll.

„Immer wieder muß man es (das Wort) im Fleische offenbaren, in sinnfällige Formen kleiden für uns arme Menschen. Diesen unentbehrlichen Dienst des Glaubens leistet die Kunst (gemeint ist die Kunst in Bild, Ton und Wort) dem Evangelium wie nichts anderes. Darum muß der Prophet ein Künstler sein. Martin Luther ist es gewesen."[3]

Diese Zusammenschau von Menschwerdung, signa promissionis, anschaulicher Redeweise Gottes und Bildern von Menschenhand wird von Luther selber nicht vollzogen. Eine Nachprüfung der von Preuß angeführten Zitate ergibt, daß Luther lediglich bei vier Zitaten von Bildern[4], bei einem vom rechten Gottesdienst[5] und bei allen übrigen von den ‚visibilia signa gratiae Dei', den sichtbaren Zeichen, die Gott seinen Verheißungen beifügt, spricht. Erst durch die Mischung verschiedener Zitate erreicht Preuß den Anschein, als wären dies für Luther gleichbedeutende Dinge; als wäre das „‚finitum capax infiniti', das in der Menschwerdung des Sohnes seinen tiefsten Grund hat", die Grundlage, aus der Luthers Stellung in der Bilderfrage erwachsen ist[6].

---

1. Preuß a. a. O. 66.
2. Preuß a. a. O. 63.
3. Preuß a. a. O. 308.
4. Preuß a. a. O. 63—66, die 4 Zitate: WA 10/3, 27, 31 = Cl VII, 373 (Invocavitpredigten, durch den Bildersturm veranlaßt, 1522); WA 10/2, 33, 18 f. = Cl II, 329 (1522, veranlaßt durch den Bildersturm, über Schlange und Cheruben); WA 37, 63, 25 u. 66, 1 ff. (Osterpredigt 1533, Bild von der Höllenfahrt); WA 27, 386, 14 ff. (1528, Hochzeitspredigt, Jesu Gleichnisrede).
5. WA 31/2, 10, 29 (Vorlesung zu Jes. 1, 12; vom rechten Gottesdienst).
6. Preuß a. a. O. 87.

Um ein echtes Bild von der Bedeutung der von Preuß angeführten Zitate für die Stellung Luthers in der Bilderfrage zu erhalten, ist es nötig, die Stellen, an denen er von verschiedenen Dingen spricht, zunächst getrennt voneinander zu betrachten.

a) Signa visibilia

In Beilage VI habe ich aus der Zitatensammlung von Preuß diejenigen Stellen, an denen Luther von den Zeichen der Verheißung redet, mit Angabe der Gelegenheit, bei der sie gesprochen oder geschrieben wurden, und das Thema des betreffenden Abschnittes aufgeführt. Es handelt sich vor allem um Vorlesungen, Predigten und Streitschriften. Dabei ist durchweg die Rede von externa signa, äußeren Zeichen, die Gott den Verheißungen, die er seinem Volk gab, beifügte, z. B. vom Paradies-baum, Noahs Arche, Flammen am Himmel, von der Beschneidung, Moses Stab, der ehernen Schlange und der Wolke[7]. Alle diese Zeichen faßt Luther zusammen: „Ante circumcisionem sacrificia et verbi ministerium erant visibilia invisibilis gratiae signa, sub Abraha circumcisio instituta valuit usque ad adventum bene-dicti seminis."[8], und zieht die Linie zu den signa, die uns als Christen gegeben sind: „Post Christi adventum habemus sanctum Baptisma, Eucharistiam, claves, his signis patefacit se Deus, et fide eis utentes salvat"[9]. Zunächst gab Gott dem Vorläufer Christi, Johannes dem Täufer als sichtbares Zeichen die Taufe[10]. Dann kam sein Sohn selber sichtbar und greifbar zu den Menschen. „Und do der Herr Christus personlich und leiblich nicht mehr hat können gefhulet werden, do hat er hinder sich verlassen sein wortt und die Sacrament, welche wir mit unsern funff Sinnen ergreiffen konnen."[11] Luther führt als sichtbares Zeichen, das Gott dem Volk des Neuen Bundes gegeben hat, neben Taufe und Abendmahl zwar auch die Beichte an, betont aber seit 1520, daß die einzigen von Gott eingesetzten sichtbaren Zeichen, die einer Verheißung beigegeben sind, Taufe und Abendmahl seien[12]. Ein Sakrament ist eine Verheißung Gottes mit beigegebenem sichtbarem

---

7. „arbore vitae aliis commoditatibus, quae erant signa gratiae", „sacrificia et oblatio-nes flamma coelesti" WA 42, 184, 38—185, 2. Noahs Arche WA 9, 348, 18 f.; WA 6, 517 = Cl I 449, 26; WA 42, 184, 18. Die Beschneidung WA 42, 184, 20, Cl I 449, 29 ff. Jakob und Isaak, die dieselbe promissio hatten wie Abraham, erhielten signa diversa, z. B. die Himmelsleiter WA 9, 348, 22 f., Moses Stab, und andere Zeichen, die Feuer und Wolken-säule WA 9, 348, 30 ff. Das Rote Meer WA 42, 184, 35. Die eherne Schlange, die Bundes-lade mit den Cheruben, Moses Stiftshütte und Salomos Tempel mit der Wolke WA 9, 348, 33 ff.; WA 42, 184, 35 f. Zeichenhandlungen als Begleitung prophetischer Predigt WA 47, 138, 28 ff.

8. WA 42, 627, 17—19.

9. WA 42, 627, 20 f.

10. WA 47, 138, 25 ff.

11. WA 47, 139, 41—140, 2 (Predigt über Joh. 3, 22 f. Juni 1539).

12. Cl I 510, 30—38 = WA 6, 572, 10—17 (von Preuß nicht angegeben).

der Gestalt des Sakraments zu nehmen' wendet sich Luther 1522 gegen die Bilderstürmer, die die Bilder wegen des — auch und vor jenen von Luther beklagten —
Mißbrauchs zerstören wollten, anstatt den doppelten Mißbrauch, den das Papsttum mit den Bildern trieb, zu bekämpfen.

„Bildniß anbeten hatt gott verpotten", aber „Bildniß haben ist nicht unrecht,
hatt doch gott selbs ym alten testament die ehern schlange heyssen auffrich-
ten und die Cherubin an der gulden archen."[25]
Dieses Argument gehört in den Zusammenhang der bereits behandelten Auslegung
des Bilderverbotes durch Luther[26]. Der einzige Schriftbeweis für erlaubten unkultischen Bildgebrauch, den Luther mit gutem Recht führte, könnte heute nicht mehr
aufrecht erhalten werden. Außerdem ging es Luther mit dem Hinweis auf Schlange
und Cheruben nur um die Zurückweisung der Forderung, jedes Bild zu zerstören.
Das, was Luther später als nützlichen Bildgebrauch bezeichnet, war nicht der Gebrauch, den man von diesen Bildern — legitim oder illegitim — gemacht hatte[27].
Es handelt sich auch für Luther hier nur um einen negativen, nicht um einen positiven Schriftbeweis.

Zitat 3 und 4: Es war bereits damals nur ein indirekter Beweis für oder gegen
das „christliche Bild" möglich. Er gründet zwangsläufig in der Theologie des
Beweisenden. Luther geht aus von der bildhaften Redeweise der Heiligen Schrift.
So in dem Zitat, das Preuß der Hochzeitspredigt Luthers für Michael Stiefel über
Mt. 22, 1 ff., entnahm. Jesus benützte die Hochzeit als Bild für das Reich Gottes[28].
Luther will mit der Feststellung, Gott habe immer sein Wort in Gemälde gefaßt,
nicht den Gebrauch von Bildern verteidigen, sondern den Sinn der bildhaften
Rede Christi erläutern. Es geht um die Einprägsamkeit seiner Worte. „Sic et
quidam ex Christianis fecerunt, ut verbum servarent in memoria."[29] Dasselbe war
ursprünglich die Absicht der Christen, die Bilder — etwa von Christophorus oder
St. Georg mit dem Drachen — malten[30]. Nachdem das Wort Gottes verschwiegen
wurde, war es Satan ein leichtes, aus den gut gemeinten Bildern Abgötter zu machen[31]. In Roths Bearbeitung von Luthers Hochzeitspredigt heißt es: „Darümb
hat Christus vielmals sein reich den dingen vergleichet, die wir stets für augen
hetten, auff das wir jhe seines worts nicht so leichtlich vergösen ... Also haben
auch etliche Christen getan."[32] Roth trifft damit genau das, was Luther sagen
wollte. So bestätigt sich, was bereits oben[33] festgestellt wurde.

1. Das Bild soll an Gottes Wort erinnern.

---

25. WA 10/2, 33, 20. 18 f.; cf. WA 10/3, 27 = Cl VII, 373.
26. s. o. S. 46 f.
27. s. o. S. 71 bei Anm. 15 und 16.
28. „Ideo deus sepe monet et varie depingit regnum suum, ne obliviscamur." WA 27,
384, 10 f.
29. WA 27, 385, 1 f.
30. WA 27, 385, 12 und 386, 12.
31. „Postea ablato verbo venit pictura in abusum." WA 27, 386, 7.
32. WA 27, 384, 28 − 29. 35.
33. s. o. S. 87, 92, 95.

2. Wo Gottes Wort verschwiegen wird, verfällt das Bild dem Mißbrauch.

3. Luther will mit dem Hinweis auf die bildhafte Redeweise der Propheten und Jesu zeigen, daß Gott stets so zu den Menschen redet, daß sie es verstehen und sich gut daran erinnern können. Von Jesu und der Propheten bildhafter Rede zieht Luther eine Linie zur Predigt seiner Zeit und weiter zu gemalten Bildern. Um Gottes Wort verständlich, unüberhörbar, unübersehbar und unvergeßlich zu machen, sollten die von den Propheten verwendeten Hilfsmittel auch von uns nicht verachtet werden. Dazu hat Gott uns das Vermögen zu reden, schreiben, malen, singen gegeben, daß wir sein Wort deutlich sagen und immer wiederholen. Dazu hat er uns ein Herz gegeben, das Gehörte zu behalten:

> „Sic deus ab initio suum verbum hat in gemelt gefast, Ut in paradiso: Hic est arbor scientiae, de hac etc. Item in vetere testamento praecepit, ut depingerent praecepta dei in foribus etc., quia scivit, quid Satan moliatur, ideo heißt ers schreiben, malen. Ideo dedit scripturam, picturam, ut legeremus, dedit vocem ut caneremus, dedit cor, ut in corde servaremus."[34]

Dieser von Preuß bis „picturam" aus der bereits erwähnten Hochzeitspredigt zitierte Abschnitt zeigt besonders deutlich, daß für Luther schreiben und malen im Grunde gleichbedeutend sind. Nach 5. Mose 6, 9 gebietet Gott, die Gebote an die Türpfosten zu schreiben. Luther sagt dafür ‚ut depingerent‘ und übersetzt sogleich mit ‚schreiben, malen‘. Wenn im Sinne Luthers von „Recht und Pflicht der Bilder" gesprochen werden soll, dann kann damit nur die Pflicht der Christen, das Evangelium mit allen verfügbaren Mitteln zu verbreiten, gemeint sein. Mit „Predigen, Singen, Sagen, Schreiben, Malen" soll Gottes Wort unter das Volk gebracht werden[35]. Das Bild ist nur eine — und zwar die geringste — Möglichkeit unter vielen. Für sich persönlich hat Luther ihm wichtige Worte der Heiligen Schrift an die Wand geschrieben, nicht gemalt[36]. Es darf auch nicht übersehen werden, daß Luther bei all diesen Bildern den Text der Heiligen Schrift dazugesetzt haben wollte. Als eindeutiger Schriftbeweis kann der Hinweis auf Dt. 6, 9 nicht angesprochen werden. Luthers Ausführungen hierbei gelten nur unter der Voraussetzung, daß alle unsere Worte auf geschauten und gedachten Bildern beruhen. Sie sind nur gültig für Bilder, die nichts anderes sein wollen als gemalte Bildrede, die das gesprochene oder geschriebene Wort voraussetzt. Durch das gesprochene Wort will Gott zu uns reden. Durch das gemalte Bild erinnert ein Mensch an Gottes Wort.

c) Bild und Bildrede im Unterschied zu signum und signum sacramentale

Luther unterscheidet scharf zwischen sacramentalem Zeichen und Bildrede:

> „Licet omnia, quae visibiliter geruntur, possint intelligi figurae et allegoriae

---

34. WA 27, 386, 14—18.

35. s. die von Preuß a. a. O. 8 zitierten Äußerungen Luthers: WA 51, 217, 35 (1534); WA 45, 719, 10 (1537); WA 49, 763, 5 (1545); WA 37, 63, 9 und das Zitat bei Anm. 34.

36. WA 48, 283 bringt eine Zusammenstellung solcher Sprüche.

rerum invisibilium. At figura aut allegoria non sunt sacramenta, ut nos de sacramentis loquimur."[37]

Gleichnis, Allegorie, Bildwort und Sinnbild können zwar in anschaulicher Weise unter Verwendung sichtbarer Dinge von den Geheimnissen des Reiches Gottes reden. Aber Gott hat sich nicht durch Verheißung und Einsetzung an diese Dinge geheftet. Darum dürfen sie nicht mit dem Sakrament oder den sakramentalen Zeichen verwechselt werden[38]. Sie sind zwar sichtbar, aber nicht wie die von Gott seiner Verheißung beigegebenen Zeichen ‚a Deo instituta'. Von durch Menschenhand verfertigten Bildern ist hier nicht die Rede. Luther gibt ihnen sonst ähnliche Aufgaben, aber einen geringeren Wert als der sichtbaren Kreatur, ‚den Gemälden Gottes'[39]. Bilder gehören nicht wie die Sakramente zu den notwendigen, nicht einmal zu den wichtigen, sondern zu den nebensächlichen Dingen. Heilsnotwendig war nicht einmal das sakramentale Zeichen für Luther. Im Notfall genügte das Wort Gottes[40]. Durch die — von Luther abgewehrte — Gleichsetzung von sakramentalem Zeichen und bildhafter Rede erwächst eine — ebenfalls von Luther scharf zurückgewiesene — Überbetonung der Bilder (bei den ‚Papisten' in positiver, bei den ‚Schwärmern' in negativer Richtung). Wir dürfen Bilder gebrauchen und sollten sie in Unterricht und Predigt verwerten, aber wir müssen nicht. Sie sind nicht heilsnotwendig wie Wort und Sakrament und deshalb nicht geboten. Als Gedankenbilder sind sie unvermeidbar und als Bildrede und Bild — sofern sie sich dem Schriftwort unterordnen — unschädlich und u. U. nützlich und daher nicht verboten. Das Wort muß nicht Bild werden. Der Christ muß nicht Künstler werden. Es ist also ratsam, statt von ‚Recht und Pflicht der Bilder' zu reden, sich an Luthers Formulierung zu halten, der vom ‚nützlichen und seligen Gebrauch' der Bilder spricht[41].

d) Die Zeichen und Bildern gemeinsame Eigenschaft

Zeichen und Bild haben eine gemeinsame Eigenschaft. Sie sind sichtbar. Es kann also sowohl ein Standbild als auch die bildhafte Gleichnishandlung eines Propheten von Gott als signum eingesetzt werden. Daher kommen einige Beispiele Lu-

---

37. Cl I 486, 39—487, 2.
38. Cl I 488, 30 ff. „... sed non ideo sacramenta sunt. Ubique enim deest et institutio et promissio divina, quae integrant sacramentum."
Darum kann ein symbolhaftes Verständnis, wie es etwa Stählin vertritt, sich nicht auf Luther berufen, der sich gerade dagegen wehrt, daß man das Zeichen mit einem Sinnbild verwechselt. Brot und Wein sind nicht von Gott gegebene Sinnbilder, sondern Zeichen, die Gott seiner Verheißung beigab. Es kommt nicht auf den sinnbildlichen Zusammenhang zwischen dem Symbol und dem dadurch dargestellten Inhalt an. Nur kraft des Wortes ist das Brot im Abendmahl Leib Christi.
39. s. o. S. 95 und unten S. 121.
40. Cl. I, 449 = WA 6, 517 f.
41. WA 10/2, 458.

thers für göttliche Zeichen auch als Beispiele für Bilder im Alten Testament vor. Einer großen Anzahl von Beispielen für Zeichen[42] stehen — abgesehen von vielfacher Bildrede und Bildhandlung — als Bilder nur die eherne Schlange, die Cheruben und der Altar von Noah, Abraham und Jakob gegenüber[43]. Der Altar wird nur als Bild gewertet. Als Zeichen entsprechen ihm die himmlischen Flammen, die das Opfer verzehren[44]. Cheruben und Schlangen gehören auch zu den Zeichen[45]. Doch gehört zu den Cheruben als Zeichen die Lade[46], die als Bild gerade nicht genannt wird. Das zeigt den feinen Unterschied. Das Zeichen weist auf Gottes Gegenwart hin, während das Bild nur Kultzubehör ist. Altar, Schlange und Cheruben beweisen das Vorhandensein bildhafter Gegenstände im Bereich des israelitischen Gottesdienstes, die nicht als Götze angebetet wurden. Als einzigen Beleg für einen Bildgebrauch im Alten Testament wie Luther ihn für Christen wünscht, nennt er den Baum der Erkenntnis des Guten und des Bösen. Er wertet ihn auch als Gnadenzeichen[47], obwohl er weder das eine noch das andere war. Das einzige, was er mit signum und Bild gemeinsam hatte, ist die Eigenschaft der Sichtbarkeit. Das an sich unpassende Beispiel vom Paradiesbaum zeigt durch den Kontext das nach Luther Kennzeichnende eines erlaubten und nützlichen Bildes. So wie der Paradiesbaum als Bild die stets sichtbare Mahnung an Gottes Gebot war (als signum wies er auf die schützende, bewahrende Gegenwart Gottes)[48], so sollen Bild und Bildwort sichtbare Erinnerung an Gottes Wort und Tat sein.

e) Das ‚lutherische finitum capax infiniti‘

In der anschaulichen Redeweise Jesu und der Propheten und den sichtbaren Zeichen, die Gott den Verheißungen beigab, sieht Preuß die gleiche ‚Kondeszendenz Gottes, die sich bis zur Fleischwerdung des Sohnes hingibt‘. „Weil das Wort Fleisch ward, darum mußten die Christen Künstler werden.“[49] Das ‚lutherische finitum capax infiniti‘[50] ist für Preuß die Wurzel der Bilderbewertung Luthers und entspricht dem ‚biblischen Welt- und Gottesbild‘. So wie die Menschheit Gefäß der Gottheit wurde, so sollen unserer Welt zugehörige Begriffen und von Künstlerhand verfertigte Bilder die göttlichen Tatsachen fassen. „Und immer wieder muß man es im Fleisch offenbaren, in sinnfällige Formen kleiden ...“[51]

---

42. s. o. S. 97 bei Anm. 7.
43. WA 10/2, 33, 18; WA 10/3, 27, 31.
44. WA 42, 184, 42; WA 49, 74, 37 f.
45. WA 9, 348, 35 f.; WA 42, 184, 35 f.
46. WA 9, 348, 34.
47. WA 42, 184, 39; WA 27, 386, 15.
48. WA 42, 184, 39 ff.
49. Preuß a. a. O. 87.
50. Preuß a. a. O. 63, 87, 219.
51. Preuß a. a. O. 308.

Die Formel ‚finitum capax est infiniti' konnte ich bei Luther selbst nicht finden, und auch bei Calvin ist die Formel ‚finitum non capax est infiniti' nicht nachgewiesen[52]. Es handelt sich weniger um eine Behauptung Luthers, als um die Abwehr einer Konsequenz, die einige Formulierungen Luthers in der Abendmahlsfrage nahe legten.

Es geht hierbei bekanntlich um die Gegenwart Christi im Abendmahl. Luther und Calvin sind sich in der Betonung der tatsächlichen Gegenwart Christi einig. Erst bei der Darlegung der Art und Weise seiner Gegenwart ergeben sich Schwierigkeiten[53]. Der Frage: ‚Wie kann Jesus Christus zur Rechten Gottes im Himmel und zugleich auf Erden im Abendmahl sein?'[54] korrespondiert im Blick auf den Christus incarnatus die Frage: ‚Wie kann die Gottheit Christi auf Erden in Krippe und Kreuz und zugleich beim Vater im Himmel sein?'[55] Es ist im Grunde eine christologische Frage. Ontologisch gestellt — ‚Wie konnte Gott Mensch werden und dabei Gott bleiben?' — ist sie bereits von Duns Scotus und Occam beantwortet worden. Luther wie Calvin geht es nun vor allem darum, die Überlegenheit Gottes über den Menschen auch im Christus incarnatus auszudrücken. Beiden geht es um die Wahrung der Besonderheit und zugleich der Einheit von Gottheit und Menschheit in Christus und um die Wahrheit und Wirklichkeit des sich daraus für uns

52. Alles, was ich gefunden habe, sind die auch von W. Niesel (Die Theologie Calvins S. 115) und O. Weber (Grundlagen der Dogmatik II S. 145 Anm. 1) genannten Stellen in der Institutio: Inst. IV 17, 30; OS 5, 389, 9 und Inst. II 13, 4; OS 3, 458, 9, an denen zwar weder die Formel ‚finitum non capax infiniti' noch die Vokabeln ‚finis' oder ‚capax' vorkommen, die jedoch indirekt ein ‚non capax' aussagen. EKL und RGG[3] bringen zwar die Formel ‚finitum capax infiniti' als Grundsatz Luthers (RGG[3] I 1774, W. Pannenberg; EKL I 767, Lau) und als Antwort der Reformierten den Grundsatz ‚finitum non capax infiniti' (EKL I 767) oder das sog. Extra Calvinisticum (RGG I 1774), aber keine Belegstellen. K. Barth gibt in KD IV/2 S. 73 und S. 82 dem ‚finitum non capax infiniti' eine zweitrangige Bedeutung im Kampf der reformierten Theologie gegen die Weiterentwicklung des Begriffes der ‚communicatio idiomatum' seitens der Lutheraner — leider auch ohne Belegstellen. In KD I/2, 184 f. nennt er nur Inst. II 13, 4 als Einspruch Calvins gegen den Spitzensatz Luthers und der Lutheraner von dem Sein des Wortes allein im Mensch-Sein Christi. Man bestritt das ‚allein'. (Nach meiner Sicht bestritt man damit die Absolutsetzung eines Satzes, der bei Luther nur unter der Voraussetzung des ‚pro me' gilt und so auch von Calvin angenommen wurde). Dies ist ein Rückgriff auf die ältere Christologie. Barth nennt für das ‚extra' Athanasius: De incarn. 17 (E. Jüngel möchte es eher Thomas zuschreiben, Ev. Theol. 31. Jg. Juli 1971, S. 382) und für das ‚non capax' Gregor von Nyssa (Or. cat. 10). Er nennt weiter Augustin, Thomas von Aquino und Luther und betont dabei, daß die reformierte These sich gegen eine aus der lutherischen Position abgeleitete Konsequenz gerichtet habe, nicht gegen den positiven Gehalt der lutherischen These (nicht gegen das ‚totus totus intra carnem', sondern gegen das ‚nunquam et nuspiam extra carnem'). Zu beachten wäre m. E. auch Origenes: „Sed neque rursum anima illa ... contra naturam habuit capere deum, ... vel tota esset in filio dei vel totum in se caperet filium dei", GCS 22, 142, 14—143, 3. Nach A. Köberle, Rechtfertigung und Heiligung S. 132 Anm. 2 ist die Formel ‚infinitum capax finiti' zuerst von Brunstäd geprägt worden.

53. anders Sommerlath in RGG[3] I 36.

54. WA 23, 131 ff.; WA 23, 318 = Cl III, 389.

55. WA 23, 139, 31—141, 6.

ergebenden Heiles. Beide denken dynamisch, beiden stehen aber nur ontologische Begriffe zur Verfügung. Sie müssen also, um die alten ontologischen Formeln soteriologisch zu füllen, das ontologische Gefüge zerbrechen[56]. Nun ist das soteriologische Anliegen bei Calvin — entsprechend seinem etwas anderen christologischen Anliegen — anders akzentuiert als bei Luther.

Luther bemüht sich bei seiner Antwort, die Gegenwart der Gottheit Christi zu sichern und zugleich die Einheit der menschlichen und göttlichen Natur in der Person Christi zu wahren. Die Frage lautet entsprechend für ihn: ‚Wie kann Christus im Himmel zur Rechten Gottes und zugleich auf Erden im Abendmahl sein, ohne daß die Einheit der Person Christi zerstört wird?'[57] Soll das Abendmahl nicht zur leeren Gedenkfeier werden, muß Christus seiner Gottheit nach da sein. Aber „wo du mir Gott hinsetzest, da mußtu mir die menschheit mit hin setzen. Sie lassen sich nicht sondern und von einander trennen"[58]. Es muß der ganze Christus[59] nach seiner Gottheit und seiner Menschheit da sein. Deshalb betont Luther bewußt die „leibliche Gegenwart Christi"[60]. „Ich lass mir den leib Christi vom wort nicht scheiden"[61]. Deshalb kann die Abendmahlsfrage für Luther auch lauten: „Wie kann Christi leib und blut zu gleich im himel und im abendmahl" sein?[62]

Luther sieht sich gezwungen, zu beweisen, wie Christi Leib im Abendmahl sein kann, obwohl der Auferstandene gen Himmel aufgefahren ist und „zur Rechten Gottes sitzt"[63]. Dabei scheint bei Luther durch die Benützung der ihm durch Biel überlieferten Occamschen Ubiquitätslehre der Leib Christi zu einem ‚Scheinleib' geworden zu sein[64]. Das war nicht Luthers Absicht. Er selbst wirft Schwenckfeld den „heimlichen Eutyches vor"[65]. Er gibt zu: Christi Blut ist im Himmel[66]. Christus ist jetzt (nach der Auferstehung) für uns unbegreiflich geworden[67]. Darum wird sein Leib im Abendmahl nicht so gegessen wie anderes Fleisch gegessen werden kann[68].

Es geht Luther nicht um Brot und Wein, auch nicht um Fleisch und Blut; es geht letztlich nicht einmal um das Vorhandensein des Leibes Christi, sondern um die Einheit der Person Christi und vor allem um die Kraft des Abendmahls, d. h. es geht um die Zueignung von Tod und Auferstehung, um die Austeilung der von Jesus Christus am Kreuz erworbenen Vergebung. Es geht darum, daß *jetzt*, in dem Augenblick des Empfangens von Brot und Wein, Christi Blut *für mich* vergossen und Christi Leib für mich dahin-

---

56. Beide fußen auf Augustin. Vgl. etwa: „... sit tota intra omnia et tota extra omnia, nusquam inclusa aut exclusa, omnia continens a nulla contenta." Synt. Theol. chr. 1609 col 937, zitiert nach Barth KD II/1, 530.

57. WA 23, 136, 4 ff. und 140, 4 ff. 25 ff.; Cl III, 393 f. = WA 26, 324 f.; Cl III, 405, 15 = WA 26, 340; Cl III, 407, 4 = WA 26, 342.

58. Cl III 397, 18 f. und 30 f. = WA 26, 332 f.

59. WA 10/1, 188, 6−9.

60. WA 23, 259, 13 f.

61. WA 23, 257, 15 ff.

62. WA 23, 137, 4 f.

63. Cl III 379, 25 f. = WA 26, 300, 2 f.; Cl III 386, 3 = WA 26, 314; Cl III 389, 1 f. = WA 26, 318; WA 23, 153, 11 f.

64. Cl III 404 = WA 26, 339 f.; Cl III 395 = WA 26, 328; WA 23, 137, 20 f.

65. WA 39/2, 95 Nr. 31.

66. WA 8, 512.

67. WA 23, 150, 28; WA 46, 330, 3 ff. (und 331, 20−31).

68. Cl III 460 = WA 26, 442.

gegeben wird[69]. Unter dem Handeln Gottes in Christus und im Abendmahl zerbricht für Luther das irdische Zeit- und Raumgefüge. Für den, der im Glauben am Abendmahl teilnimmt, wird in diesem Augenblick Christi Blut vergossen.

Diese Kraft des Abendmahls ist gebunden an das Wort Christi bei der Einsetzung: „Das ist mein Leib, der für euch gegeben wird". Nur wenn dies Wort wahr ist, hat das Abendmahl die genannte Kraft[70]. Darum betont er die Worte: „Das ist mein Leib"[71]. Es dreht sich zwar alles um das Wort „Leib", es geht aber nicht um das Vorhandensein des Leibes, sondern um die Wahrheit der Verheißung Christi: „gegeben für dich". Die christologischen Aussagen Luthers im Abendmahlsstreit dürfen nicht gepreßt und in einseitiger Konsequenz zu Ende gedacht werden. Alles, was Luther hier sagt, gilt unter dem Vorzeichen: ‚pro me'. Wird dieses außer acht gelassen, erhalten sämtliche Aussagen Luthers eine falsche Richtung. Für uns hat Gott sich zwar an sein Wort gebunden. Er selbst aber ist frei und ungebunden. Er kann tun, was er will und Gott tut vieles, was er uns nicht offenbart[72]. Man muß nach Luther unterscheiden „inter Deum praedicatum et *absconditum*". Luther warnt davor, etwas von Gott wissen zu wollen, was er uns nicht durch sein Wort offenbart hat, warnt an anderer Stelle davor, Gott zu suchen, wo er sich nicht finden lassen will. Gott hat sich für uns an sein Wort und die Sakramente gebunden. Wo anders finden *wir* ihn nicht. Für uns erkennbar ist nur der im Wort geoffenbarte Wille Gottes. Für uns ist Gott nur in Christus zu finden und da ganz und da bei der Menschheit Christi, die uns zur Gottheit führen soll[73]. ‚Pro me' wird die Vergebung beim Abendmahl ausgeteilt; Christi Blut wird jetzt für mich vergossen, obwohl Christi Blut jetzt im Himmel ist und damals, als er es sagte, noch nicht vergossen war[74]. Darum: im Abendmahl genieße ich Christi Leib und Blut, obwohl Wein und Brot sich nicht verändern und ich daher Christi Fleisch nicht esse und greife wie anderes Fleisch auch[75].

Für Calvin lautet die durch den Abendmahlsstreit gestellte christologische Frage: „Wie kann Jesus Christus im Himmel zur Rechten Gottes und zugleich auf Erden im Abendmahl sein, ohne daß dabei die Gottheit in der Menschheit gefangen wird, ohne daß dabei die beiden Naturen vermischt werden, ohne daß dabei Christi Leib zu einem Scheinleib und unsere Auferstehungshoffnung vernichtet wird"? Es geht ihm um die Wahrung der Freiheit Gottes. Die Gottheit kann nicht in das Gefängnis der Menschheit gebannt werden. Diese Gefahr entsteht bei bestimmten christologischen Aussagen Luthers, sobald das „pro me" außer acht gelassen wird[76]. Hier hat das „finitum non capax infiniti" seinen Ort[77]. Es trifft aber nur den in einseitiger Konsequenz ausgelegten Luther. Er selber sagt: „Die göttliche Gewalt kann nicht beschlossen und abgemessen sein ..."[78]. „... daß die ganze Welt (zwar) Gottes voll ist und er sie alle füllet, aber doch nicht von ihr beschlossen oder umfangen ist"[79]. Aber für uns hat Gott sich in die Menschheit hinein-

---

69. WA 18, 204, 6—8; 205, 13—28.

70. WA 23, 150, 13 ff. und 29 ff.

71. WA 23, 254, 30 ff.

72. WA 23, 150, 4; Cl III 177, 26—30, 35—39; 178, 2 f. = WA 18, 685.

73. WA 23, 150, 21 ff.; WA 10/1, 188, 6—8; 154, 11.

74. WA 18, 205, 8—15. 26 f.

75. Cl III 460.

76. WA 10/1, 1, 157, 8 f.; 179, 12—14; 186; 188; WA 23, 131.

77. s. o. Anm. 52.

78. WA 23, 132, 26 ff.

79. WA 23, 134, 34 ff.

gegeben[80]. In Christus ist die ganze Gottheit für uns da, und außer Christus gibt es für uns keinen Gott[81]. Auch Christi Gegenwart ist für uns an das Wort gebunden und wer dies hat, hat darum die ganze Gottheit[82]. Alle diese Aussagen werden falsch, wenn sie absolut gesetzt werden und unter Absehung des „lutherischen pro me" verstanden werden. So ist Calvins „non capax" eine Warnung davor, gewisse christologische Aussagen Luthers einseitig konsequent durchzuziehen.

Die Weise, in der Preuß im Blick auf Luthers Stellung in der Bilderfrage von einem „lutherischen finitum capax infiniti" redet, muß zumindest als ungenau bezeichnet werden. Luther selbst betont ausdrücklich: „Die Gottheit wird nicht von der Menschheit umschlossen".

„Die Welt ist viel zu klein, um Gott fassen zu können."[83] „Pro me" ist Gott in seinem Sohn „in unseren Schlamm getreten"[84]. Darum haben wir unsere Blicke auf Christi Menschheit zu richten, um zur Gottheit zu gelangen. Der auferstandene Herr ist uns unerreichbar. Aber durch sein Wort hat er sich uns im Abendmahl greifbar gemacht[85]. Dennoch meint Luther nicht, daß Brot und Wein durch die sakramentale Einheit mit Leib und Blut Christi zu Gefäßen der Gottheit geworden seien, in denen wir Gott — sozusagen eingesperrt — ontisch zur Verfügung hätten. Gott hat nicht seinen Sohn an die Abendmahlselemente gebunden, sondern die Verheißung, daß er dort zu finden sei[86]. Luther begründet nicht die Wirksamkeit der sakramentalen Zeichen mit einem ‚finitum capax infiniti', sondern gerade umgekehrt die Notwendigkeit dieser Zeichen damit, daß wir „in hac corrupta natura, quae omnino non est capax divinitatis, non possumus eum ferre et conspicere, qualis est"[87]. Gemeint ist die durch den Sündenfall verderbte menschliche Natur. Wir sind nicht mehr fähig, Gott „facie ad faciem ... in sua substantia, maiestate et gloria" zu sehen. „Post hanc vitam" werden wir sein wie die Engel „sine

80. WA 10/3, 346, 7.

81. WA 10/1, 157, 8.

82. WA 10/1, 188, 6—8; WA 23, 150, 14.

83. WA 26, 339, 34; WA 23, 132, 19 ff.; WA 134, 34—136, 2; EKG 15, 3; s. Barth KD I/2, 43.

84. WA 10/3, 346, 7; „Manifestavit se primum per verbum, deinde ponit etiam signum. Wort ist ebenso unbegreiflich als zeichen. Ist ungleublich, quod Dei filius pro me etc. Non can Got ergreifen, per rationem ... Sed in Ecclesia ... ‚Qui vos audit'. Item qui baptisatus. Da sehe ich ihn in aqua. Item ‚hoc corpus'. Da sehe ich ihn in leib und blut, und reichlich se manifestavit et totum mundum implevit suo verbo et signo, quibus se revelat suo populo." WA 49, 78, 16 ff.

85. WA 23, 150.

86. Cl I 466.

87. WA 39/1, 217. Den Hinweis auf diese Stelle entnehme ich aus: ‚Die Bilderfrage in der Reformationszeit' von Hans Freiherrn von Campenhausen ZKG 68 (1957), der sie allerdings als Belegstelle Luthers für die Erlaubtheit von Bildern undarstellbaren göttlichen Gehaltes wertet. Es handelt sich um die Antwort Luthers auf ein Argument gegen eine seiner Thesen innerhalb einer Promotionsdisputation. WA 39/1, 202 ff.

lege iusti, ut pura creatura Dei". Dann werden wir Gott unmittelbar schauen[88]. Verbum und signum externum (columba, linguis ignitis, baptismum, voce humana) sind Hilfsmittel, mit deren Hilfe wir „videmus et audimus Spiritum Sanctum." So „trahunt nos ad interiora sicut piscis hamo trahitur"[89]. Nach anderen Handschriften vergleicht Luther die externa mit dem Köder an der Angel[90]. Durch diese Sicht der Sakramente und anderer Zeichen wird Gott keineswegs seiner Freiheit beraubt. Sie sind Werkzeuge in seiner Hand.

Gott benützt die menschliche Stimme und äußere Zeichen, um sich uns hörbar und greifbar zu machen, hörbar in der Predigt, greifbar im Sakrament. So haben wir Gott im Glauben an seine Verheißung. Die mit einem Verheißungswort verbundenen signa externa et visibilia sind nicht Offenbarungsträger, die ex opere operato wirken, sondern Offenbarungsmittel, deren sich der Heilige Geist bedient, um den Menschen, dem an sich Gottes Welt verschlossen ist „per visibilia et externa ... ad interiora et invisibilia" zu führen[91]. Der Glaube hat der durch das Wort gegebenen Verheißung zu entsprechen[92]. Bilder gehören nicht zu diesen Offenbarungsmitteln.

In seiner großen Genesisvorlesung bemerkt Luther im Jahre 1535:

> „Decretum damnat ἀνϑρωπομορφήτας, quod de Deo loquerentur tanquam de homine, tribuerent ei oculos, aures, brachia, etc. Iniusta vero damnationis causa. Quomodo enim aliter homines inter homines de Deo loquantur?"[93]

Dazu bemerkt Preuß: „Hier ist etwas grundlegend Wichtiges ausgesprochen: Das lutherische finitum capax infiniti wird lebendig, in dessen Hintergrund immer der große Satz steht, daß das Wort Fleisch ward."[94]

---

88. Es geht hier um den Begriff „causa sine qua non". Die von mir herangezogene Stelle ist die Antwort Luthers auf Argumentum 9 contra propositum 24.
23: Ita Angeli et beati in coelo non debent esse, sed sunt sine lege iusti, ut pura creatura Dei.
24: Cessabit enim tunc et ipsa fides, reputatio Dei et remissio peccatorum, cum universo spiritus ministerio.
25: Neque tunc amplius oratione Dominica neque Symbolo neque Sacramentis utemur, aut opus (Bl. K 6) habebimus.
Im Argument 9 wird ausgeführt, da der Heilige Geist von gleichem Wesen wie Gott Vater und Sohn sei, würde er immer mit dem Vater und dem Sohn zusammenwirken. Wie kann Luther da behaupten, er ruhe dann? Luthers Antwort: In jenem Leben brauchen wir den Dienst, den uns der Heilige Geist leistet, nicht mehr, sondern ‚videbimus eum, qualis est.'
89. WA 39/1, 217, 24 ff. (Helmstedter Nachschrift). Dies entspricht den zu dieser Disputation aufgestellten Thesen 9 und 10.
9: Necesse tamen est, eam etiam per verbum et signum externum, hoc est, minis et promissis admoneri et incitari.
10: Placuit enim Deo per ministerium verbi et Sacramenti spiritum distribui et augeri.
90. WA 39/1, 217, 7 ff. (Hamburger Nachschrift); 217, 17 ff. (Gothaer Nachschrift).
91. WA 39/1, 217, 7 und 3.
92. WA 8, 511 f.; WA 23, 150.
93. WA 42, 12, 8–10.
94. Preuß a. a. O. 219.

Wie in der eben erwähnten Disputation von 1537 geht Luther auch hier von einem ‚non capax' aus. Die durch den Sündenfall zerstörte menschliche Natur ist nicht mehr fähig, Gott „nudum cognoscere seu comprehendere, qualis sit"[95]. Darum offenbart Gott sich durch sein Wort und seine Werke[96]. Solche Werke sind z. B.: „quod condidit coelum et terram, quod misit Filium, quod per Filium loquitur, quod baptisat, quod per verbum a peccatis absolvit. Haec qui non apprehendit, is Deum nunquam apprehendet."[97] Hier will der unbegreifbare Gott sich von Menschen greifen lassen. Die Juden, die „relicto verbo singuli suas cogitationes sequuntur", hatten aus diesem Grunde „idola sua et lucos"[98]. „Sine et extra verbum Dei"[99] kann nichts über Gott gedacht oder gesagt werden. Diese Partie in der Genesisvorlesung ist die einzige von mir gefundene Äußerung Luthers, an der er innerhalb eines Abschnittes zugleich auf die Offenbarungsweise Gottes durch Wort und Werke auf die Weise des Menschen von Gott zu reden, eingeht. Es besteht hiernach in der Tat für Luther eine Entsprechung der Art, in der der Mensch von Gott redet, zu der Art, in der Gott zum Menschen redet. Wir wissen nichts von Gott außer dem, was er uns durch seine Taten, durch Prophetenmund und durch Zeichen gezeigt hat. Anthropomorphismen, die ebenso wie die signa sacramentalia Hüllen (involucra) und Erscheinungsformen (apparitiones) sind, sind nicht, wie ein päpstliches Dekret es tut, zu verdammen[100], sondern erlaubt, weil die Schrift sie reichlich gebraucht. Die Notwendigkeit der signa sacramentalia und der anthropomorphen Redeweise über Gott hat einen gemeinsamen Grund: Gott kann von uns ohne Verhüllung weder wahrgenommen noch geschildert werden. „Ideo involucra ista necessaria sunt." „Necesse enim est, ut Deus, cum se nobis revelat, id faciat per velamen et involucrum quoddam et dicat: Ecce sub hoc involucro me certo apprehendes."[101] Während vor der Menschwerdung des Sohnes Gottes viele sichtbare Dinge von Gott durch sein Wort zu signa sacramentalia gemacht wurden, sind nach der Menschwerdung lediglich Taufwasser und beim Abendmahl Brot und Wein signa sacramentalia. Die Verbindungslinie zwischen signa sacramentalia und Menschwerdung besteht nur darin, daß es bei beiden um Offenbarung geht. Während aber in Christus Gott selber sich offenbart, sind die signa sacramentalia nur äußere Offenbarungsmittel. Die Gegenwart Gottes wird durch den Heiligen Geist bewirkt. Es handelt sich nicht um eine Möglichkeit des Endlichen, sondern um eine Unfähigkeit des Menschen und eine Möglichkeit Gottes. Die Unterschiede zwischen signa sacramentalia und sichtbaren Zeichen und Bildern ohne Verheißung müssen auch hier beachtet werden. Die Notwendigkeit der bildhaften Ausdrucksweise ist eine Folge des Ver-

---

95. WA 39/1, 217; WA 42, 10, 1.
96. WA 42, 11, 25 u. ö. „Nam in verbo et operibus se nobis ostendit".
97. WA 42, 12, 38 — 13, 6.
98. WA 42, 11, 38 f.
99. WA 42, 11, 35.
100. WA 42, XIX, 23 und 12, 33.
101. WA 42, 10, 1 und 12, 36 f.; WA 42, 12, 21 f.

lustes der Unmittelbarkeit des Menschen zu Gott durch den Sündenfall. Ihre Erlaubtheit gründet in der Güte Gottes. Zu der anthropomorphen Redeweise von Gott als einem alten Mann, die allerdings häufig auf Leinwand und Papier, in Holz und Stein festgehalten wurde, sagt Luther in einer Predigt:

> „Deus non ist menschlich bild, ut Daniel ⟨Dan. 7, 13⟩ malet: Ein schon, alt man, hat schne weis har, bard, rotae etc. et strale giengen etc., non habet nec barbam, har etc. et tamen sic pingit deum verum in imagine viri antiqui. Sic mus man unserm herr Gott ein bild malen propter pueros et nos, si etiam docti. Ipse met se dedit in humanitatem, qui unbegreiflich gewest. Christus dicit: ‚qui me‘ ‚et patrem videt‘ etc. Man kan die geistlichen sachen nicht begreiffen, nisi in bilder fasse.“[102]

Luther scheint in dieser Nebenbemerkung die Möglichkeit eines Gottesbildes durch die Menschwerdung zu begründen. Es besteht aber für Luther zwischen der Menschwerdung und der Darstellung Gottes als altem Mann kein kausaler Zusammenhang. Es handelt sich hier um eine Schilderung Gottes, nicht um ein Gottesbild. Diese Schilderung hat bereits ein Prophet des Alten Testamentes gegeben. Luther sagt nicht: Seit oder weil Gottes Sohn Mensch geworden ist, dürfen wir uns Gott als Mensch vorstellen, sondern: Auch Daniel hat Gott wie einen Menschen beschrieben mit Bart und Armen, obwohl jeder weiß, daß Gott keine menschliche Gestalt hat. Gott selbst hat sich ja noch viel weiter herabgeneigt. Er ist in seinem Sohne in die Menschheit hinabgestiegen, ist Mensch geworden, hat sich für uns in Jesus Christus sichtbar und greifbar gemacht; er, der unbegreifbar ist. Es liegt höchstens ein Analogieschluß vor. Gewiß führt bei Luther eine Linie von den sakramentalen Zeichen zur Menschwerdung, aber keine von der Menschwerdung zur Bildrede oder gar zum Bild. Die Menschwerdung wird bei Luther weder als „tiefster Grund“ eines ‚finitum capax infiniti‘ gesehen, noch bedingt sie die Notwendigkeit einer künstlerischen Ausdrucksweise der christlichen Verkündigung.

3. Offenbarung und Bild

Grundlage der Erlaubtheit und Notwendigkeit der Bilder kann die Menschwerdung nur sein, wenn dem Bilde Offenbarungscharakter zugebilligt wird[103]. Auch Luther kennt den Sprachgebrauch des Wortes „Bild“ für „Offenbarung“[104]. Das offenbarende Bild unterscheidet Luther deutlich von dem, was er i. a. als „Bild“ bezeichnet, als das „rechte Bild“. Zum „rechten Bild Gottes“ gehört, daß es des-

---

102. WA 46, 308 (zu Joh. 14, 9). Die Gefahr dieses Bildes hat Luther gesehen. s. u. S. 111 bei Anm. 107.

103. Zwar sagt Preuß a. a. O. 308: „und immer wieder muß man es im Fleisch offenbaren, in sinnfällige Formen kleiden ... Darum muß der Prophet ein Künstler sein.“, zeigt aber durch den Kontext, daß er das Wort „offenbaren“ hier nicht in der Tiefe seiner Bedeutung gebrauchte.

104. WA 37, 648, 23 und 454 ff.

sen wahres Wesen wiedergibt und daß es lebendig ist. Auch die Natur, die Luther „Bild und Gleichnis" nennen kann, bringt keine Offenbarung Gottes, geschweige denn ein von Menschenhand verfertigtes Bild. Die Natur ist nur die Maske[105]. Sie gehört zu den Werken Gottes, den involucra, durch die er sich uns — verborgen — offenbart. Als Offenbarung verstehen kann diese Werke nur, wer das Wort Gottes hat. Das Bild aber ist noch weniger als die Maske der Natur. Das Bild ist tot. Es zeigt nur die äußere Gestalt und hat nicht das Wesen des Dargestellten.

Das gilt auch von dem Bild eines Menschen. Ein Porträt kann wohl Wesenszüge eines Menschen deutlich machen, bleibt aber dennoch ein toter Gegenstand[106]. Wir verstehen heute unter „Wesen" etwa den Charakter eines Menschen. Luther verstand unter „Wesen" das, was der lateinische Begriff „substantia" meinte. Das Bild gibt nur die äußere Hülle wieder, ist nicht die Person selber. Als Heiligenbild erweckt oder versucht es den Anschein zu erwecken, als lebe es. Darin liegt die Gefahr, daß der Betrachter dem Irrtum verfällt. Das Bild ist tot, der Betrachter aber verleiht ihm durch seinen Irrglauben falsches Leben. Darum hat Luther eine bestimmte Art von Madonnen- und Heiligenbilder abgelehnt.

Ein rechtes Gottesbild kann die Darstellung Gottes als eines alten Mannes niemals sein. Es ist nur eine Konzession an Kinder. Luther hat dies Bild nicht gern gesehen[107]. Das rechte Bild Gottes, das Leben in sich hat und Gottes Wesen, das uns Gott selber nahe bringt; das uns Gott offenbart, qualis est, ist nach Luther Christus; Gottes Wort; das Evangelium, das durch den Glauben aufgenommen und festgehalten den Glaubenden selbst zum rechten Bild Gottes macht; die in der Taufe Jesu Christi einmal für alle Zeiten sichtbar gewordene Dreieinigkeit Gottes, heute bei der Taufe unsichtbar gegewärtig in Gottes Wort und Namen; verbo und signis bei Taufe und Abendmahl[108].

4. Der christologische Hintergrund

Nach Johannes Damascenus lief die Behauptung der Bildergegner, es sei Sünde, wenn wir uns danach sehnen, Christi Antlitz zu schauen, auf die Leugnung des Geheimnisses der Menschwerdung hinaus.[109] Auch Theodorus Studita hielt daran fest: Der Logos ist doch selbst in menschlicher Gestalt erschienen „obschon er nicht mitumschrieben noch bildlich dargestellt wird, da er ja seiner eigenen Natur nach unsichtbar ist. Aber weil er der Person nach eins ist und unteilbar, darum wird er auch zugleich mit der menschlichen Natur zum Bewußtsein gebracht."[110] Mit diesen Sätzen die Worte Luthers zu vergleichen, ist aufschlußreich:

---

105. WA 19, 492, 19; WA 40/1, 174, 3.
106. WA 50, 276 f. (1538); WA 10/1, 1, 155, 7 ff.
107. WA 33, 449 f.
108. WA 10/1, 1, 155 und 187; WA 37, 452 ff. und 648; WA 46, 308; WA 49, 78, 16 ff.
109. nach von Campenhausen: Die Bilderfrage als theologisches Problem der Alten Kirche, S. 53 f.
110. zitiert nach von Campenhausen a. a. O. 55.

„Ipse met se dedit in humanitatem, qui unbegreiflich gewest. Christus dicit: ‚qui me‘, ‚et patrem videt‘. — „Denn ich wolle odder wolle nicht, wenn ich Christum hore, so entwirfft sich ynn meym hertzen eyn mans bilde, das am creutze henget, gleich als sich meyn andlitz naturlich entwirfft yns wasser, wenn ich dreyn sehe, Ists nu nicht sunde sondern gut, das ich Christus bilde ym hertzen habe, Warumb sollts sunde seyn, wenn ichs ynn augen habe?"[111] Trotz oder gerade in der scheinbaren Ähnlichkeit dieser Äußerungen über das Christusbild erkennt man den großen Unterschied zwischen den Bilderfreunden des 8. Jahrhunderts und Luther. Sie sind sich darin einig, daß wir in Christus Gott in menschlicher Gestalt vor uns haben. Während jedoch die Sieger des nicänischen Konzils von 787 die Notwendigkeit des Christusbildes für den christlichen Glauben behaupteten und — mit ihren Gegnern — die Bilderfrage auf dem Feld der Christologie ausfochten, übergeht Luther die gesamte Problematik des 8. Jahrhunderts mit Stillschweigen und setzt das Christusbild als eine Gegebenheit voraus. Das Bild Jesu Christi ist für ihn weder notwendig noch problematisch, sündhaft und verboten, sondern einfach da im Herzen eines jeden rechten Christen, so wie das Spiegelbild einfach da ist, wenn man ins unbewegte Wasser schaut.

Da jedoch von reformierter Seite aus die christologischen Argumente der Bildergegner des 8. Jahrhunderts aufgenommen werden, muß Luther, der das Christusbild nicht nur erlaubt und gebraucht, sondern geliebt und verteidigt hat, gefragt werden, welche Bedeutung das gemalte und in Gedanken geschaute Christusbild haben kann und darf. Luther hat sich hierzu nicht direkt geäußert. Deshalb sind wir auf Bemerkungen Luthers angewiesen, die zeigen, welche Bedeutung das Christusbild für ihn selbst hatte.

Es gibt ein Bildwort Jesu, das Luther mit Freuden aufnahm, geradezu liebte und immer wieder erwähnte.

„Sihe der hennen und yhren küchle tzu, da sihistu Christum und dich gemalet und controfeyet, baß denn keyn maler malen kann."[112] Luther zeigt mit der hohen Bewertung dieses Bildwortes von der Vogelmutter mit ihren Kücken zugleich, was er von einem guten Christusbild erwartet: Ein Bild Christi soll nach Luther weder den Menschen Jesus zeigen noch die Gottheit Christi oder die Einheit der Gottheit und Menschheit in dem fleischgewordenen, auferstandenen und zur Rechten Gottes thronenden Jesus Christus offenbaren, vergegenwärtigen oder auch nur andeuten, sondern den Betrachter an das, was Gott in Jesus Christus für ihn getan hat und noch tut, erinnern.

„... wil ich nicht anfechten, das Christus nach der aufferstehung die Wunden oder Negelmal habe behalten. Doch so fern, das solchs nicht scheußlich sehe wie sonst, sondern *tröstlich*. Es mag sein, daß er die Narben von seinem

---

111. WA 46, 308, 3; WA 18, 83, 9—13.
112. WA 10/3, 136, 27; oder WA 10/1, 1, 283 f. Das Bild von Christus als der Vogelmutter geht wohl auf die Bildrede Jesu (Matth. 23, 37) zurück. Es wird von Luther überaus gern und oft gebraucht. Preuß bringt 26 Belegstellen (a. a. O. 16).

Leiden in Henden, Füssen und Seiten habe behalten. Aber ob sie noch frisch, offen und rott solten gewest sein, wie die Maler malen, lasse ich andere örtern. Sonst ists seer fein das furgebildet werde fur den gemeinen man, das er ein gedechtnis und Bilde habe, *das in erinnere und vermane,* des Leidens und der Wunden Christi."[113]

Ein Christusbild recht malen, heißt daher weder den Gekreuzigten in seiner menschlichen Qual möglichst wahrheitsgetreu nachempfinden, noch den Sohn Gottes hoheitsvoll und erhaben über alles Leid in seiner göttlichen Würde präsentieren, sondern Leiden und Auferstehen Jesu Christi dem geängsteten Menschen so vor Augen führen, daß er getröstet wird. Wer ein solches Bild recht betrachtet, dem sagt das Bild der Kreuzigung: Er hat deine Sünden getragen; das Bild des Auferstandenen: Auch du wirst leben; das Bild von der Höllenfahrt: Jesus Christus ist der Herr über Sünde und Tod; das Bild von der Henne und das Hirtenbild: So sicher bist du bei ihm aufgehoben[114]. Das Kruzifix enthält für Luther alles, was Christus für ihn getan hat: Geburt, Tod, Auferstehung und zugleich alles, was Christus für ihn tun will. Darum entspricht das Kruzifix für ihn am stärksten seiner dem christlichen Bildgebrauch gestellten Forderung: Das Bild soll auf das Werk Gottes in Christus hinweisen:

„Expansis manibus pendet in cruce quasi nos verbis ut Matth. 11 citatis vocaret: Venite ad me omnes."[115]

Das Charakteristische des Bildes, das sich im Herzen Luthers entwirft, wenn er den Namen Christi hört, besteht also weniger darin, daß er einen Mann, d. i. also einen Menschen sieht, als darin, daß er einen Mann am Kreuze sieht[116]. Nicht wie Jesus dargestellt wird, als Mensch, als Gott, mit frischen Wunden oder nicht, entscheidet darüber, ob es ein tröstliches Bild ist, sondern, was Jesus auf dem Bild tut. Das entspricht dem Begriff der „Menschheit Christi" bei Luther. Er versteht darunter nicht allein, daß Gott Mensch geworden ist, sondern vor allem, daß er für uns gelitten hat[117]. Die Problematik des Christusbildes für das 8. Jahrhundert, die in der Verbindung der göttlichen und menschlichen Natur in der Person Jesu Christi wurzelt, besteht für Luther nicht, weil er in einem Christusbild nicht die Darstellung oder Repräsentation der Person Jesu Christi nach ihrer göttlichen oder menschlichen Natur oder der Verbindung beider, sondern die Erinnerung an das Werk Jesu Christi sah. Auch das Kruzifix ist darum im Grunde für Luther ein ‚Geschichtsbild‘, wenn auch das wichtigste und eindringlichste, weil es die tröstlichste Geschichte, die es für einen Menschen geben kann, erzählt. Das Bild Gottes, das Christus uns zeigt, ist weder die äußere Erscheinungsweise Jesu noch sein göttliches Wesen, sondern sein Tun und Handeln, seine Worte, sein Leiden, sein Ster-

---

113. WA 49, 159, 30—37 (Kursivsetzung ist von mir).
114. WA 28, 137, 7 f.
115. WA 48, 169, 16 (Bucheintragung).
116. WA 18, 83, 9.
117. s. WA Br I 327 ff. (Wer Gott recht erkennen will, muß auf die Menschheit Christi schauen, sich sein Leben und Leiden vergegenwärtigen).

ben, sein Auferstehen für uns. Von diesem Verständnis Christi als des Bildes Gottes aus ergibt sich keine Grundlage für die Argumentation des 8. Jahrhunderts.

Die sich aus der Christologie Luthers ergebende Bedeutung des Bildes Jesu Christi kann nicht mit der Formel „finitum capax infiniti" wiedergegeben werden, die so nicht einmal für das Verständnis der „Menschwerdung" bei Luther zutrifft, geschweige denn für die Möglichkeit eines Bildes, sondern nur mit den Worten Luthers als „Erinnerung und Vermahnung" an das, was Gott in seinem Sohne Jesus Christus für uns getan hat und damit als Aufruf, das Evangelium zu hören. Das Christusbild kann bei seiner Auffassung von der Aufgabe eines christlichen Bildes lediglich das beste aller Bilder sein, die Gottes Geschichte in Jesus Christus wiedererzählen.

5. Theologische Grundlage der positiven Bilderlehre Luthers

Die Bilderfrage war für Luther kein theologisch wichtiges Problem, sondern nur eine Randfrage. Daher hat er es nicht für nötig gehalten, seine Stellung in der Bilderfrage geschlossen darzulegen und theologisch zu begründen. Die ihm abgeforderte Begründung durch die Heilige Schrift ist direkt nicht möglich. Die am meisten von ihm selbst genannte Begründung ist keine theologische, sondern eine anthropologische: „Quomodo enim aliter homines inter homines de Deo loquantur?"[118] Dahinter steht allerdings ein theologisches Verständnis des menschlichen Unvermögens, von Gott adäquat zu reden: Es beruht auf Schuld und Strafe. Der Mensch hat die Unmittelbarkeit zu Gott verwirkt[119]. Die positive Einstellung Luthers zur Bildersprache und zu einem bestimmten Bildgebrauch wird von ihm zwar nicht ausdrücklich theologisch begründet, ist aber in seiner Theologie fundiert. Die Bilderlehre Luthers gründet ebensowenig allein in seiner Christologie wie seine Sakramentslehre allein durch seine Christologie ausgerichtet ist. Luthers Theologie ist soteriologisch bestimmt. Er geht aus von der Schuld und Not des Menschen und von seinem Unvermögen, sich selbst zu helfen. Gottes Majestät ist unangreifbar. Aber der Mensch ist ständig in Gefahr[120]. Darum lautet Luthers Fragestellung in der Bilderfrage nicht: Verletzt das Bild Gottes Ehre? sondern: Schadet oder nützt das Bild dem Menschen, d. h. führt es zu Gott hin oder von Gott fort?[121] Die Antwort auf die Luther bedrängende Frage: ‚Wie kann dem Menschen geholfen werden?', lautet nicht nur: ‚Gott allein kann helfen!', sondern: ‚Gott hilft in Jesus Christus, dem Sohne Gottes, der für mich Mensch geworden, gestorben und auferstanden ist'. Der Angelpunkt der Theologie Luthers und damit seiner Stellung in der Bilderfrage ist die Güte Gottes, seine Liebe zum Menschen, zu mir und dir. Als für Luthers Theologie kennzeichnende lateinische Formel würde ich daher nicht das bei Luther m. W. gar nicht vorkommende „finitum

---

118. s. o. S. 108 Anm. 93.
119. WA 39/1, 217; s. o. S. 109 f.
120. Vgl. Luthers Auslegung der 1. Bitte des Vater Unsers im GK, Bek. Schr. 670, 30 ff.
121. WA 10/1, 1, 74 f.

capax infiniti", sondern das von Luther sehr oft genannte „pro me" ansehen[122].
„Das heist dan gott recht erkennet, wan man yhn nit bey der gewalt odder
weyßheit (die erschrecklich seynd), sundern bey der gute und liebe er-
greyfft."[123]
Gottes Güte ist es, die sich uns in Wort und Werk offenbart. Gottes Güte ist es,
die seinem Wort immer ein signum externum et visibile beifügt, um die Glaubens-
gewißheit des Menschen zu stärken[124]. ‚Pro nobis' hat Gott seinen Sohn in die
Welt gesandt[125]. ‚Pro nobis' ist dieser gestorben und auferstanden[126]. Um unsertwillen hat er die Verheißung seiner göttlichen Gegenwart durch sein Wort an die
sakramentalen Zeichen von Taufe und Abendmahl gebunden, damit wir ihn dort
gewiß finden[127].
Um unsertwillen verwandte Jesus dem Alltag entnommene Gleichnisse, damit wir
sein Wort umso besser verstehen und behalten können[128]. Gottes Güte ist es, die
sich unserer Sprache bedient und es uns ermöglicht und erlaubt, in Begriffen und
Bildern, die unserer Vorstellungswelt entnommen sind, von und zu ihm zu reden.
Darum dürfen wir auch gemalte Bilder haben und gebrauchen, sofern sie an Gottes Wort festhalten und so der Verkündigung und Ermahnung dienen.
  Luther sieht in der Tat in der Menschwerdung, in einfachen und sakramentalen
Zeichen, in Bildrede und Bild trotz ihrer Verschiedenheit, die beachtet werden
muß, eine gemeinsame Grundlage, die sie, obwohl sie ihrer Aufgabe und Art
nach grundverschieden, nicht auswechselbar und jeweils nur bis zu einem bestimmten Grade vergleichbar sind, zu in dieser Hinsicht analogen Vorgängen macht.
Das „non capax", das Unvermögen der menschlichen Natur macht sie — das Bild
ausgenommen — zum necessarium. Sie sind alle — auch die Bilder — keine
menschliche, sondern allein eine göttliche Möglichkeit. Sie haben alle ihren Ursprung in der Güte Gottes. Es ist also wohl möglich, sie, wie Preuß dies tut, nebeneinander aufzuzählen. Es ist aber nicht möglich, in ihnen allen die gleiche Kondeszendenz Gottes, mit lediglich graduellen Unterschieden zu sehen.
Bei Wort und Sakrament will Gott sich finden und greifen lassen, nicht bei
irgendeinem Bilde[129]. Während von Wort, Werk und Zeichen des Alten Testamentes gilt ‚involucra sunt', gilt von Jesus Christus: ‚wer mich sieht, sieht den Vater'.
„Wer das wortt hatt, der hatt die gantze gottheyt."[130] So wie Gott sich in seinem

---

122. etwa WA 17/1, 256 ff.; WA 49, 78, 18; WA 18, 205, 26 f.; WA Br 1, 327. Das
ebenso stark betonte „sola" ist Abschirmung des „pro me" gegen das ‚Papsttum'. Dem
entspricht die Abschirmung der christologischen Aussagen Luthers durch Calvins ‚non
capax' (s. o. S. 107).
123. Cl I 159, 35 ff. = WA 2, 141.
124. WA 42, 184, 15—18.
125. WA 10/1, 1, 73, 13 ff.; s. o. S. 107.
126. WA 28, 238 f.
127. WA 49, 75, 33 und 78, 20 ff.; s. o. S. 107.
128. s. o. S. 100 f.
129. WA 10/1, 1, 188, 8; s. o. S. 102 f.
130. WA 42, 10 u. 12 (s. o. S. 109); WA 46, 308, 3 (s. o. S. 112); WA 10/1, 188, 6—8

Sohne in die Menschheit, in Krippe und Kreuz hinabbegeben hat, so begibt er sich eben nicht in die menschliche Sprache. So wie menschliche und göttliche Natur in Christus eins geworden sind, wird Gottes Wort und Menschenwort niemals eins werden[131]. Man kann eben nicht in der gleichen Weise von der Inverbation sprechen wie von der Inkarnation. Die menschliche Sprache, deren Gott sich mit all ihren weltlichen Vorstellungen bedient, ist und bleibt Gott und seiner Welt nicht gemäß. Was Gott uns zu sagen hat, was wir von Gott erkennen dürfen, geht darum in dem, was menschliche Worte und Gedanken sagen und fassen können, nicht auf. Darum sagt Paulus:

"Wir sehen jetzt durch einen Spiegel in einem dunklen Wort; dann aber von Angesicht zu Angesicht. Jetzt erkenne ich's stückweise, dann aber werde ich erkennen, gleichwie ich erkannt bin", d. h. vollkommen, unmittelbar[132].

Darum sagt Luther:

"... ein einig wesen und tres person. Wie ghets zu? Ist unaussprechlich. Angeli konnen sich nicht gnugsam verwundern fur freuden. Nobis in verbo wirds gefasst und furgepredigt: pater, filius, spiritus sanctus. Cum exuemus den schwartzen, garstigen, unfletigen madensack, wollen wirs mit den Engeln sehen."[133]

Das gedachte oder gemalte Bild ist zwar nicht heilsnotwendig, wie Christi Erlösungstat oder wie Wort und Sakrament, hat keinerlei Offenbarungsqualität wie Jesu Christi Wort und Werk oder Verheißungscharakter wie Wort und Sakrament, ist aber nach Gottes Güte und Erbarmen mit des Menschen Begrenztheit erlaubt und wie das von den Propheten und von Jesus selbst verwertete Bildwort infolge seiner Anschaulichkeit und Einprägsamkeit für Verkündigung und Ermahnung nützlich.

(s. o. S. 107 Anm. 82).

131. WA 10/1, 1, 188, 9 ff.

132. 1. Kor. 13, 12.

133. WA 49, 239, 9−12, Predigt vom 25. 12. 1541 (Nachschrift).

IV. Bildgestaltung und Bildgebrauch

Die soteriologische Ausrichtung der Theologie Luthers, in der seine positive Stellung zum Bild begründet ist, schlägt sich wiederum nieder in seiner Bildanschauung; der Forderung eines bestimmten Bildgebrauches, eines von der Heiligen Schrift her vorgegebenen Inhaltes und entsprechender Ausführung.

Die Wirkung auf den Betrachter ist das Kriterium, nach dem Luther ein Bild beurteilt, es ablehnt oder annimmt. Ein Bild, das die Menschen durch seinen Anblick betrübter macht, d. h. aber von Gott fortführt, ihm die christliche Hoffnung nimmt, ist abzulehnen. So die ‚zahllosen Ausgaben der Ars moriendi mit Holzschnitten'[1] oder das Bild, das Christus als Richter zeigt[2]. So auch die üblich gewordene Darstellung Marias als Madonna mit der die „meyster ... uns ... das trostlich gnadenbild vorblenden als man den taffel thut in der fasten. Den es bleybt kein exempel da, des wir uns trosten mugen"[3].

Höchstes Lob eines Bildes ist die Feststellung, es sei ein „trostlich pictura", wie die verschiedenen Christusbilder, wie die Personifikation von Sünde, Tod und Teufel nach Paulus[4]; oder ein Bild von Maria, das sie uns als Beispiel der Gnade Gottes vor Augen führt. Aufgabe des Bildes ist es, Gottes Taten so zu erzählen, daß der Betrachter und Hörer getröstet wird. Dabei muß beachtet werden, daß zur Zeit Luthers das Wort ‚Trost' einen etwas anderen Klang hatte als heute. Trost bedeutete Stärkung und Hilfe. Wie aber kann ein Maler ein solches tröstliches Bild malen? Auf dem Gebiete der Tonkunst, der Luther im Grunde dieselbe Forderung stellte, hat er deutlicher gesagt, wie er es meinte: Die Gestaltung des Tones soll vom Text her bestimmt werden. Ziel von Text und Ton ist es, tröstlich zu sein[5]. Entscheidend ist der Inhalt. Die künstlerische Ausführung muß sich dem Inhalt unterordnen, bzw. soll den Inhalt unterstützen, herausarbeiten, betonen. Das Bildthema ist dem Künstler vorgegeben. Er kann keine eigene Aussagen machen, keine neuen Erkenntnisse vortragen. Die Thematik des evangelischen Bildes ist durch die Heilige Schrift gegeben und begrenzt. Der Künstler hat die Aussagen der Heiligen Schrift möglichst klar und deutlich, d. h. bei Luther einfach und ohne unnötige Zutaten und dadurch eindringlich wiederzugeben. Dem biblischen Bild kann

---

1. WA 41, 699, 13 (Preuß a. a. O. 41).

2. WA 17/1, 430, 18; WA 45, 86, 1; WA 47, 277, 4; WA 34/2, 410, 10; WA 37, 420, 30; WA 1, 694, 20; s. o. S. 35 und 70. Das Kunstverständnis und auch das Verhältnis zum Bild und zu bestimmten Bildthemen hat sich seit der Zeit der Reformation gewandelt. Ein Kreuzigungsbild (vgl. o. S. 113 f.) z. B. wirkt heute eher als Anklage denn als Trost und Stärkung. Nach Wolfgang Schöne in ‚Das Gottesbild im Abendland' S. 16 ist ein **Gottesbild** heute nicht mehr möglich.

3. Cl II 156, 35—37.

4. WA 49, 159, 30 ff.; WA TR Nr. 533 und 533 a; s. o. S. 113 f.; WA 49, 722 (nach Rm. 5, 13. 28 und 7, 8 f.).

5. WA TR Nr. 4316; WA 54, 33, 30 f.

das zugrundeliegende Bibelwort beigegeben werden[6]. Die rechte Gestaltung setzt den rechten Glauben voraus. Luther beurteilt ein Bild nicht nach seiner künstlerischen Vollkommenheit, sondern nach seinem Aussagegehalt. Nicht die Kunst des Malers, sondern sein Glaube entscheidet darüber, ob Luther das Bild für gut oder schlecht hält. Ein Bild, das Unglauben aussagt, wird von Luther abgelehnt.

Auf der Feste Coburg hat Luther sich zu seiner Stärkung keine Bilder aufgehängt, sondern Sprüche aus der Bibel an die Wand geschrieben, obenan Ps. 118, 17, dem er auch die Noten der gregorianischen Melodie beifügte, mit der er diesen Vers oft zu seiner eigenen Stärkung sich selbst vorsang. Ein Lied kann genauso gedankenlos gesungen werden wie ein Bild unbeteiligt betrachtet werden kann. Das tröstliche Lied, das Luther meinte, muß von Herzen gesungen oder zumindest mit dem Herzen gehört werden. Das tröstliche Bild, das Luther meinte, muß ebenso mit dem Herzen betrachtet werden[7]. Für Luther war das Herz der Sitz des Glaubens. Ob ein Bild den Betrachter tröstet und stärkt, hängt nicht nur von seinem evangelischen, auf Christus weisenden, die frohe Botschaft erzählenden Inhalt und der entsprechenden Ausführung ab, sondern vor allem auch vom Betrachter selbst. Es genügt nicht, die Auferstehungsgeschichten zu hören und zu sehen, wie die Auferstehung gemalt wird. Entscheidend ist, daß der Hörer und Betrachter diesen Spruch fasse: „um unserer Sünden willen" und „um unserer Gerechtigkeit willen". Erst so wird ein Bild, sei es ein Auferstehungs- oder ein Kreuzigungsbild zu einem tröstlichen Bild[8]. Das Bild von Johannes dem Täufer, der auf das Lamm hinweist, war zwar im ‚Papstum' weit verbreitet, „ist aber nicht ins Herz gekommen"[9]. Es blieb wirkungslos, weil die Menschen durch die falsche Predigt der ‚Papisten' verblendet waren. Deshalb muß nach Luther dem richtigen Bildverständnis die richtige Predigt vorausgehen. So kann das Bild an die gehörte und im Herzen bewahrte Predigt erinnern. Es konfrontiert die betrachtende Gemeinde mit dem, was sie selbst glaubt und nicht mit dem Glauben der Vorväter oder mit dem, was sie glauben soll. Ein Bild in einer Gemeinde, die nicht mehr glaubt, ist zum Schweigen verurteilt. Hier entsteht die Gefahr des Irrtums und Bildmißbrauches. Nach Luther muß zuerst gut gepredigt werden. Dann kann

---

6. Luther fügte dem von ihm gewünschten Bild stets den Bibeltext hinzu: So beim Passionale, das dem Betbüchlein beigegeben war (s. o. S. 85). So bei den Wandbildern mit Gottes Taten in Vergangenheit, Gegenwart und Zukunft (s. o. S. 87 f.); So beim Abendmahlsbild und den Bildern auf dem Friedhof (s. o. S. 88) von Luther gewünscht.

7. WA 1, 275; WA 27, 387, 8 f.: „Ideo dedit scripturam, picturam, ut legeremus, dedit vocem, ut caneremus, dedit cor, ut in corde servaremus." (Vgl. dazu Luk. 8, 15); WA 31/1, 415, 27.

8. WA 17/1, 184, 11. 38 ff.; WA 31/1, 415, 23.

9. WA 46, 678, 33 f.

ein Künstler ein Bild richtig gestalten und dann erst kann das Bild richtig verstanden und aufgenommen werden[10].

---

10. Das spricht gegen die Forderung von H. C. von Haebler (a. a. O. 6) — die leeren und darum schweigenden Kirchen mit Bildern zu füllen und so zum Reden zu bringen — sofern mit den Bildern der Kirchenfremde angeredet werden soll und solange die richtige Predigt fehlt oder nicht gehört wird.

V. Die Grenzen des Bildes im evangelischen Raum

„Verbum inquam, et solum verbum, est vehiculum gratiae dei."[1]
Durch das Wort Gottes ist dem Bild im evangelischen Raum nach Luther Aufgabe, Inhalt, Gestaltung, Gebrauch und Grenze gesetzt. Bereits 1525 gab Luther im Blick auf die vorhandenen Bilder dem Bild einen dreifachen eingeschränkten Wirkungsbereich: Das Bild ist brauchbar zum Ansehen, zum Zeugnis, zum Gedächtnis und Zeichen[2]. Die bisherigen Ausführungen haben gezeigt, daß die vom Wort Gottes dem Bild gesetzte dreifache Schranke nach Luther jedem im evangelischen Bereich möglichen Bild gilt. Ein Bild ist brauchbar:

1. Zum Ansehen.

Ein Bild kann und darf nicht Kultbild sein. Das Bilderverbot als Teil des 1. Gebotes wendet sich gegen jedes Kultbild. Wer ein Bild an Stelle Gottes anbetet oder von ihm Hilfe erwartet, verstößt ebenso gegen das 1. Gebot wie der, der ein Bild stiftet, um sich damit Gott gegenüber ein Verdienst zu erwerben[3].

2. Zum Zeugnis.

Das Bild steht als ein Hilfsmittel im Dienst der Verkündigung. Aber es kann und darf die Predigt nicht ersetzen.

> „Der Glaube kommt vom Hören, das Hören aber kommt aus dem Wort oder Geschrei von Christo."[4]

> „Ideo solae *aures sunt organa Christiani hominis*, quia non ex ullius membri operibus, sed de fide iustificatur et Christianus iudicatur."[5]

Mit Augen und Händen läßt sich in der Herrschaft Gottes nichts erreichen. Gott fordert Gehör, d. i. Glaube und Gehorsam.

> „Und ist Christi Reich ein hör Reich, nicht ein sehe Reich. Denn die Augen leiten und führen uns nicht dahin, da wir Christum finden und kennen lernen, sondern die ohren müssen das thun, aber auch solche oren, die das wort hören aus dem mund der jungen kinder und seuglingen."[6]

Was ein Mensch mit seinen Augen sieht, sagt ihm nichts von Gott und Gottes Reich und Christus. Das Ohr hat an sich dem Auge nichts voraus. Aber Gott hat beschlossen — so Luther — durch das Wort und d. h. hörbar und nicht sichtbar zu den Menschen zu kommen. Auch Christus ist nicht mehr sichtbar. Wenn H. C. von Haebler betont, Luther denke hier nicht an den Unterschied zwischen visuell und akustisch erfahrbarer Welt, sondern an den Unterschied von Natur und Gottes Wort[7], hat er insofern recht, als das, was der Mensch in der geschaffenen Welt

---

1. WA 2, 509, 14 f. (Kl. Gal. Kom. 1519 zu Gal. 3, 2 f.).
2. s. o. S. 71 bei Anm. 17.
3. WA 10/2, 458.
4. WA 17/2, 73, 27 (zu Rm. 10).
5. HF 2, 108, 3; HHR 250, 8 (zitiert nach Preuß a. a. O. 132).
6. WA 51, 11, 29—33 (Predigt über Ps. 8, 3; Merseburg 6. 8. 1545).
7. Hans Carl von Haebler a. a. O. 14.

hört und sieht, ihn gleicherweise nicht zu Gott führt. Es gibt nach Luther keine direkte Schöpfungsoffenbarung. Aber es besteht ein deutlicher Unterschied zwischen Auge und Ohr in Bezug auf die Offenbarung durch Christus. So wenig wie die Menschen zur Zeit Jesu an ihn als Christus glaubten, weil sie ihn sahen, so wenig heute die Augen das Taufwasser als Taufwasser erkennen können[8], so wenig sind die Augen überhaupt zu etwas brauchbar, wenn es um den Glauben geht. Das Ohr ist das menschliche Organ, das Gott auserwählt hat, seine Offenbarung zu empfangen. Darum kann und darf nach Luther ein Bild die Aufgabe der Predigt nicht übernehmen, sofern Predigt missionierende Verkündigung ist, die Glauben vermitteln und zu Gott führen will. Das Bild, der Schöpfung Gottes an Aussagekraft nach Luther weit unterlegen, kann keinesfalls zu Gott führen. Es veranschaulicht die Predigt. Es erinnert an das gehörte Wort Gottes. Es führt nicht zu Gott, wohl aber zum Lobe Gottes. Für die Beschränkung des Wirkungsbereiches der Bilder nennt Luther weder das Bilderverbot noch eine andere Begründung. Er gibt dem Bild in gelegentlichen Bemerkungen und in praktischer Anwendung auf Grund seiner Lehre vom Wort als dem von Gott gewählten Weg zur Übermittlung seiner Gnade die ihm zukommende Funktion als didaktisches, pädagogisches oder paränetisches Hilfsmittel. Im Dienst von Unterweisung, Verkündigung und Seelsorge wendet es sich an Christen, die das, was es zu sagen hat, durch die Predigt bereits gehört und im Glauben aufgenommen haben. Daher ist nach Luther für Predigt und Bild zwar der Inhalt gleich, nicht aber ihre Funktion.

3. Zum Gedächtnis und Zeichen.

Als sichtbarer Hinweis und als beständige Erinnerung an Gottes Wort und Tat ist das Bild von dem ihm vorausgehenden gesprochenen und geschriebenen Wort abhängig. Es hat bei Luther weder eine selbständige Funktion noch einen über das ihm vorgegebene Wort hinausgehenden Inhalt. So wie die Thematik des Bildes von der Heiligen Schrift gegeben und begrenzt ist, so hat die künstlerische Gestaltung dem evangelischen Inhalt zu entsprechen. Gestaltung und Gebrauch eines Bildes im evangelischen Bereich setzen die Verkündigung und Aufnahme des Evangeliums und damit den Glauben voraus. Darum kann ein Bild, wie Luther es sich für die christliche Gemeinde wünscht, nur von einem Christen gestaltet, beurteilt und in richtiger Weise gebraucht werden.

---

8. WA 37, 202, 24 (Preuß a. a. O. 132).

C. Luther und die Alte Kirche

Durch den Rückgriff auf die Botschaft und die alleinige Autorität der Heiligen Schrift gelangte Luther in der Bilderfrage in spürbare Nähe zur ersten Christenheit. Er nahm dem Bild jede kultische Bedeutung und stellte es in den Dienst der Verkündigung.

Seit dem 2./3. Jahrhundert ist die starre Auslegung des Bilderverbotes auf christlicher und auch jüdischer Seite zugunsten eines neuartigen Bildtyps aufgegeben worden[1]. Auf beiden Seiten wurde dem Bild der rein kultische Bereich der Offenbarung und Anbetung, den es im heidnischen Kult innehatte, abgesprochen. Auf beiden Seiten wurde das Bild in den Dienst der Verkündigung gestellt[2].

Die von Luther der christlichen Kunst gestellte Aufgabe der sichtbaren Erinnerung an die großen Taten Gottes findet sich auch in der frühen jüdischen Bildkunst. Werner Kümmel sagt von der Wandmalerei der Synagoge von Dura-Europos, sie habe nur die „eine Absicht, die Geschichte Gottes mit seinem Volk an wichtigen Beispielen möglichst eindrücklich darzustellen"[3]. „In den altchristlichen Basiliken nimmt der biblische Zyklus die beiden Hochwände des Langhauses ein, zumeist in der Form der Gegenüberstellung der beiden Testamente. Es ist eine sehr schlichte, aber gerade darum sehr eindringliche Vergegenwärtigung des biblischen Geschehens in seiner Gesamtheit."[4] In seinem Vorwort zum Passionale sagt Martin Luther: „Denn ichs nicht für böse achte, so man solche geschichte auch in Stuben und ynn kamern mit den Sprüchen malete, damit man Gottes werck und wort an allen enden ymer vor augen hette."[5]

Das Bild, das Luther wünschte, setzt Predigt und Schriftwort voraus. Dasselbe galt von den frühen christlichen Bildzyklen. „Im Grunde bleibt die Belehrung doch dem deutenden Wort, der Predigt und Katechese überlassen, die Zyklen stehen vor dem Beschauer wie der aufgeschlagene Text der Bibel, des deutenden Wortes gewärtig."[6] Auch die von Luther gebilligte Verwendung christlicher Symbole in der bildenden Kunst hat ihre Entsprechung in der Entstehung und Darstellung christlicher Symbole in der römischen Sepulcralkunst und auf jüdischer Seite in überaus zahlreichem Auftreten jüdischer Symbole in den bildlichen Darstellungen des 1. bis 5. Jahrhunderts[7].

Indem Luther den Bildgebrauch dem Kriterium des 1. Gebotes unterstellt, das schriftgemäße Bild fordert, von dem er nicht nur Illustration biblischer Geschichten, sondern auch Trost, Stärkung und Ermahnung des Gläubigen, den es sicht-

---

1. s. Exkurs III und W. Kümmel, Die älteste religiöse Kunst der Juden, in Judaica Bd. 2, 3 ff., Heft 1.
2. Exkurs III und W. Kümmel a. a. O. 53.
3. W. Kümmel a. a. O. 55. Ebenso G. Kittel in Th. W. II 383.
4. J. Kollwitz a. a. O. 122.
5. WA 10/2, 458; s. o. S. 86 f.
6. J. Kollwitz a. a. O. 122.
7. W. Kümmel a. a. O. 5.

bar an das erinnert, was er in der Predigt von Christus gehört und im Glauben angenommen hat, erwartet und damit das Bild in den Dienst von Unterweisung und Verkündigung stellt, greift er auf die Anfänge christlicher Kunst zurück, die in der Zeit der Unterdrückung Selbstdarstellung des Glaubens und nach erfolgter staatlicher Anerkennung Belehrung und Erziehung der Gemeinde sein wollte[8].

Sowenig wie Luther eine Darlegung, Begründung oder Verteidigung seiner Bilderlehre bringt, sowenig gibt er einen Hinweis auf die seiner Bildanschauung weithin entsprechende frühe christliche Bildkunst. Dagegen nennt er beiläufig Gregor den Großen als den, der die Bilder ,biblia laicorum' nannte. Während jedoch Gregor die Bilder allgemein als Laienbibel bezeichnete, verwendet Luther diese Formulierung nur für eine bestimmte Bildart, die Darstellung der biblischen Geschichten in Buchform. Auch sonst bestehen bei ähnlicher Bezeichnung der Aufgabe des Bildes (das Bild dient nicht der Anbetung, sondern der Belehrung und Erinnerung an die Heilstaten Gottes und schenkt dem bedrängten Herzen Trost[9]) deutliche Unterschiede zwischen Gregor und Luther: Luther legt den Ton nicht wie Gregor der Große auf das Unvermögen der Laien, die Schrift zu lesen, sondern auf das Unvermögen einfacher Menschen, abstrakt zu denken. Während nach Gregor dem Großen die Bilder eine Lesung für Heiden und Christen sind und damit Verkündigungscharakter haben, sind sie nach Luther nur von Christen richtig zu gebrauchen. Sie sollen nicht, wie Gregor es fordert, das nachzuahmende Beispiel frommen Lebenswandels zeigen, sondern die großen Taten Gottes.
In den Libri Carolini wird dem Kreuz Verehrung zugebilligt. Von Luther nicht. Das Christusbild zeigt nach Luther nicht das, was der Mensch anbeten soll, sondern ruft ihm das, was Christus für ihn getan hat, zu.

Nur mit der paränetischen Aufgabe, die Luther einigen Bildern zuspricht, geht er über die frühchristliche Bildanschauung hinaus und zeigt eine gewisse Nähe zu dem im Abendland seit dem 14. Jahrhundert auftretenden Andachtsbild[10], das sich — wie auch Luther es später wünscht — an Christen wendet und zwar nicht nur an ihren Verstand, sondern an ihr Herz und sie so zu Gottes Lob aufruft. Vielleicht wirkt hier Gedankengut von Tauler, unter dessen Einfluß Luther einige Zeit gestanden hatte, nach.

Im großen und ganzen kann jedoch Luthers Sicht der Aufgaben und Grenzen des Bildes im evangelischen Raum als eine Wiederbelebung des frühchristlichen Bildgebrauchs bezeichnet werden.

---

8. Exkurs III.

9. J. Kollwitz a. a. O. 109 und unten S. 155 f.

10. s. o. S. 79 f., 86 f., 113 und 117 f. und Kollwitz a. a. O. 130. Der Unterschied zwischen einem Andachtsbild und dem von Luther gedachten Bild liegt nicht nur in der anderen Aufgabe der Heiligenbilder (s. o. S. 78 f.), sondern auch in der Art der Beteiligung des Herzens bei der Bildbetrachtung. Das Herz ist für Luther Sitz des Glaubens. z. B. Bek. Schr. 698, 22 ,Das Herz muß es gläuben.'

D. Luthers Einfluß auf die bildende Kunst der nachreformatorischen Zeit

Der Niedergang der bildenden Kunst in nachreformatorischer Zeit ist unbestreitbare Tatsache. Man hat die Schuldfrage aufgeworfen und teils Luther die Schuld gegeben[1], teils ihn freigesprochen und sogar als einen Menschen dargestellt, der zwar in der bildenden Kunst „kein Künstler im eigentlichen Sinne war", wohl aber „eine recht ausgebreitete Kenntnis und ein weit gespanntes Verständnis für Kunstwerke besessen hat"[2]. Dagegen betont Buchholz: „Im Ganzen ist Luther in seiner Stellung zur bildenden Kunst durchaus ein Kind seiner Zeit. An äußerem Kunstverständnis ragt er gewiß nicht als riesiger Gipfel über die allgemeine Ebene des Verstehens hinaus, er ist deshalb aber keineswegs ein finsterer Abgrund an Unwissenheit und Unverstand." „Wie in anderen Fragen besaß Luther auch in den künstlerischen und ästhetischen Fragen ganz die Bildung seiner Zeit, wohl nicht mehr, ganz gewiß aber auch nicht weniger."[3] Die Zusammenstellung der Urteile Luthers über Kunstwerke, die er gesehen hatte, durch Lehfeldt und Preuß[4] zeigt jedenfalls soviel, daß Luther einerseits zwar mehr Kunstwerke auf seinen Reisen gesehen hat als ein Durchschnittsmensch seiner Zeit, daß er aber andererseits weniger Interesse an den Kunstwerken zeigte, als es ein Durchschnittsmensch seiner Zeit getan hätte. In seinen Bemerkungen über Kunstwerke fehlt die Bewunderung der großartigen Leistungen der bildenden Kunst und Architektur. Er war an allem rein praktisch interessiert. Künstlerisches Verständnis, ja Können zeigte er dagegen auf dem Gebiet der Tonkunst. Seine Kriterien für Bild und Tonkunst sind gleichlautend .Die Form hat sich nach dem Inhalt auszurichten. Er selbst hält sich bei der Vertonung seiner Choräle und der deutschen Messe an diese Regel[5]. Für die bildende Kunst im Dienst der Kirche ist nach Luther die Gestaltung durch den ihr beigegebenen Gegenstand bereits vorbestimmt. Außerdem ist jede Art bildender Kunst für Luther nachbildende Kunst. Sie hat ein großes und von ihr nie erreichtes, weil nicht erreichbares Vorbild: Die Schöpfung Gottes. Darum ist die in solcher Weise nachschaffende Kunst ihrem Vorbild auf alle Fälle unterlegen[6]. Höchstes Lob erhält das Bild, das der Natur fast gleich kommt. Aber auch dann noch gilt von ihm: Es ist nur Schein und Täuschung. Das Bild lebt nicht. Das Vorbild aber lebt. Die Bewertung bzw. Abwertung eines Bildes als eines toten

---

1. s. Lehfeldt a. a. O. 32, 81—89.
2. so Preuß a. a. O. 23 im Anschluß an H. Grisar: Luthers Kampfbilder III, 1923, 61 und 50.
3. Buchholz a. a. O. 13 und 8.
4. Lehfeldt a. a. O. 19—29; Preuß a. a. O. 28 ff.; Buchholz a. a. O. 9 ff.
5. nach Preuß a. a. O. 106 ff. „Also soll auch die Musica alle ihre noten und gesenge auf den text richten." WA 35, 83.
6. WA 27, 386, 6—8.

Gegenstandes, dem Leben und wahres Wesen des Abgebildeten abgeht[7], entspricht der Voraussetzung, nach der ein Bild Nachbildung einer Person oder eines Gegenstandes sein soll. Mit diesem Kunstverständnis bewegt Luther sich in den damals üblichen Bahnen. So nennt Dürer als Aufgabe der Kunst: „Die Kunst des Molens wird gebraucht im Dienst der Kirchen und dodurch angezeigt das Leiden Christi, behält auch die gestalt der menschen noch ihrem Absterben"[8].

Lehfeldt, Preuß und auch Buchholz haben nach dem vorhandenen oder fehlenden Kunstverständnis Luthers gefragt. Sie gingen dabei von verschiedenen Voraussetzungen aus und erhielten verschiedene, ja entgegengesetzte Ergebnisse[9]. Keiner von ihnen geht auch nur mit einem Satz auf das Bilderverbot und die sich daraus für die Reformatoren ergebende Fragestellung ein. Das Ergebnis von Buchholz wird m. E. Luther am ehesten gerecht.

In dieser Arbeit geht es nicht um die Grenzen der christlichen Kunst, die ihr als Bildender Kunst gesetzt sind, sondern um die Grenzen der christlichen Kunst, die ihr von Gott durch das Bilderverbot gesetzt sind. Es geht nicht um das Wesen der Kunst an sich, wie man es damals sah und wie man es heute sieht, sondern um die der christlichen Kunst als christlicher Kunst eigene Besonderheit und Bestimmung. Es geht speziell um Aufgaben und Grenzen, die Luther und Calvin dem Bilde im evangelischen Bereich gegeben haben. Diese Fragestellung entspricht nicht nur dem Thema der vorliegenden Arbeit, sondern auch der Art, wie Luther und Calvin selbst der bildenden Kunst gegenüber standen. Luthers Stellungnahme, seine Vorschläge sowie seine kritischen Bemerkungen sind nicht als kunstsachverständiges Urteil, sondern als Urteil des Theologen, Predigers und Seelsorgers gemeint. Es läßt sich zwar nicht leugnen, daß Reformation und Stellungnahme der Reformatoren zur Bildenden Kunst nicht ohne Einfluß auf deren Entwicklung geblieben sind. Aber schon Buchholz hat mit Recht betont, daß hier nicht von Schuld, sondern höchstens von günstigem oder ungünstigem Einfluß geredet werden kann[10]. Lehfeldt behauptet, Luther habe kein eigenes Kunstverständnis besessen und deshalb an die Künstler Forderungen gestellt, die dem Wesen der bildenden Kunst nicht gerecht würden. Zwei Vorwürfe werden Luther vor allem gemacht:
1. Er habe eine der bildenden Kunst gesetzte Grenze nicht beachtet.
2. Er habe die Kunst zur Sklavin gemacht.
Die Folge sei ein Absinken der christlichen Kunst in nachreformatorischer Zeit gewesen[11].

Bei dem ersten Vorwurf wird vorausgesetzt, daß ein Bild nur einen Zustand, nie eine Handlung schildern könne. Es stehe ihm lediglich die Dimension des Raumes zur Verfügung. Die Dimension der Zeit sei ihm verschlossen. Es könne darum eine Bewegung im Raum oder eine Handlung nur andeuten, also zwei nacheinander sich ereignende Vor-

---

7. WA TR Nr. 4201 (Preuß a. a. O. 83); EA 23, 272; WA 44, 253, 21 (s. dazu Preuß a. a. O. 40); WA 16, 405, 3.
8. nach Friedrich Gerke: Der Christus Dürers und Luthers, S. 78 bei Anm. 2.
9. s. o. Anm. 1 zum Vorwort.
10. Buchholz a. a. O. 1 und 80 ff.
11. Lehfeldt a. a. O. 81—89. cf. Buchholz a. a. O. 1 und 13.

gänge höchstens nebeneinander darstellen. Das habe Luther nicht beachtet. Es stimmt zwar, daß Luther in seiner bildhaften Rede kaum Zustände, sondern meistens Geschehen schilderte und auch von Bildern die Darstellung von Ereignissen erwartete. Die von Lehfeldt als Beispiel angegebene Schilderung der Höllenfahrt bei Luther beruhte jedoch auf bereits vorhandenen Bildern[12]. Außerdem ist diese von Lehrfeldt behauptete Grenze der bildenden Kunst von den Malern in der Zeit vor und während der Reformation nicht beachtet worden[13]. Auch die heutige Kunst versucht, sich über diese Grenze hinwegzusetzen. Es könnte sein, daß auch andere Kriterien, die Lehfeldt für die bildende Kunst aufstellt, keine absoluten Kriterien sind und zumindest für die Zeit Luthers nicht geltend gemacht werden können.

Zum zweiten Vorwurf ist zu sagen: Man hatte zur Zeit der Reformation eine völlig andere Kunstauffassung als zur Zeit Lehfeldts. Kunst und Kunsthandwerk waren damals noch nicht getrennt, Kunst noch nicht im heutigen Sinne ,zweckfrei' und die Künstler nicht ohne Bindung an ihre Auftraggeber. Dürer sagte: „Die Kunst des Molens wird gebraucht im Dienst der Kirchen . . ."[14]. ,Kunst' hieß damals nicht ,bindungslose Kunst, die ihren Sinn in sich selbst hat'[15], sondern Kunst hieß im allgemeinen Sinn ,Können', d. h. ,Beherrschung des betreffenden Berufes'. ,Kunst des Molens' umfaßte auch die handwerkliche Malkunst. Die moderne Kunstauffassung bahnte sich erst während und nach der Reformation an. Sie hat ihre Wurzeln in einer der Reformation gleichzeitig laufenden Entwicklung der Geistesgeschichte, die hier nicht behandelt werden kann. Die Stellung Luthers zum Bild ist nur ein Faktor unter vielen anderen Faktoren, die die Entwicklung der christlichen Kunst in der Zeit nach der Reformation herbeiführten. Die Lösung dieses Fragenkomplexes würde ein Eingehen auf geschichtliche und geistesgeschichtliche Ereignisse voraussetzen, die mit der von Luther ausgelösten Reformation nicht oder nur indirekt in Verbindung stehen. Zu den geschichtlichen Ereignissen, die sich auf die Bildende Kunst negativ ausgewirkt haben, gehört auch der Dreißigjährige Krieg. Hinzu treten geistesgeschichtliche und kunstgeschichtliche Strömungen und für die religiöse Kunst nachreformatorische Epigonentheologie und eine andere Ausprägung der Volksfrömmigkeit. Bartning behauptet, die Reformation habe das bereits „erlöschende Leben . . . der christlichen Kunst . . . um ein volles und reiches Jahrhundert verlängert", während der

---

12. Lehfeldt a. a. O. 77. Nach Rogge a. a. O. 23 gehörte die Höllenfahrt zum eisernen Bestand der Bildthemen für gemalte und geschnitzte Altäre. Er weist auf den Altar der Kirche auf Schloß Mansfeld hin, in der Luther oft weilte. Preuß a. a. O. 35 erinnert an die Höllenfahrtbilder Dürers in der Großen Passion und in der Kupferstich-Passion. Luther sagte: „Videtis, wie mans malte . . ." WA 36, 159, 11. „Demnach pflegt man auch also an die wende zu malen, wie er hinunterferet . . ." WA 37, 63, 5 f. u. ö.

13. So in der Buchmalerei: Jakob und Laban, Mosesknabe im Nil (Toggenburger Bibel 1400—1411); Der lauernde Drache zu Off. 11, 19 ff. (Liber Floridus des Lambert von St. Omer, Mitte des 12. Jh.s: A. M. Cetto: Mittelalterliche Miniaturen T 14). Christus vor Pilatus oder das Ende Judas (Codex Rossanensis, um 550, Syrien: W. Dirks: Christi Passion, Nr. 7), ein Bild, das — wie viele Ikonen und in anderer Weise das Rechtfertigungsbild Lucas Cranachs — durch das Neben- und Ineinander verschiedener Motive nicht nur einen zeitlichen Ablauf darstellen wollen. Auch in der modernen Kunst gibt es Richtungen, die — mit anderer Technik — wieder versuchen, mehrere Momente auf ein Bild zu bannen.

14. nach Friedrich Gerke a. a. O. 78.

15. s. Lehfeldt a. a. O. 82 ff.

Dreißigjährige Krieg ihr endgültiges Ende besiegelt habe. Die Ursache des Absterbens liege in der Zeit vor der Reformation in der Umwandlung des Weltbildes und der Weltgeschichte. Die Tatsache, daß die schöpferische Kraft christlicher Kunst „zugleich in evangelischen und katholischen Landen" starb, zeige, daß die Ursache des Absterbens nicht bei der Reformation zu suchen sei[16]. Diese Sicht wird im Großen und Ganzen richtig, wenn auch etwas zu einfach und darum einseitig sein. Die Dinge liegen wohl komplizierter. So kommt es, daß Lehfeldt und in neuerer Zeit Hans Carl von Haebler die Frage anders beurteilen können[17].

Ein direkter Einfluß Luthers auf die bildende Kunst in der Zeit nach der Reformation ist kaum möglich gewesen. Er hat keine Darstellung seiner Bilderlehre gegeben. Die Folge war, daß er zu diesem Thema nach seinem Tode nicht mehr direkt gehört werden konnte. Theologie und Bilderlehre der Epigonen haben die bildende Kunst in nachreformatorischer Zeit mitgestaltet.

Neben einem direkten Einfluß durch Zielsetzung und Abgrenzung wurde von der katholischen Kirche sowie von den Reformatoren und nachreformatorischen Theologen starker indirekter Einfluß auf die bildende Kunst ausgeübt. Die Kirche ist damals wie heute mitverantwortlich für das, was die Menschen glauben oder nicht glauben. Durch Handeln und Unterlassen bestimmt sie Glauben und Weltbild der Menschen mit. Die bildende Kunst zeigt im Bilde, wie die Menschen ihrer Zeit die Welt und sich sehen und verstehen. Sie ist Selbstbekenntnis und Glaubensbekenntnis der Menschen. Daher kann man von den Bildwerken den Gang der Glaubens- und Geistesgeschichte ablesen. Es hat sich in der vorliegenden Arbeit bereits an mehreren Stellen gezeigt, inwiefern die bildende Kunst bis zur Reformation Niederschlag der katholischen Lehre und des Volksglaubens war. Es hat sich auch gezeigt, daß Luthers Theologie einigen Einfluß auf die Thematik evangelischer Bilder hatte. So wäre wohl zu fragen, inwieweit die Forderungen, die Luther als Theologe, Prediger und Seelsorger an das Bild im evangelischen Raum stellte, mit den damit verbundenen Einschränkungen durchführbar waren und die bildende Kunst gefördert haben oder hätten fördern können und inwieweit sie den Regeln darstellender Kunst zuwiderliefen und deshalb nachteilige Auswirkungen auf die Kunst in reformatorischer Zeit hatten. Es wären folgende Fragen zu stellen: Ist es nicht einerseits eine Überforderung des Künstlers, von seinen Werken Trost und Stärkung zu erwarten, und andrerseits eine Beschneidung und Lähmung seiner Kunst, die Thematik, der sich die künstlerische Ausführung unterzuordnen habe, durch die Heilige Schrift festzulegen? Die Beantwortung dieser oder ähnlicher Fragen überschreitet den Rahmen der vorliegenden Arbeit. So wird hier anstelle einer Untersuchung der indirekten Auswirkung von Äußerungen Luthers und seiner Mitarbeiter, vor allem Melanchthons, zur richtigen Bildgestaltung auf die faktische Verwirklichung der Wünsche Luthers hingewiesen, ohne damit einen Einfluß Luthers auf diese Künstler zu behaupten oder gar zu beweisen.

Bereits im Zeitalter der Reformation war das von Luther gewünschte Bild da. Von Albrecht Dürer, der sein Bekenntnis zur Reformation auch im Bilde zum

---

16. Bartning: Jesu Darstellung in der Bildenden Kunst S. 18 f.
17. H. C. von Haebler: Das Bild in der ev. Kirche S. 20 f.

Ausdruck brachte, schreibt Ernst Heidrich, seine „Apostelbilder seien Bekenntnis-
bilder wie man von Bekenntnisliedern spricht"[18]. Und Dürer hat diesen Bildern
Worte aus der Heiligen Schrift beigegeben.

Lucas Cranach versuchte bewußt, die reformatorischen Erkenntnisse in seinen
Illustrationen und Gemälden zur Geltung zu bringen. Von seinen Altären schreibt
Oscar Thulin: „Es werden positive Glaubensaussagen versucht über Gott, Christus, die Kirche, über den Menschen vor Gott, so wie ihn die Bibel sieht und sehen
lehrt."[19] Der Stadtkirchenaltar in Wittenberg, dessen Fertigstellung 1547 Luther
nicht mehr erlebte, zeigt sichtbar, was Kirche ist, so wie Luther sie in dem Augsburger Bekenntnis von 1530 definierte: „Sie ist die Versammlung aller Gläubigen,
bei welchen das Evangelium rein gepredigt und die Heiligen Sakramente lauts des
Evangelii gereicht werden."[20] So zeigt die Vorderseite der Altartafel Taufe,
Abendmahl, Beichte und in der Predella die Verkündigung. Die führenden Wittenberger Reformatoren sind darauf zu sehen: Luther predigt den gekreuzigten
Christus. Melanchthon tauft, Bugenhagen übt das Amt der Beichte aus. Oscar
Thulin schreibt dazu: Diese vier Bilder zeigen, „daß die Kirche immer wieder als
Glaubensakt der Gemeinde Wirklichkeit wird auf den vorgeschriebenen Wegen
neutestamentlicher Tradition"[21]. Die Thematik dieser Bilder ist reformatorisch.
Der Einfluß Luthers ist unverkennbar. Einen Vorschlag Luthers in dieser Richtung
habe ich jedoch nicht gefunden. Die Bilder der Rückseite entsprechen eher dem, was
uns von Luthers Anregungen überliefert ist. Sie bringen Hauptgeschichten aus dem
Alten Testament (Isaaks Opferung und die erhöhte Schlange) und Christus als
Sieger und Richter mit den Worten von Matth. 28, 18 ff., dazu auch die Auferstehung der Toten, die Luther als Bildthema nicht direkt erwähnte, vielleicht in
seinen Bemerkungen zu Bildwerken auf dem Friedhof mitgemeint hat. Entscheidend ist bei den Bildern Cranachs, was auf ihnen fehlt: Maria und die Heiligen
als Fürsprecher. Diese von Luther abgelehnte Bildart findet sich bei Cranach,
nachdem er zur reformatorischen Wahrheit gefunden hatte, nicht mehr. Cranach
scheint mir bei neuer Thematik weitgehend mittelalterliche Darstellungsweise zu
haben. Sicher bedarf es mehr als nur einiger Jahre, bis ein neuer Gehalt eine ihm
gemäße Form gefunden hat. Und schon bei Cranach scheint neben Luthers Einfluß noch von anderer Seite Einwirkung vorzuliegen. Ob nicht Melanchthon, der
sich ebenfalls für die Bildende Kunst interessierte, hinter dem systematisierenden
Zug der Bilder Cranachs steht? Etwa bei dem bei Cranach so oft wiederkehrenden Thema des Menschen zwischen Gesetz und Evangelium? Nach dem, was

18. Ernst Heidrich: Dürer und die Reformation S. 3.

19. O. Thulin: Cranachaltäre S. 8.

20. Bek. Schr. 61, 4 ff. Selbst Lehfeldt sagt zu einem anderen Altargemälde Cranachs,
dem der Stadtkirche von Weimar: „Hier hat er sich durchgerungen zu wahrhaft künst-
lerischer Freiheit ... er hat die Gedanken des Protestantismus sich zu eigen gemacht und
vollkommen in die Sprache seiner Kunst übersetzt." (a. a. O. 80). Auf diesem Wege hätte
nach Lehfeldt die Malerei in Deutschland weitergehen sollen.

21. O. Thulin a. a. O. 10.

Oscar Thulin von Cranach sagt — „Er hat eine Lösung gesucht, um mit den Mitteln realistischer Malerei die Wirklichkeit der Glaubenswelt sichtbar, anschaulich zu machen"[22] — scheint Cranach bei aller inhaltlichen Nähe zur lutherischen Theologie nicht ganz das in die Tat umgesetzt zu haben, was nach den in dieser Arbeit dargelegten Äußerungen Luthers zur Bildkunst sein Wunsch gewesen ist.

Bei der Umgestaltung der Kirchen des Mittelalters für den Evangelischen Gottesdienst zeigte sich Luthers Einfluß u. a. darin, daß man „an die Stelle der Heiligenbilder Bilderreihen aus dem Alten und Neuen Testament, eine Art Bilderbibel"[23] setzte.

Im nachreformatorischen Zeitalter kann man das, was Luther anstrebte, soweit ich sehe, eher auf reformiertem als auf lutherischem Boden finden:
In der Tonkunst etwa bei Händel, der in seinem ‚Messias' durch den Ton den der Heiligen Schrift entnommenen Text zum Klingen bringt. Der Mittelpunkt seines Oratoriums ist Gott, obwohl er selbst gar nicht in Erscheinung tritt. Aber er allein wird geehrt, seine Taten gerühmt.
In der Bildkunst sei auf Rembrandt verwiesen, von dem auch Karl Holl sagt, er habe „eben das verwirklicht, was Luther gewünscht" habe[24]. Unabhängig davon, ob von Luther oder eher von Calvin eine Linie zu Rembrandt führt, darf festgestellt werden, daß jedenfalls die Forderung Luthers nach einem schriftgemäßen Bild von Rembrandt erfüllt wurde. Ob Rembrandts Bilder außerdem — wie Luther es erwartete — dem Betrachter Trost und Kraft spenden, ist wohl nicht feststellbar. Mit dem wandelnden Weltbild und den sich wandelnden Ausdrucksformen des Glaubens scheint sich auch die Wirkung eines Bildes und eines Bildthemas zu verändern[25]. Sicher müssen Bilder, die den Menschen des 20. Jahrhunderts stärken wollen, anders aussehen als die Bilder, die ein Mensch des 16./17. Jahrhunderts als tröstlich empfand. So übt das Kruzifix m. E. heute eine völlig andere Wirkung auf den Betrachter aus als zur Zeit der Reformation. Wir sehen hierin heute weniger als Luther den Sieg über den Tod[26], sondern eher Karfreitag ohne Ostern. Der gekreuzigte Christus ist für uns kein Bild des Trostes, sondern ein Bild der Anklage[27].

---

22. O. Thulin a. a. O. 134.
23. Hans Achelis: Der christliche Kirchenbau, Leipzig 1935, S. 26.
24. Karl Holl: Gesammelte Aufsätze I S. 542.
25. W. Schöne in ‚Das Gottesbild' S. 16, kommt zu der „Feststellung, daß die Bildgeschichte des christlichen Gottes in der abendländischen Kunst abgelaufen ist ... daß Gott undarstellbar geworden ist."
26. Luther sah hier überwiegend den Sieg. Nur eine Bemerkung über das ‚traurige blutige Bild' der Kreuzigung habe ich bei Luther gefunden in der Predigt über Matth. 28, 1—10, 1531: WA 52, 246, 35 ff.
27. Karl Barth KD II/1, S. 408.

2. Teil

Die Bilderfrage bei den Schweizer Reformatoren

I. Die Frage der Bildentfernung

Im Kampf gegen den Bilderdienst waren sich alle Reformatoren einig. In der Schweiz kam es wie in Deutschland, Frankreich und den Niederlanden im Gefolge des reformatorischen Wirkens hie und da zum Bildersturm[1]. Das Volk schritt selbst zur Tat und entfernte unter Tumult und mit Gewalt die Bilder aus den Kirchen. Diese Art der Bildentfernung wurde von allen Reformatoren abgelehnt. Nicht nur Luther wandte sich gegen den Bildersturm in Wittenberg und gegen den ‚stürmischen Geist' in Zwickau und Mühlhausen[2]. Auch Zwingli verurteilte das unrechtmäßige gewaltsame Vorgehen gegen die Bilder. Er hat die Gefahr in Zürich rechtzeitig erkannt und konnte den beginnenden Sturm zurückdrängen[3]. In seinen Predigten verwandte er dieselben Argumente, die Luther vorher in Wittenberg nannte: Der Entfernung der Bilder muß ausreichende Predigt vorangehen. Die Entfernung darf nur durch die zuständigen Stellen durchgeführt werden[4]. Maßstab für die Art des Vorgehens ist die Liebe.

„Non dicimus quiquam ex adfectibus; ... sed constanti magistratus autoritate aboleri. ... Debet doctrina praecedere, imaginum autem abolitio cum tranquillitate sequi; docebit autem omnia in omnibus charitas."[5]

---

1. In Frankreich z. B. in Alençon (Schwarz I 24, CR Nr. 64; 1534). In Riga kam es, nachdem Luther 1521 dort gepredigt hatte, zum Bildersturm (WA 18, 412). In Dorpat in Livland, wo Melchior Hoffmann in den Jahren 1524/25 weilte, kam es ebenfalls zum Bildersturm (WA 18, 415). In Reval kam es von 1525/26 zu rund 10 Bilderstürmen (EKL Sp. 514, Wittram). Wo in den folgenden Jahren die Reformation einzog, gab es nur selten einen Bildersturm, so am Niederrhein in Xanten (Anna Klapheck-Strümpell: Der Dom zu Xanten S. 14) oder in Württemberg in Isny (Nach eifriger Predigt des Reformators Ambrosius Blarer 1533/34 und anderer nach ihm gegen das „Götzenwerk" im dortigen Benediktinerkloster kam es nach vielem hin und her zwischen dem Rat der Stadt und dem Abt des Klosters im Juli 1534 zu einem gemäßigten Bildersturm, bei dem Bürger von Isny die Klosterkirche von den Götzen räumte. Der Rat hatte ihnen geboten, nichts zu zerschlagen oder zu zerbrechen. So brachte man die Bilder in die danebenliegende Frauenkapelle. Immanuel Kammerer: Die Reformation von Isny, in Blätter für württembergische Kirchengeschichte, 3. Folge, 53. Jg. 1953, S. 27 ff.) oder in den Niederlanden 1566 (EKL III Sp. 510 J. Weerda).

2. WA 15, 204, 14 und unten; 212, 8 f.; WA 18, 68, 24; WA 18, 87, 24—28 gegen den Allstedtischen Geist.

3. In seiner „Antwort, Valentin Compar gegeben" vom April 1525 gibt Zwingli eine eingehende Schilderung des Vorgehens des Rates in Zürich als Beispiel einer ordnungsgemäßen Götzenentfernung (ZW IV 150 ff.).

4. ZW III 130 f. (Mai 1524).

5. ZW III 906, 1 ff. (März 1525).

Dieselben Argumente kehrten bei Bucer in Straßburg[6] und in späterer Zeit bei Calvin in Briefen, in denen er den Bildersturm zu Sauve (1561) verurteilte[7], wieder.

Abgesehen von der einheitlichen Ablehnung der gewaltsamen unrechtmäßigen Bilderbeseitigung zeigt sich in der Frage der Bildentfernung ein unübersehbarer Unterschied zwischen Luther auf der einen und Zwingli, Farel, Bucer und Calvin auf der anderen Seite. Luther ging zwar heftig gegen den Bildermißbrauch an und befürwortete eine ordnungsgemäße Entfernung der Bilder, hat jedoch nach jahrelanger Predigt gegen den Bilderwahn niemals eine ordentliche Entfernung der Bilder eingeleitet, sondern im Gegenteil neue, seiner Meinung nach harmlose Bilder angeregt, während Zwingli in Zürich, Farel in Genf, Bucer und Capito in Straßburg und Calvin in der Waadt die Bildentfernung als Zeichen der beginnenden Reformation, als sichtbaren Durchbruch der neu erkannten Wahrheit werteten und darum eine ordentliche Bildentfernung forderten und, soweit das Volk die Bilder nicht im Sturm bereits vernichtet hatte, für die genaue Durchführung dieser Aktion selber mit Sorge trugen[8]. Es sind infolgedessen in den Gebieten reformierter Prägung vielfach bildlose Kirchen anzutreffen.

Als Beispiel seien die Vorgänge in Zürich, wo die Entfernung der Bilder im Zuge der Durchführung der Reformation seit Weihnachten 1523 — mit Abschaffung von Festen wie Fronleichnam, der Prozessionen und der Umzüge mit dem Bilde Christi, der Kreuzgänge, der papistischen Messe und der Neuformung des Gottesdienstes — geschah[9], kurz angedeutet: Zwingli und Leo Jud begannen mit der Neuordnung auf liturgischem Gebiet. Das Volk jedoch, das „lange zyt ietz von

---

6. s. u. S. 157 f.

7. Schwarz II 361, Nr. 670 = CR 3461; CR 24, 546 (1561); OS IV 292 f.

8. Die Vorgänge in Zürich werden im folgenden geschildert. Zu Bucer in Straßburg s. u. S. 156 ff., zu Capito s. Cohrs II 119. In Genf ging die reformatorische Bewegung mit dem Freiheitskampf der Bürger Hand in Hand. Nach einer dreijährigen Predigttätigkeit seit dem Herbst 1532 durch Froment, Farel und Viret war die Zeit für die Reformation reif. Man berief im Juni 1535 eine Disputation ein, die positiv für die reformatorische Bewegung verlief. Dennoch zögerte der Rat aus politischen Gründen (Rücksicht auf das katholische Freiburg, das 1519 Genf ins Burgrecht aufgenommen hatte) noch mit den entscheidenden reformatorischen Maßnahmen. Da brach am 8. August ein Bildersturm aus, und das Volk zerstörte innerhalb von 2 Tagen sämtlichen Kirchenschmuck der Stadt (Reliquien, Altäre, Kruzifixe, Heiligenstatuen, Bilder, Chorstühle und sogar Hostien wurden vernichtet). Damit war durch das Volk selber das Signal gegeben. Der Rat zog nach und verbot jeglichen katholischen Gottesdienst in der Stadt. Die Messe war abgeschafft. Im Frühjahr 1536 folgte mit Berns Hilfe der siegreiche Abschluß des Genfer Freiheitskampfes. Nun konnte die von außen an die Stadt herangetragene Reformation von innen her gefestigt werden. Für diese Aufgabe, der sich der mutige Kämpfer der Reformation, Farel nicht gewachsen fühlte, warb er Calvin, den Verfasser der Institutio.

Ausführliche Schilderung des Freiheitskampfes und der Reformation von Genf bei August Lang: Johannes Calvin, S. 29—35; F. W. Kampschulte: Joh. Calvin I, 21—204 und Doumergue: Jean Calvin II, 98—149.

9. Nach Georg Finsler in ZW III 92.

meister Ulrichen und von m. Löwen ... uss göttlicher, heyliger gschrifft in iren predginen underwisen sind, daß die götzen und die bild nit sinn söllind"[10], wandte seinen Unwillen mehr und mehr gegen diese Bildgötzen und schritt schließlich selbst zur Tat. Nachdem in einigen Kirchen der Stadt und Umgebung gemalte und geschnitzte Bilder zerrissen, zertrümmert, fortgeschafft und ins Wasser geworfen worden waren und besonders die Entfernung eines Kruzifixes in Stadelhofen, einem Ort vor Zürich, große Unruhe in der Stadt hervorgerufen hatte, berief der Rat eine Disputation über die Bilder und die Messe zum 26. bis 28. Oktober 1523 ein[11]. Bei der von Leo Jud geleiteten Disputation über die Bilder am ersten Tag stimmte Zwingli dem Diskussionsbeitrag des Küßnachter Komtur Conrad Schmid, der typisch lutherische Argumente in der Bilderfrage vorbrachte, zwar darin zu, daß der Bildentfernung eine sorgfältige Unterrichtung der Bevölkerung mit dem Wort Gottes vorausgehen sollte, stellte zugleich jedoch fest, daß dies in Zürich bereits in ausreichendem Maße geschehen sei und forderte die baldige Entfernung der Bilder[12]. Nach der 2. Disputation erließ der Rat ein Mandat, „das niemann ghein bild weder yn noch us den templen tün sol, er hab sy denn züvor darin geton, oder so ein gantze kilchhöre mit merer hand sy erkannte darus ze tün, und das alles ohne schmach, spott und allenfantz und alles, das mütwilliklich ieman verergren mag"[13]. Außerdem wurde beschlossen, das Volk auf dem Lande noch eingehender zu unterrichten und den Landpfarrern hierzu eine Anleitung, die „Kurze und christliche inleitung" Zwinglis vom 17. November 1523, an die Hand zu geben und drei gelehrte Priester zur Belehrung durch alle Gemeinden zu schicken. Einer dieser Prediger war Zwingli selber[14]. Obwohl die Tagsatzung und der Bischof von Konstanz dieser Entwicklung entgegenarbeiteten, ließ sich die Entfernung der Bilder auf die Dauer nicht mehr aufhalten. Man schickte den Bischöfen, der Universität und den Eidgenossen Zwinglis „Einleitung" und setzte den Gegnern eine Frist bis zum Pfingstmontag 1524. Bis dahin hätten sie ihre begründeten Einwände vorzubringen. Die Unruhe im Volk wuchs indes immer mehr. In Zollikon zerschlug man am Pfingsttage Bilder und Altar in der Kirche. Zwingli verfaßte für den Rat seinen „Vorschlag wegen der bilder und der messe"[15]. Die Antwort des Bischofs von Konstanz kam schließlich am 1. Juni 1524. Dennoch beschloß der Rat am 15. Juni, „daß man die götzen und bilder mit züchten hinweg thun sölle, damit dem wort gottes statt gegeben werde." Vom 20. Juni bis 2. Juli wurden die Kirchen der Stadt von Obrigkeits wegen in aller Ordnung unter der Leitung der Leutpriester und einiger Ratsverordneten

---

10. ZW II 731, 3 ff. Eingehende Schilderung durch O. Farner in ZW II 425 (Leo Jud hatte die Reform der Liturgie übernommen, Zwingli die Lehre von der Messe, vgl. De canone missae epicheresis, August 1523 ZW II 553 ff.).

11. Nach Emil Egli in ZW II 553 und 664 f.

12. ZW II 707 f.

13. ZW II 814, 11.

14. Emil Egli in ZW II 667. Das Folgende nach Emil Egli in ZW III 114 ff. und nach ZW III 905 A 1.

15. ZW III 120 ff.

geräumt. In den Landgemeinden verfuhr man dem „Vorschlag" Zwinglis gemäß nach Stimmenmehrheit. Wo noch keine Mehrheit für die Entfernung erzielt wurde, ließ man weiterhin das Wort Gottes lehren, bis auch hier die rechte Erkenntnis durchgedrungen war. Zwingli rechtfertigte diesen Schritt des Rates in der vom 18. August datierten, im Auftrag des Rates verfaßten Schrift „Christliche Antwort Burgermeisters und Rats zu Zürich an den Bischof Hugo"[16], in der er vor allem die schreckliche Abgötterei, die das Volk, von den Pfaffen angeleitet, mit den Heiligenbildern trieb, schilderte und die Beseitigung dieses Mißstandes unter Berufung auf die Heilige Schrift als rechtmäßig darlegte[17]. Vorsichtig und auf rechtmäßigem Wege wurden die Bilder entfernt und nur auf dem Lande gab es hie und da nach gewaltsame, mit Aufruhr verbundene Aktionen gegen die Bildgötzen. So am 24. Juni 1524 in Stammheim[18] und Anfang 1527 in Waldkirch[19], wo die Reformation wie in vielen Schweizer Gemeinden mit politischen und sozialen Forderungen verbunden wurde. So konnte Zwingli bereits im April 1525 seinen Bericht über die Vorgänge in und um Zürich in der „Antwort, Valentin Compar gegeben" mit der Feststellung schließen, daß die Bilder wie Holz und Stein fielen, und Gott dafür danken, daß alles, was man seither am Papsttum abgebrochen habe, glücklicher und einstimmiger gegangen sei als zuvor[20]. Klagen über die häßlichen leeren Kirchen ließen die Züricher Reformatoren ungerührt. „So soll der Schaffhauser Ratsherr Hans Stockar, der um diese Zeit nach Zürich kam und die fünf Kirchen besuchte, mit Bedauern festgestellt haben: ‚Es war nichts mehr darin und sah häßlich aus.' Aber Zwingli replizierte: „Wir haben ze Zürich gar hälle Tempel; die Wänd sind hüpsch wyss!"[21]

Die praktische Haltung in der Bilderfrage ist in Zürich, Straßburg und Genf die gleiche. Dies läßt auf eine gemeinsame theologische Grundlage schließen. Daher kann Genf, das ja, obwohl es „erst 1814 schweizerisch wurde, in seiner Reformationsgeschichte einen wesentlichen Bestandteil der schweizerischen Reformationsgeschichte bildete"[22], und auch das von der Schweiz geographisch entfernte Straßburg, das sich auch in der Abendmahlsfrage nach einer Zeit des Schwankens „stärker nach der Schweiz als nach Wittenberg orientierte"[23], in der Bilderfrage gemeinsam mit Zürich behandelt werden.

---

16. ZW III 905 A 1.

17. ZW III 153 ff., 176 ff.

18. Hierzu schrieb Zwingli sein „Gutachten im Ittinger Handel" Feb. 1525, (ZW III 511 ff.).

19. Hierzu schrieb Zwingli den „Ratschlag denen von Waldkirch bei St. Gallen" im Februar 1527 (ZW V 759 ff.).

20. ZW IV 153.

21. O. Farner Bd. III 490.

22. EKL III, Sp. 503 Courvoisier.

23. EKL III, Sp. 497 Lau.

II. Das Bilderverbot in vorreformatorischen und frühen evangelischen Katechismen

1. Der Katechismus der Böhmischen Brüder.

Während in der katholischen Kirche das Bilderverbot — abgesehen von seltenen Ausnahmen[1] — jahrhundertelang verschwiegen wurde und die Zahl der Christus- und Heiligenbilder ständig wuchs, tauchte bereits bei den vorreformatorischen Bewegungen nicht nur Kritik am Bilderdienst, sondern auch das Bilderverbot als ein Teil des 1. Gebotes wieder auf, so z. B. in „The poor Caitiff" von John Wyclif, und etwas später um 1400 in „The lantern light", einem Katechismus, den ein Schüler Wyclifs herausgab[2]. Zu den Schriftstellen, aus denen damals in den Merkversen das 1. Gebot zusammengesetzt wurde (Dt. 6, 4; Mt. 22, 37 und 39 b), trat in den Katechismen der Waldenser und der Böhmischen Brüder noch Ex. 20, 3—6 hinzu[3]. Während im Katechismus der Waldenser das Bilderverbot anscheinend nur der Vollständigkeit des biblischen Textes wegen erschien, wollte der Katechismus der Böhmischen Brüder nicht nur das 1. Gebot in seinem vollen Wortlaut, sondern auch das Bilderverbot seinem Inhalt nach zur Geltung bringen. Das zeigt sich in der Auslegung, die in Frage 60 verbietet, Bilder des Herrn oder der Heiligen anzubeten. Damit stehen die Böhmischen Brüder in der Nachfolge Wickliffs, der in seiner Auslegung Bilder nur „as kalendars to ignorant folk", aber nicht zur Anbetung zuließ[4], und dessen Schüler heftig gegen Bilderdienst polemisiert[5]. Luther setzte schon 1515/16 die radikale Forderung der Bildentfernung durch die Pickharden als bekannt voraus[6]. Hinter der Forderung der Pickharden steht dasselbe gesetzmäßige Schriftverständnis, das bereits Wickliff und nach ihm Hus vertrat[7]. Es kam bei Hus und den Pikarden ein einseitiger Ra-

---

1. s. Beilage I Nr. 10 = Beilage III Nr. 5; ZW V 760.

2. s. Beilage III Nr. 1 und 2.

3. s. Beilage III Nr. 3 und 4. Der von Cohrs I S. 9 ff. als ‚Böhmische Kinderfragen' genannte Katechismus hat nach Zezschwitz nie existiert, sondern stellt den 1. Teil des 1521 in böhmischer und deutscher Sprache zugleich geschriebenen Katechismus der Böhmischen Brüder dar, der auf den Katechismus der Waldenser von 1489 zurückgeht. In diesem Teil taucht wie im Katechismus der Waldenser das Bilderverbot als Teil des 1. Gebotes auf. Der II. Teil des Katechismus der Böhmischen Brüder ist nach Zezschwitz um 1521 von Lukas verfaßt worden und enthält zum großen Teil die bei den Böhmen übliche Kritik an der katholischen Kirche (betr. Heiligenverehrung und Abendmahl). Nun enthält dieser Teil auch die Fragen 60 und 61, die sich gegen die Anbetung der Christus- und Heiligenbilder und des Sakramentes richten *mit Begründung durch das Bilderverbot.*

4. Geffcken Beilage Sp. 215.

5. Geffcken S. 39.

6. „Numquid confirmabimus Pighardorum heresim? ... Ac sic omnes ecclesias, omnia decora earum ... tollenda diffiniemus? ... Absit!" Cl V 292, 36 ff.

7. EKL III Sp. 1876.

dikalismus hinzu, der sich vor allem gegen die äußeren Schäden wandte. Ähnliche Züge wie bei den Hussiten sah Luther in dem Verhalten Karlstadts aufleben[8]. Der Katechismus der Böhmischen Brüder wurde zu Beginn der Reformation in deutscher Sprache in mehreren deutschen Städten benutzt. Dabei wurde die die Bilder betreffende Frage in den im lutherischen Bereich liegenden Städten weggelassen[9]. Dagegen wurde in Zürich 1527 bei der Umarbeitung des Katechismus der Böhmischen Brüder, dem Katechismus von St. Gallen, Frage 60 und 61 beibehalten und erweitert[10]. Aus dem Vorwort geht hervor, daß schon 1522 nach diesem Katechismus an St. Gallen unterrichtet wurde. Die Frage, ob die neue Beachtung, die das Bilderverbot seit etwa 1523 in Zürich gefunden hatte, mit auf den Einfluß der Böhmischen Brüder zurückgeht, oder ob auf beiden Seiten fast zur gleichen Zeit dasselbe Anliegen auftauchte, muß ich hier unbeantwortet lassen.

2. Die Züricher Katechismustafel

Die meisten evangelischen Katechismen übernehmen wie Luther den verkürzten traditionellen Text, lassen also das Bilderverbot fort und teilen das Lustverbot[11]. Einige Katechismen gehen jedoch andere Wege. So bringen der Züricher Reformator Leo Jud 1525 und in dessen Folge H. Gerhart, dann Johann Bader und Otto Braunfels den vollständigen Text von Ex. 20, 2—6[12]. Der Unterschied zur katholischen Kirche und zu Luther besteht bei diesen wie bei den oben genannten vorreformatorischen Katechismen nicht darin, daß sie das Bilderverbot als 2. Gebot zählen, sondern darin, daß sie statt eines gekürzten den vollständigen oder doch fast vollständigen biblischen Text bringen.

Bei der neuen Beachtung, die das Bilderverbot durch die Reformation schweizerischer Prägung gefunden hat, verbinden sich zwei Motive:

a) Das neue Schriftverständnis, nach dem die ganze Heilige Schrift gehört werden muß, führte dazu, statt der üblichen abgekürzten und aus mehreren Schriftstellen zusammengesetzten Merkverse für die Gebote den vollen Text von Ex. 20, 2 ff. zu zitieren[13]. Deutlich wird das von Zwingli in seiner „Antwurt, Valentin Compar gegeben" gesagt:

---

8. Luther über Hus in Tischreden Cl VIII Nr. 22, 491, 624, 3774, 3795; Luther über die Böhmen WA 1, 425 f.; Cl V, 292 ff. (s. o. S. 11 f.); WA 31, 476 (1516); WA 2, 275, 35 ff. und 279, 4 ff. u. ö. (1519); Cl II 455 (1524) über Karlstadt: WA 18, 88 u. ö. cf. Erhard Peschke: Die Böhmischen Brüder im Urteil ihrer Zeit, S. 109—120.

9. Die Nürnberger Ausgabe von 1522 läßt F 61 fort; Die Straßburger Ausgabe nach 1523 läßt F 60 und 61 fort; Die Erfurter Ausgabe von 1522 ändert F 61 im Sinne Luthers (das Neigen vor dem Sakrament ist erlaubt) Cohrs I S. 10 und 13.

10. Cohrs II 203 ff. und Zezschwitz S. 267.

11. Beilage 2.

12. Beilage 3, Nr. 6, 8—10.

13. Beilage 3, Nr. 6—11.

„Diß heilig erst gebot, das mit allen worten so schwer ist, sollt billich ghein creatur nie unterstanden haben einigen weg ze ändren, mindren oder anrüren, also daß es für und für styf, unverseert und ungemindret söllte allen denen, die gottes gebot losen wellend, von wort ze wort ganz fürgehalten syn."[14]

Ebenso von Johannes Bader in seinem Gesprächsbüchlein:

„... ist billich, das ein yeglicher Christ die (10 Gebote) also von wort zuo wort wisse vnd kön wie sie von gott geben sein."[15]

b) Wie bei den vorreformatorischen Bewegungen nahm man Anstoß an der Heiligenverehrung und am Bilderdienst. Die Kritik an diesem Unwesen wurde meistens wie bei Luther mit dem 1. Gebot begründet. Von den Böhmischen Brüdern und in Zürich dagegen wurde im Kampf gegen die Bilder das Bilderverbot direkt genannt. So heißt es in Frage 60 im Katechismus der Böhmischen Brüder:

„Getzimpt es aber dem pild des hern christi oder der anderen heyligen sich zu neygen vnd anzubeten?

Es getzimpt nit, wan got der her spricht nit mach dir eingegraben pildt noch kain gleichnusz, Du wirst sie nit anbtn noch eren, ich bin der her."[16]

Zwingli berief sich am 14. Juli 1523 in „Auslegen und Gründe der Schlußreden" auf Dt. 5, 8 f. und am 17. November 1523 in der „Kurzen christlichen Einleitung" auf Ex. 20, 3 f. und Dt. 5, 8 f.[17]. Ludwig Hätzer führt im September 1523 in seiner Schrift gegen den Bilderdienst vor allem das 1. Gebot, das bei ihm das Bilderverbot mit enthält, an[18].

In Zürich nahm man den Bilderstreit zum Anlaß, die 10 Gebote neu zu übersetzen und 1525 in einer Katechismustafel herauszugeben[19]. Diese Arbeit hatte Leo Jud übernommen, der auch sonst im Kampf gegen die Bilder in Zürich die treibende Kraft gewesen zu sein scheint. Nach seiner Predigt in der St. Peters-Kirche am 1. September 1523, in der er u. a. sagte, die Beseitigung der Götzen sei nun fällig, erfolgte der Bildersturm[20]. Zwingli wollte erst die Frage der Messe klären[21]. Daher war auf der 1. Disputation im Januar 1523 von Bildern noch nicht die Rede. Das Volk wollte jedoch Taten sehen. So wurde eine 2. Disputation notwendig, auf der Leo Jud die Bilderfrage übernahm. Diese Disputation sollte dem Bildersturm Einhalt gebieten und zugleich die Notwendigkeit ordnungsgemäßer Bildentfernung klarstellen[22]. Leo Juds Ausführungen auf der 2. Disputation

---

14. aus ‚Antwort, Valentino Compar gegeben‘, ZW IV, hier zitiert nach Cohrs I 123 f. cf. auch im ‚Gutachten über den Ittinger Handel‘, Dez. 1524 ZW III 529.

15. Cohrs I 278, 19 ff.

16. Zezschwitz a. a. O. 51.

17. ZW II 218 und 655, 12 ff. und 24 ff.

18. nach Cohrs I 122.

19. Cohrs I 126 f.

20. Oskar Farner S. 428.

21. ZW IV 85, 4.

22. s. o. S. 131 ff.

zu Zürich 1523 sind nicht klar durchdacht[23]. Auch die Auslegung des Bilderverbotes in seinen späteren Katechismen versteht man besser, wenn man Zwinglis Äußerungen kennt. Nach außen hin ist Leo Jud die treibende Kraft: Er fordert energisch die Entfernung der Bilder aus den Kirchen; er schreibt die Katechismen, in denen das Bilderverbot neue Beachtung erhält[24]. Theologisch ist er von Zwingli abhängig.

---

23. Leo Jud bringt bei der Disputation zum Teil recht primitive und seltsame Schriftbeweise, wobei er zugleich mehrere Gesichtspunkte unvermittelt nebeneinander stellt. So beantwortet er den Einwand, an den von ihm genannten Schriftstellen seien nur die Bilder von Abgöttern nicht Christi und der Heiligen gemeint und es gebe im Alten Testament auch erlaubte Bilder wie die eherne Schlange, die eherne Schlange sei eine Ausnahme von der Regel und außerdem Figur und Schatten des Kreuzestodes Christi. Wir aber hätten die Wahrheit und brauchten die Figur nicht mehr. Das hieße aber nicht, daß wir nun das Kreuz anbeten sollten, weil wir Christus im Geist und in der Wahrheit anbeten sollten (Joh. 4, 24).

„Daruß vermerckt würt, das die lyblichen und usserlichen bilder ein hindernuß sind dem geist. Und obschon die bildnus des crütz Christi by den Christen güter meinung gmacht were worden, so were doch ietz die zyt hie, daß man söliche bildnuß hinweg thäte, und das uß der ursach, das man ougenschynlich sicht, das die Christen sölichen bildnuß grosse eer erzeugen und erbüten als mit zyereyn, silber, gold, edelgstein, mit opfren, mit anbetten, das ist: mit hüt abziehen, neygen, knüwbucken, das aber alles got verbotten hat. Dann da wir im latinischen text haben: Non adorabis neque coles, hat der hebraisch text ein wörtlin, heyßt: schaha שָׁחָח das ist knübiegen, bucken etc." (ZW II 696, 13—23). Oder Leo Jud lehnt Bilder Christi mit dem Hinweis auf Ex. 20, 4 ab, wo es verboten sei „Bilder weder des im Himmel …" zu haben. Christus und die Heiligen seien im Himmel und dürften darum nicht abgebildet werden (697).
24. Beilage 3 Nr. 6, 16 und 17; zu Leo Jud s. u. S. 154 f.

III. Zwinglis Lösung der Bilderfrage

Nach Hans von Campenhausen[1] waren die Gedanken Zwinglis zur Bilderfrage in der Folgezeit für alle reformierten Kirchen maßgebend. Auch Calvin hat nach Hans von Campenhausen nicht viel Neues oder Wesentliches hinzu gebracht.[2] Darum muß Zwinglis Stellung ausführlich dargelegt werden[3].

1. Zwinglis Position

Hinter den Ausführungen Zwinglis steht die praktische Frage der Bildentfernung. Er redet im Blick auf die die Kirchen seiner Zeit füllenden Bildwerke und befindet sich nach eigener Aussage zwischen den Fronten, zwischen den „stürmern" und den „schirmern"[4].

Auch Luther wandte sich teils gegen den ‚papistischen' Bilderwahn, teils gegen die Wut der Bilderstürmer. Es sind dieselben Fronten; aber der Schwerpunkt ist verlagert. Während Luther nur in gelegentlichen Bemerkungen den Aberglauben der Bilderverehrung angreift und erst nach bereits geschehenem Bildersturm im Zuge der Rückführung der Reformation in Wittenberg in ein ruhigeres Fahrwasser ausführlich auf Bilder zu sprechen kommt und zwar in Front gegen die Stürmer, liegt das Schwergewicht bei Zwingli auf dem Angriff der Bildgötzen. Die Zurückweisung des stürmischen Übereifers ist ihm zweitrangig. Es geht Zwingli vor allem darum, zu zeigen, daß die Bildgötzen nicht nur schädlich und verwerflich, sondern auch im Alten und Neuen Testament verboten sind und ihre Vernichtung in der Heiligen Schrift geboten wird.

---

1. Hans Freiherr von Campenhausen: Die Bilderfrage in der Reformationszeit, in ZKG 68 (1957) S. 96—128.

2. a. a. O. 109: „Lediglich die klassischen und patristischen Zeugnisse bis zu den 1549 im Druck erschienenen Libri Caroloni, und — im Anschluß an die ikonoklastische Tradition — den Hinweis auf die einzig wahrhaftigen Bilder: Taufe und Abendmahl trägt Calvin der Bilderfrage bei".

3. Zwingli äußert sich zur Bilderfrage in: Auslegen und Gründe der Schlußreden, 14. Juli 1523, ZW II 1—457. Eine kurze christliche Einleitung, „von den bilden", 17. Nov. 1523, ZW II 654—658. Akten der 2. Disputation vom 26.—28. Okt., 8. Dez. 1523, ZW II 694 ff. Ratschläge betr. Messe und Bilder, 10—19, Okt. 1523, ZW II 804—815.

Vorschlag wegen der Bilder und der Messe (Ende Mai 1524). ZW III 114—131. Christliche Antwort Burgermeisters und Rats zu Zürich an Bischof Hugo (18. August 1524). ZW III 146—229. Gutachten im Ittinger Handel, zw. 28. Sept. 1524 und Anfang Februar 1525, ZW III 511—538. De vera et falsa religione commentarius. März 1525, ZW III 590—912. Eine Antwort, Valentin Compar gegeben. 27. April 1525, ZW IV 35—159.

Amica Exegesis, id est: expositio eucharistiae negocii ad Martinum Lutherum 28. 2. 1527, ZW V 548—758 (De imaginibus 754 ff.). Ratschlag denen von Waldkirch bei St. Gallen. Vor oder am 4. Februar 1527, ZW V 759—762. Daß diese Worte: Das ist mein Leib usw. ewiglich den alten Sinn haben werden usw. 20. Juni 1527, ZW V 795—977. An Bucer: 1524, ZW VIII 191—196.

4. ZW IV 84, 9 f.

Anlaß der Äußerungen Zwinglis ist entweder sein Kampf gegen die ‚papistische Irrlehre', — so in seinen Predigten; in „Auslegen und Gründe der Schlußreden", der Schrift, in der er das Programm seiner Reformation darlegt; apologetisch in der Erwiderung einer Schrift von der katholischen Seite, „Antwort, Valentin Compar gegeben" und in der Polemik gegen Luther, den er zu den „schirmern" zählt und dem er an Hand der Bilderfrage nachweisen will, daß er hier wie in anderen Fragen rückständig ist und die Dinge nicht konsequent zu Ende denkt — oder die ungenügende Unterrichtung und daraus folgende Unsicherheit innerhalb der Gemeinden in und um Zürich mit den vor allem in der Umgebung von Zürich auftretenden Bilderstürmen. Hier verurteilt er zwar den Bildersturm, fordert jedoch unmißverständlich die rechtmäßige Entfernung der Bildgötzen in absehbarer Zeit. Dabei wendet er sich entweder direkt an die Gemeinden, wie in der „Einleitung", oder an den Rat in einigen von diesem erbetenen Gutachten und Vorschlägen oder an die katholische Obrigkeit zur Rechtfertigung des vom Rat beschlossenen Vorgehens gegen die Bilder. Etliche Jahre nach dem Bilderkampf kommt Zwingli in einem Brief an Bucer noch einmal auf die Bilderfrage zu sprechen.

Es wird in der Darlegung der Stellung Zwinglis hauptsächlich seine „Antwort, Valentin Compar geben" vom April 1525, in der er sich ausführlich mit einem Vertreter der katholischen Seite auseinandersetzt, wobei er seiner eigenen Aussage nach Stellung zwischen den Fronten bezieht, zugrundegelegt unter Berücksichtigung seiner früheren und späteren — z. T. von der 1525 eingenommenen Stellung etwas abweichenden — Äußerungen aus den Jahren von 1523−1527 (vor allem auf der Disputation im Oktober 1523, in der „kurzen christlichen Einleitung" von 1523, wo er sich an die Züricher Gemeinden wendet) und der Schriften gegen Luther von 1527.

2. Einteilung und Text des Dekalogs

Zwingli bringt den Dekalog mit dem vollen Wortlaut von Exodus 20 — teils in eigener Übersetzung, teils nach der von Ludwig Hätzer und ab 1525 nach der von Leo Jud[5] — und dem Bilderverbot als Teil des Ersten Gebotes[6]. Da Luther in seinen Katechismen das Bilderverbot nicht einfach streicht, sondern als unwichti-

---

5. Ludwig Hätzer: Ein Urteil Gottes, unsers Ehgemahls, wie man sich mit allen Götzen und Bildnissen halten soll (Cohrs I 122). Dessen Übersetzung benutzen Leo Jud in der 2. Disputation 1523 (ZW II 690, 24 ff.) und Zwingli in seinem Gutachten im Ittinger Handel 1524/25 (ZW III 529). In der „Christlichen Antwort" vom August 1524 bringt Zwingli anscheinend eine eigene Übersetzung (ZW III 158, 17 ff.) und in der „Antwort, Valentin Compar gegeben", zitiert er das 1. Gebot mit BV fast gleichlautend mit der Übersetzung Leo Juds in der Züricher Katechismustafel (ZW IV 85, 20 ff. = Cohrs I 126) und beruft sich auf Leo Jud (ZW IV 100, 32 f.).

6. ZW II 218 (1523); ZW III 158, 17 ff. (15. August 1524); ZW IV 85, 20 ff. (April 1525); ZW II 655 (Nov. 1523); ZW II 690, 24 ff. (Okt. 1523); ZW III 529, 21 ff.; 181, 5 f. (August 1524); 157, 20 ff.

gen Teil des 1. Gebotes betrachtet, der in den für Kinder und einfache Leute bestimmten Katechismen aus Gründen der Einprägsamkeit weggelassen werden kann, zeigt die abweichende Zitierung in Zwinglis Katechismus zunächst lediglich eine abweichende pädagogische Einstellung verbunden mit einem anderen Schriftverständnis. Die Bedeutung des Bilderverbotes bei Zwingli ist hieran noch nicht eindeutig erkennbar.

3. Auslegung des Bilderverbotes

In der Auslegung des Bilderverbotes unterscheidet Zwingli sich kaum von Luther:

> „So nun diß die nothafftendist summ ist des ersten gebottes, daß wir dem einigen, waren guten einig anhangind, so muß ouch volgen, das alles, das hernach in disem gebot stat, allein dahin reichen muß, das wir inn für unser einiges gutes habind ...
> Hatt er nun deßselben bildnuß, so hatt er ye sines gottes bildnuß, und tut wider diß erst gebot zwifalt, zum ersten, daß er ein'n fremden gott hat, zum andren, das er denselben gott verbildet hatt ...
> In disem gebot wirt häll, daß der uß keiner andren ursach die bildnussen verbüt, weder uß dero, daß nieman imm einn andren got ufwerff; denn es reicht allein uff das anbetten, vereeren und dienen.“[7]

Das Bilderverbot gehört zum 1. Gebot[8]. Es bildet mit dem Abgöttereiverbot zusammen die negative Seite des 1. Gebotes. Das 1. Gebot gebietet, Gott unsern Herrn, allein zu verehren, anzubeten und nur bei ihm Hilfe zu suchen[9], denn er allein ist „unser vatter, helffer, tröster und schirmer“[10]. Alles, was an Gottes Stelle treten kann, ist verboten: Abgötter und Bilder, die verehrt werden[11].

> „das dise swey teyl ‚Du solt nit frömbd gött haben‘ (2. Mos. 20, 3) und ‚Du solt ghein bild noch glychnus haben (2. Mos. 20, 4)‘ glych als ein hut und erklären sind des ersten gebottes: Du solt in einen got vertruwen ...
> Also ist das ein stuck, das uns von got ziehen mag: frömbde göt. Das ander stuck, das uns abfüren mag, sind bilder. Darumb verbüt sy got zum ersten (Deut. 5, 8): Du solt dir ghein geschnitzt bild machen.“[12]

Gott hat die Bilder verboten, weil er wußte, daß daraus Abgötterei entspringen würde[13]. Das Bilderverbot hat also bei Zwingli keine eigene Aussage und damit auch keine selbständige Bedeutung. Folgerichtig wird es mit dem Abgöttereiverbot

---

7. ZW IV 89, 29—33; 93, 1—4 und 18 ff.

8. So anders als von Campenhausen, der a. a. O. 102 zu ZW IV 93, 2 ff. bemerkt, es sei nach Zwingli eine sinngemäße Folgerung aus dem 1. Gebot, dem das 2. Gebot wider die Bilder darum auf dem Fuße folge. Zwingli wertet das Bilderverbot inhaltlich stets als Bestandteil des 1. Gebotes. So etwa ZW II 218; 655, 12 ff.; ZW III 181, 4; 529, 21—23; 530, 13—15; 531, 11—13.

9. ZW IV 88, 12 ff. (1525 Antwort) und ZW III 531, 11—13 (1525 Gutachten).

10. ZW IV 86, 29 f.

11. ZW II 655, 24 ff. (1523 Einleitung); ZW III 157, 20 ff. (1524 Christliche Antwort); ZW III 903, 28 ff. (1525 De vera et ...); ZW IV 90 ff. und 92, 25 ff.

12. ZW II 655, 12 ff. und 24 ff. (1523, kurze christliche Einleitung).

13. ZW II 709, 2 ff.

zusammen als ein Gebot zitiert. Nicht der Wortlaut (Bild) entscheidet, sondern der dem 1. Gebot entsprechende Sinn (verehren).

„denn es reicht allein uff das anbetten, vereeren und dienen."

„bild sind verboten damit man sie nit vereere neben ihm."[14] Der radikale Bilderschutz wie der radikale Bildersturm sind Buchstabendienst, der nicht auf den Sinn des Gesetzes sieht[15]. Es geht um den falschen Bilderkult, der dem Bilde gibt, was Gott gehört. „... tam in novo quam veteri testamento idolorum cultum esse vetitum."[16] Unter dem durch die Heilige Schrift verbotenen Bilderkult versteht Zwingli jede Verehrung, und sei es eine rein äußerliche wie das Verneigen und Niederknien vor einem Bilde, das Kerzen anzünden u. dgl. „Ouch heyßt diß wort" schahah (שָׁחָה): eer embieten mit neygen, kniebucken und derglychen, das alles verbotten ist"[17]. Darum sind nicht alle Bilder, wie die Bilderstürmer es fordern, sondern nur die Bilder, die verehrt werden, verboten[18]. Ganz ähnlich sagt Luther: Nicht der Wortlaut (machen), sondern der Sinn (verehren) entscheidet. Darum sind nicht Bilder an sich, sondern nur Bilder, sofern sie verehrt werden, verboten. Der Unterschied zwischen Luther und Zwingli besteht nicht in der Auslegung des Bilderverbotes, sondern in der auf einer anderen Bildauffassung beruhenden Bewertung und Anwendung des Bilderverbotes.

4. Zwinglis Bildauffassung und die sich daraus ergebende Bewertung und Anwendung des Bilderverbotes

Wie im Alten Testament, gehen auch zur Zeit der Reformation Bilderverehrer und Bilderfeinde von derselben Bedeutung des Bildwerkes aus. Sie sehen in ihm einen Körper, der Gottes Gegenwart verbürgt, bzw. vortäuscht; der Gottes Stelle auf Erden einnimmt[19]. Dabei stehen die Reformatoren wie die Propheten im Kampf gegen den Aberglauben des Volkes, das kaum zwischen Bild und Gott unterscheidet.

„Und ist gantz ghein underscheid zwüschend den heidnischen götzen und unseren."
„... haud minus quam apud Gentiles ... Quid, imaginum tactum nonne omnes rem sanctam putavimus? Cur istis oscula infiximus, cur genua demisimus, cur aspectum solum tanto emimus?" „Ja, man eeret sy nüt minder denn die Heyden ire bilder der abgöten."[20]

---

14. ZW IV 93, 18—20; ZW II 658, 6 f.

15. ZW IV 130, 13 ff.

16. ZW III 901, 32.

17. ZW III 159, 6 ff.; cf. ZW II 696, 20 ff.; 656, 2 f.; 709, 11—13 und ZW IV 100, 28 ff. Zugleich ist damit der Einwand der Papisten, man bete nicht die Bilder an, sondern die durch sie Dargestellten und die Bilder würden lediglich verehrt, zurückgewiesen. Gerade dies Verehren wird im Bilderverbot verboten. Siehe auch ZW II 709, 11—13; 656, 2 f. und 655, 31 f.

18. ZW II 658, 6—23 (1523 Einleitung); ZW IV 96, 4 f.; 133, 17 ff.

19. s. Excurs II 3.

20. ZW IV 111, 3 f. (Eine Antwort); ZW III 901, 14 ff. (De vera et falsa commentarius); ZW II 656, 7 (1523, Einleitung); cf. ZW III 901, 29.

Leo Jud, Farel und vor allem Karlstadt stecken jedoch selber noch mitten in dem heidnischen Wahn, das Bild besäße eine Macht. Nur ist es in ihren Augen keine göttliche, sondern eine widergöttliche, dämonische Macht. Das Böse haftet ihm an, und wer den Mut gefunden hat, solch ein Bild zu vernichten, ist von seiner Macht befreit. Darum müssen diese ‚Götzen' sofort und restlos vernichtet werden, und wo das geschieht, hält die Reformation sieghaften Einzug.

Auch Zwingli fordert die Beseitigung der Bilder

„Darumb so sind die bild nit zu dulden under den Christen; dann sy sind ein rechter, warer grüwel vor den ougen gottes". „Ach herr! Verlych uns einen unerschrockenen man, wie Helias war, der die götzen vor den ougen der gleubigen dennen thuye; denn du bist das einig gut, das unser zuflucht unnd trost ist!"[21]

und wertet die rechtmäßige Bilderentfernung als Zeichen für den Durchbruch der Reformation[22]. Er legt zum Beweis der Notwendigkeit der Bildentfernung ausführlich dar, daß und wie diese Bilder in den Kirchen vom Volk verehrt werden: Man stellt sie auf den Altar. Man verneigt sich vor ihnen. Man läßt es sich etwas kosten in der Hoffnung, etwas Besseres von dem Abgott des verzierten Bildes zu erhalten, oder aus Ehrsucht und läßt die Armen hungern. Man brennt Räucherwerk vor ihnen ab und erhofft von der Berührung der Götzen Nachlaß der Sünden. Man nennt sie wie die Heiden mit dem Namen derer, deren Bildnis sie sind. Auch die Heiden haben ihre Götzen nicht mehr für Götter gehalten als wir noch heute. Die Meisten hielten sie für die Bilder ihrer vermeintlichen Götter. Einige Einfältige hielten das Götzenbild selbst für ihren Gott. Solche haben wir auch. Sie sprechen „das ist ein Gnadenreich Bild", nennen die Götzenbilder Heilige usw.[23]. Zwingli setzt die heidnisch — abergläubische Bildauffassung und den entsprechenden Bildgebrauch des Volkes bei seiner Anwendung des Bilderverbotes voraus, obwohl er selber sie nicht teilt. Er weiß, daß die Bilder an sich nur Holz und Stein sind. Aber er sieht auch, daß diese steinernen und hölzernen Bildwerke, sobald sie in einer Kirche stehen, zu Götzen werden[24]. Die Dämonie, die hinter den Bildgötzen lauert, besteht darin, daß sie, die „Nichtse" sind, durch ihren Standort an der Stätte der Verehrung Gottes ihrerseits verehrt werden. Von dieser unübersehbaren und nicht abzuleugnenden Tatsache geht Zwingli aus. Daher kommt es, daß er, obwohl er theoretisch sehr wohl zwischen dem leblosen Bild und dem, was irregeführte Menschen daraus machen, unterscheidet, in der Praxis die Bilder als Götzen behandelt. So kommt er, obwohl er von derselben Voraussetzung ausgeht wie Luther, dennoch zu einer anderen Folgerung. Beide sagen: Der Herstellung und Anbetung eines Götzenbildes geht das Aufrichten eines Götzen im Herzen des Menschen voraus. Darum muß zwischen Bildnis und Götze unterschieden werden[25]. Es gibt Götzen, die kein Bildnis haben und gibt Bilder,

---

21. ZW II 710, 23 f.; ZW II 218, 29—31; cf. ZW III 181, 3.
22. ZW III 904, 24 und 33 ff.; 905, 17.
23. ZW IV 107—110; ebenso ZW III 176, 10 ff.; ZW III 903, 32—904, 34 und 901, 17—23; ZW II 656; ZW IV 100. 108. 109; ZW VIII 644 f. (an Bucer).
24. ZW IV 124; 122, 27 ff.; ZW III 901, 25 ff. und 904, 30 ff.
25. ZW IV 133—136.

die nicht zum Götzen werden, weil sie nichts mit Verehrung zu tun haben. Das gilt auch von den Bildern der Phantasie, die sich jeder Mensch in seinen Gedanken oder seinem Gemüt macht. Darum unterscheide zwischen Götzen, harmlosen Bildern und äußeren Götzen, die einen inneren zur Voraussetzung haben[26]. Soweit sehen Luther und Zwingli die Dinge gleich. Luther schließt daraus, daß der eigentliche Kampf gegen die Götzen im Herzen geführt werden müsse. Wo recht gepredigt wird, herrscht auch rechter Glaube und bilden diese Bilder keine Gefahr. Zwingli stimmt auch hiermit noch teilweise überein. „Denn hettend sy das erst gebott gottes all weg verkündt, wie es exo am 20. (2. Mos. 20, 3—5) stat, wär ghein götz under christenem volk nie worden"[27]. Er gibt Luther in der Therorie recht. In der Praxis jedoch sieht es nach Zwingli so aus, daß die inneren Abgötter nie aussterben werden und die zeitweilig bedeutungslos gewordenen Bildgötzen eine stete Gefahr bilden.

„Sed et hoc addimus, quod, quandoquidem certum imminet periculum deminutionis fidei, ubicunque imagines in templis prostant, imminet adorationis et cultus periculum, non debent non aboleri in templis, et ubicunque periculum cultus imminet. Sic et hae modo imagines aboleri debent, quae pietatem offendunt aut fidem in deum minuunt, quales omnes humana specie sunt, quae pro aris ac templis ponuntur, etiamsi inter initia non sunt divis positiae. Facit enim diuturnitas temporis imaginem augustam, ut pessimum nonnunquam ac impium hominem videamus pro divo cultum, non alia causa, quam deinde, ut in templis omnia sunt augustiora."[28]

Die Israeliten haben sich das goldene Kalb auch nicht aufgehoben[29]. Nicht nur die Stürmer übersehen den Unterschied zwischen Götze und Bild, sondern auch die Schirmer. Die Stürmer übersehen, daß nur Bilder, die verehrt werden, verboten sind und entfernt werden müssen. Die Schirmer übersehen, daß die Götzenbilder ihre Existenzgrundlage allein in der Verehrung haben. Sie kommen aus der Abgötterei und führen zur Abgötterei. Darum sind sie zu entfernen, auch wenn sie zeitweilig nicht angebetet werden[30]. Wer Bilder schützt, die doch aus Mangel an Glauben entstanden sind, ist selber ungläubig[31]. Damit will Zwingli keineswegs zum sofortigen Bildersturm aufrufen. Genau wie Luther ermahnt er in der für die Pfarrer der Umgebung von Zürich bestimmten „kurzen christlichen Einleitung" zum sorgfältigen Vorgehen in der Bilderfrage. Wenn die Christen recht unterrichtet würden, könne man desto eher Geduld haben bis die „blöden", das sind die im Glauben noch Schwachen, auch zur Einsicht gekommen wären. Bei der Bildentfernung solle größtmögliche Einstimmigkeit erzielt werden[32]. Was Zwingli den

---

26. ZW IV 96 f.

27. ZW III 181, 4 und IV 103.

28. ZW IV 98, 4 ff.; s. auch III 905, 2—11.

29. ZW IV 109.

30. ZW IV 99 f. Damit trifft Zwingli nur die „papistischen Bilderschirmer", nicht Luther, der auch für die Entfernung dieser Bilder war, aber gegen die Bedeutung, die der Bildentfernung beigemessen wurde und gegen die Überbetonung des Bilderverbotes, als hätte es eine eigene Substanz neben dem 1. Gebot.

31. ZW III 531, 20 ff.

32. ZW II 655.

Bilderschirmern aus den evangelischen Reihen vorwirft, ist die Geduld am falschen
Platz, ist das Vorwenden der Schonung der Schwachen, wo nicht mehr infirmitas,
sondern bereits malignitas vorliege. Dem Abwarten ist eine Grenze gesetzt[33].
Während Luther in der Abendmahlsfrage ebenso dachte und von einem bestimmten Zeitpunkt an keine Rücksicht auf angeblich noch im Glauben Ungefestigte
mehr nehmen will, hielt er die Bilderfrage für zu unwichtig, um unnötig Staub
um irgendwelcher für die Mehrheit längst bedeutungslos gewordener Bilder auf-
zuwirbeln[34]. Zwingli dagegen rechnete die Bilderfrage wie Karlstadt zu den
Glaubensfragen.

> „Alles, das wir sehend und empfinden, zücht von den inneren rechtglöubigen men-
> schen. Diss reicht allein, das bilderverbott nit ein ceremonisch ding gewesen ist,
> sunder ein recht gebott, das die mindrung des gloubens und er gottes verhütet
> hatt".[35]

> „Aber die bilder, die gemeld, die wir in den templen habend, ist offenbar, das sy
> die geverd der abgöttery geborn habend. Darumb sol man sy da nümmen lassen,
> noch in dinem gmach, noch an dem merckt, noch ienen, da man inen einigerley eer
> anthüt. Voruß sind sy in den templen unlydentlich; denn alles, so wir darinn habend,
> ist uns groß. Wo sy in geschichteswyß ieman hette one anleytung der eerenbietung
> usserthalb den templen, möchte geduldet werden. So ferr aber man sich anhübe
> darvor bucken und eer enbieten, sind sy nienen uff dem erdrich ze dulden; denn sy
> kurtzlich ein hilff der abgöttery sind oder die abgöttery gar."[36]

Zwingli sieht — im Gegensatz zu Karlstadt — wie Luther einen Unterschied zwischen Bild und Götze, redet aber im Gegensatz zu Luther, der zwischen dem
Bild als solchem und dem, was der Mensch daraus macht, unterscheidet, von zwei
verschiedenen Arten von Bildern[37]. Ein Götze ist ein Bild, das zur Verehrung gemacht wurde, gebraucht wird oder dazu gebraucht werden könnte[38]. Diesen ‚Götzencharakter' verliert das Bild nie, auch wenn es eine Zeitlang nicht verehrt wird.
Ein solches Bild wird zu allen Zeiten zur Abgötterei verleiten. Darum muß dieser
Götze vernichtet werden. Von solchen Götzen, nicht von harmlosen Bildern spricht
das Bilderverbot.

> „Wir redend wo all samen „bilder"; wir verstand aber die götzen, so offt wir von
> hintûn der bilden redend ... Verstastu aber „bilder" allerley handgemäld, glych-
> nussen, by deren bedütetten dingen man nütz sûcht, denen man ouch ghein eer
> bewyßt, ... dann wir fragend denselben nit."[39]

Demnach lautet das Bilderverbot:

Du sollst dir keine ‚Götzen' machen.

1523 macht Zwingli diese Unterscheidung zwischen ‚Bild' und ‚Götze' noch nicht.
Darum mußte er überall da, wo Luther in seiner Übersetzung der Heiligen Schrift

---

33. ZW II 709 f. (2. Disputation).
34. s. o. S. 69.
35. ZW III 531, 28—32.
36. ZW II 658, 14—23 (Einleitung).
37. ZW IV 91, 27.
38. ZW IV 100, 12 ff.
39. ZW IV 94, 1—3. 11—14; cf. 96, 9 ff.

‚Götze' übersetzt, dies durch ‚Bild' ersetzen, um deutlich zu machen, daß auch im Neuen Testament die ‚Bilder' verboten sind[40]. Später hat er stets ‚Götze', ‚Götzendiener' und ‚Götzendienst' übersetzt, wo im Neuen Testament εἴδωλον, εἰδωλολάτρης und εἰδωλολατρία steht[41]. So bei: 1. Kor. 5, 11; 8, 4; 10, 7; 12, 2; Act. 15, 20 ff; 21, 25; 1. Thess. 1, 9; 1. Pe. 4, 3; 1. Joh. 5, 21.

Von dieser doppelten Maxime aus

1. Die Heilige Schrift Alten und Neuen Testamentes verbietet ‚Götzen'

2. Die in unseren Kirchen verehrten Bilder sind ‚Götzen', entscheidet Zwingli die Bilderfrage, legt die rechte Art der Bildentfernung fest und weist die Einwände der ‚Schirmer' und der ‚Stürmer' zurück. Das Bilderverbot verbietet die in unseren Kirchen aufgestellten ‚Götzen'; nur diese, und nicht, wie die Stürmer meinen, alle Bilder; aber diese unbedingt und nicht, wie die ‚Päpstler und Schirmer' meinen, nur Abgötter[42].

Zwingli geht nicht nur wie Luther von dem zu seiner Zeit üblichen Bildgebrauch aus, der gegen das 1. Gebot verstößt, sondern setzt diesen Bildgebrauch bei den Götzenbildern als den einzig möglichen voraus. Ein Heiligenbild, ein Gottesbild und auch ein Christusbild, das nicht verehrt wird, ist sinnlos[43]. Lediglich für das Verbot eines Gottesbildes findet er eine Begründung, die nicht direkt dem

---

40. ZW II 656, 29 ff. (Einleitung): Da man aber inredt, die bild sygind uns im nüwen testament nit verbotten ist ouch letz; denn wo man findet im nüwen testament „idolum" oder „simulachrum", da solt man im tütsch lesen: bilder oder glychnussen. Laß sich hie nieman irren, ob er in dem nüwlich ußgangnen nüwen testament an den vorgezeygten orten findt dis wort „abgöt" oder „fremde gött"; es solt all weg darfür ston „bilder" oder „glychnussen". Ebenso schon auf der 2. Disputation (ZW II 691 und 709), wo auch Leo Jud an den von ihm genannten Beweisstellen aus dem NT (1. Kor. 5, 11; 10, 7 f.; Gal. 5, 20; Act. 15, 20; 1. Pe. 4, 3; 1. Joh. 5, 21) stets mit ‚Bild' übersetzt, und noch 1524 in der ‚Christlichen Antwort' an Bischof Hugo der simulacrum mit Abgötter übersetze, wo Zwingli mit ‚bildnisse' übersetzt haben will (ZW III 156).

Zu dem Hinweis auf das neu erschienene NT bemerkt ZW II 656 A 14: „In den bei Adam Petri und Thomas Wolff erschienenen deutschen Ausgaben, die hier in Betracht kommen, ist εἴδωλον wiedergegeben in Act. 7, 41; 1. Kor. 8, 4. 7; 1. Kor. 10, 19; 1. Kor. 12, 2; 2. Kor. 6, 16; Apoc. 9, 20 mit: ‚Götze', ‚Götzen' und Act. 15, 20; Röm. 2, 22; 1. Thess. 1, 9; 1. Joh. 5, 21 mit: ‚Abgott', ‚Abgötter'. εἰδωλεῖον wird 1. Kor. 8, 10 ebenda wiedergegeben mit ‚Götzenhaus'. In Betracht kommen wohl vor allem Nachdrucke des Lutherschen deutschen NT. Georg Finsler schreibt ZW I 562 A 2: Schon im Jahr 1521 waren die Briefe des Paulus nach der Paraphrase des Erasmus durch Leo Jud ins Deutsche übersetzt und durch Christoph Froschauer in Zürich gedruckt worden. In Basel erschien im Dezember 1522 bei Adam Petri ein Nachdruck des Lutherschen deutschen Neuen Testaments. Vom Dezember 1522 bis Ende 1525 erschienen allein in Basel bei Adam Petri und Thomas Wolff zwölf Ausgaben resp. Nachdrucke des Neuen Testaments in deutscher Sprache. In Zürich begann der Nachdruck des Lutherschen Neuen Testaments erst im Jahr 1524; in diesem Jahre erschienen dann aber gleich drei Ausgaben.

41. ZW IV 136—140.

42. ZW IV 130 und 143, 8 f.

43. ZW IV 119 f.; 120 f.; 137, 26 ff.

1. Gebot entnommen ist: Ein Gottesbild kann und darf nicht hergestellt werden, weil der unsichtbare Gott nicht sichtbar dargestellt werden will[44]. Dies Argument ist jedoch bei Zwingli nicht das Entscheidende. Es ist von ihm lediglich als ein weiteres Argument zur Verstärkung hinzugefügt. Das Hauptargument ist und bleibt die im 1. Gebot geforderte Ausschließlichkeit der Verehrung Gottes. Auch wenn ein Gottesbild möglich wäre, wäre es ein Verstoß gegen das 1. Gebot, weil es sofort an Gottes Stelle verehrt werden würde[45]. Die Darstellung Gottes in einem Bild zu einer Geschichte aus dem Alten Testament als Bibelillustration ist auch bei Zwingli möglich[46], weil Art und Ort des Bildes eine Verehrung ausschließt[47]. Auch in seiner dem 8. Jahrhundert entnommenen christologischen Argumentation geht es Zwingli allein um das dem 1. Gebot entnommene Kriterium der Anbetung[48]. Man darf Christus nicht „verbilden, denn das fürnemist in Christo mag nit verbildet werden"[49]. Ein Jesusbild ist erlaubt, kann darum auch etwa in Geschichtsbildern und als Buchillustration gebracht werden[50], ist aber als Standbild, als Kruzifix oder als großes Wandbild nicht nur für die Andacht nutzlos — so kann man z. B. einem Passionsbild lediglich den äußeren Geschichtsverlauf entnehmen, aber nicht die Kraft des Leidens Christi an ihm erkennen, die darin besteht, daß Christus für uns gekreuzigt und unser Gott und Herr ist, — sondern birgt stets die Gefahr in sich, als Bild Christi angesehen und verehrt zu werden[51].

„Wo aber yeman siner menscheit bildnus hatt, das gezimpt glych als wol ze haben als ander bildnussen. Aber das ghein gotzery darus werd! Dann dieselb ist uns mit gheinem gevarer weder mit der verbildung christi, Das gsehend wir in allen templen."

„Es werdend gheine bilder ee zu götzen by uns weder die bilder Christi. Und in templen hab ich ghein fürgesetzt crütz nie gsehen, man hatt es für einen götzen gemacht."[52]

Das darf es aber nicht, sofern es den Menschen Jesus darstellt. Christus als unser wahrer Gott, Erlöser und Tröster soll zwar verehrt werden, kann und darf jedoch nicht abgebildet werden, weil die Gottheit nicht im Bilde dargetellt werden darf[53].

---

44. ZW III 901, 34 ff.

45. ZW IV 92.

46. So hat die Züricher Bibel von 1525 als Titelfaksimile Illustrationen zu Genesis 1—4 mit Gottvater als altem Mann. Werkshagen: Der Protestantismus S. 87.

47. Außerhalb des Tempels und ohne Gefahr der Anbetung ist geschichtliche Darstellung zu dulden. ZW II 658, 19. Zwingli beruft sich auf Augustin (ZW IV 79, 12 f.), aber zu Unrecht. Augustin wendet sich nicht nur gegen den Bilderkult, sondern auch gegen die falsche und irreführende anthropomorphe Darstellung und Vorstellung vom Sitzen Gottes im Himmel (Koch 75—77).

48. Ladner: Der Bilderstreit S. 7 und 8.

49. ZW IV 119, 2 f.

50. ZW IV 119, 15 ff.; so der Schmerzensmann als Titelfaksimile zu Zwinglis Schrift „Freiheit der Speisen". Abgebildet bei Werkshagen a. a. O. 84.

51. ZW IV 120—123.

52. ZW IV 119, 15—20 und 120, 1—3.

53. ZW III 901, 42 ff. und IV 113 f. 119, 2 ff.

„Quomodo enim ignorare possunt Christum, quatenus visibilis est et homo nulla ratione, quatenus autem deus est, colendum esse? Qum ergo dicunt *Christum* ut deum posses exprimi, falluntur; divinam enim eius naturam nulla ars adumbrare potest nec debet. Si vero dicunt, exprimi posse ut hominem, quaeremus, an expressi imaginem liceat colere nec ne. Negabunt haud dubie; nulla enim prorsus imago colendum est. Deinde, hanc non licet colere, an' ergo puram humanitatem *Christi*? Negabunt iterum. Quid igitur intelligimus, qum dicimus per crucem ligneam *Christum* coli? an divinam naturam? At illa fingi nequit; an' humanam? At illa coli hoc pacto non debet, multo minus ulla imago eorum, qui *Christi* sanguine redempti sunt."[54]

Das Moment der Undarstellbarkeit Gottes wird auch hier von Zwingli nicht ausgewertet. (Es findet sich in seinen Äußerungen zur Darstellung Gottes sogar eine scheinbare Inkonsequenz, wenn er einerseits sagt, Christus als Gott dürfe nicht dargestellt werden, obwohl man seine irdische Gestalt kenne, weil die Darstellung der Gottheit verboten wäre, und andererseits meint, auch wenn es nicht ausdrücklich verboten wäre, die Gottheit darzustellen, wäre es nicht möglich, weil niemand Gott gesehen hätte[55]. Das hängt mit Zwinglis Gottesvorstellung zusammen. Auch die Gottheit Christi ist ‚geistiger' Art, d. h. nicht darstellbar.) Es geht Zwingli mit der Aufnahme der christologischen Argumente aus dem 8. Jahrhundert weder um die Einheit der Person Christi noch um die Möglichkeit oder Unmöglichkeit eines Gottes- bzw. Christusbildes, sondern allein um die diesen Bildern entgegengebrachte Verehrung, die im 1. Gebot verboten ist. Eine andere Haltung einem Gemälde oder einer Statue Gottes, Christi oder eines Heiligen gegenüber ist für Zwingli nicht denkbar. Darum hat ein Bild an der Stätte der Verehrung Gottes nichts zu suchen.

Das Kriterium zur Unterscheidung erlaubter Bilder von verbotenen Götzen ist dem 1. Gebot entnommen. Es ist dasselbe Kriterium, nach dem Luther erlaubten und unerlaubten Bildgebrauch festlegt. Der Inhalt des Bilderverbotes lautet für Luther: Die Verehrung eines Bildes ist verboten. Für Zwingli lautet er: Ein Götze, d. i. ein zur Verehrung bestimmtes und gebrauchtes Bild, ist verboten. Zwingli fordert folgerichtig die Entfernung aller Bilder, die verehrt werden oder verehrt werden könnten[56]. Für die Entfernung gilt dementsprechend als Maßstab:

1. *Der Bildinhalt*
Alle Bilder Gottes, Christi und der Heiligen und auch alle Kreuze (1523 noch nicht) sind ‚Götzen'.

2. *Der Ort, an dem es sich befindet.* In der Kirche, dem Ort der Verehrung Gottes, wird jedes Bild zum ‚Götzen'[57].

3. *Die Haltung des Betrachters,* die auch ein ursprünglich nicht zur Ver-

---

54. ZW III 901, 42−902, 5.
55. ZW IV 92, 21 ff.
56. ZW V 823, 11 ff.; II 658, 14−23, (zitiert auf S. 144 bei Anm. 36; von 1523 und daher noch ohne die besondere Bedeutung „Götze").
57. ZW II 658, 18; III 903, 38 f. und 905, 2−11.

ehrung gemachtes Bild durch Verehrung zum Götzen machen kann[58]. Dabei richtet sich das Verhalten einem Bilde gegenüber in der Regel nach seinem Inhalt und Standort[59]. Wenn Zwingli von Bildentfernung spricht, sind immer nur diese ‚Götzen' gemeint. Schon der Besitz eines solchen ‚Götzen' ist verboten. Bilder dagegen, d. h. alle Bilder, die nicht gegen das 1. Gebot verstoßen, sind erlaubt. Praktisch sind das alle Bilder, die

a) einen völlig neutralen Inhalt haben; z. B. Blumen, Ornamente, Geschichtsbilder.

b) an einem Ort stehen, wo sie nicht zur Verehrung anreizen[60].

„Wir habend ze Zürich die tempel all gerumt von den götzen. Noch sind vil bilder in den fenstren ... Wir habend zwen groß Karolos gehebt: eynen imm Großen Münster; den hatt man wie ander götzen vereret, und darumb hatt man den dennen ton, den andren in dem einen kilchturm; den eeret nieman; den hatt man lassen ston, und bringt gantz unnd gar ghein ergernus. Merk aber: Sobald man sich an dem ouch vergon wurde mit abgöttry, so wurd man inn ouch denen tun.[61]"

Zwingli betrachtet die gesamte Bilderfrage aus dem Gesichtswinkel des faktischen Bildgebrauches. Daher redet er in seiner Polemik und Apologetik gegenüber den ‚Päpstlern' sowie gegenüber Martin Luther stets nur von den ‚Götzen'. So weist er 1524/25 in seinem „Gutachten im Ittinger Handel" den Einwand, Bilder seien rein äußerliche Dinge und darum wohl zu gebrauchen, mit dem Hinweis auf die übliche Bilderverehrung zurück. Sie könnten zwar recht gebraucht werden, wenn man sie nicht ehre und nicht an einem Ort habe, wo sie geehrt würden, in Wirklichkeit würden sie jedoch im Tempel stehen und verehrt werden. Und dieser an sich äußerliche Götzendienst sei Folge und äußeres Zeichen der inneren Abgötterei. Wer diese Bilder schützt, schützt den Aberglauben[62]. Zwingli gibt hier zwar theoretisch zu, was er sonst stets ablehnt, daß die Bilder Mitteldinge seien, die man so oder so gebrauchen könne. Diese von katholischer Seite und von Luther vertretene These lehnt er jedoch im Blick auf die ‚Götzen' nach beiden Seiten ab. Der faktische Gebrauch, der ausnahmslos von ihnen gemacht wird, beweist, daß sie keineswegs harmlose, rein äußerliche, ‚ceremonische', im Neuen Testament erlaubte Mitteldinge sind. All diese ihrer Herkunft nach verschiedenen Argumente haben für Zwingli diese eine von ihm abgelehnte Aussage und sind für ihn zu auswechselbaren Begriffen[63] geworden. Er weist sie alle mit ein und demselben Doppelargument zurück: Die Bilder, die wir haben, sind Götzen, und solche Götzen sind nicht nur widergöttlich und schädlich, sondern auch in der Heiligen Schrift verboten und müssen darum vernichtet werden.

Dies betont er bereits 1523 auf der 2. Disputation gegenüber den lutherischen Argumenten des Comtur Conrad Schmidt, wobei er zu dieser Zeit noch das Wort

---

58. ZW IV 96, 1 f.
59. ZW IV 122, 27 ff.
60. ZW II 658, 10 ff.; III 900, 8 ff. und 905, 15 f.; IV 94, 11–14.
61. ZW IV 95, 12. 13. 18–20 und 96, 1–2.
62. ZW III 530 f.
63. So nennt er oft mehrere in einem Atemzug. Etwa ZW V 101 u. ö.

‚Bild' gebraucht: Was Gott verboten hat, ist kein Mittelding. Und Gott hat diese Bilder verboten, weil Abgötterei aus ihnen entstehen würde[64]. So verfährt er 1524 in der Antwort an Bischof Hugo unter Berufung auf das Neue Testament, das ‚Götzen' verbiete[65], und im Ittinger Gutachten mit dem Hinweis auf den abgöttischen Bildgebrauch seiner Zeit[66]. Ebenso in der Antwort an Valentin Compar, der in seiner Schrift das Bilderverbot als eine „cerimonische" Bestimmung, die nur den Juden und nicht den Christen gelte, wertet, mit der Begründung, das 1. Gebot verbiete, woanders als bei Gott Hilfe zu suchen[67].

Gegenüber der katholischen Gegenseite, die ja ebenfalls nur diese Bilder und auch nur diesen Bildgebrauch im Blick hat und mit Argumenten, die in der Tat auf diese Bilder nicht zutreffen, verteidigt[68], hat Zwingli recht. Gegenüber Luther, der die ausgesprochenen ‚Bildgötzen' auch ablehnt, aber in der Zukunft einen anderen, rechten Bildgebrauch für möglich hält und darum das Schwergewicht auf das Verhalten der Gläubigen legt, ist Zwinglis Argumentation mit dem Hinweis auf Paulus, der den Bilderdienst nicht zu den adiaphora rechne („neque Paulus 1. cor. 8 idolothyta inter adiaphora censet"[69]) verfehlt. Er kannte Luthers Position ja auch nur aus 2. Hand[70]. Er hat nicht erkannt, daß er sich mit der Ablehnung des papistischen Bildkultes und mit der Bewertung des Bilderverbotes als Teil des 1. Gebotes mit Luther im Einklang befindet. Der Unterschied liegt darin, daß Luther die Möglichkeit eines anderen christlichen Bildgebrauches und anderer Bilder im Auge hat und darum die These von den Mitteldingen aufnimmt, die Zwingli zwar theoretisch anerkennt, praktisch jedoch um des gegenwärtigen Zustandes willen generell ablehnen zu müssen meint. Die ‚Götzen' können und werden niemals anders als kultisch und d. h. in ihrem Fall widergöttlich gebraucht werden.

„Imagines, quae ad cultum prostant (ut ferme omnes sunt, quae in templis habentur) . . ."[71]

Luther ist, so meint Zwingli, offenbar nicht fähig, diese Götzen von harmlosen Bildern zu unterscheiden.

„quam ut ἀδιάφορα sint; ubi citra speciem mali esse non possunt. Non quod aliud sentiamus, quam ab initio diximus, nempe tolli debere, ubi coluntur."[72]

Gott hat sie im Alten und Neuen Testament ausdrücklich verboten. Alle Schriftstellen (außer Jes. 24, 23), die Zwingli anführt, reden von heidnischen Götzen, Götzendienst und Götzendienern. Dies sagt Zwingli selber

„Cum autem, optime lector, singulis istos locos excuties, invenies alicubi deos

---

64. ZW II 708 f.
65. ZW III 159, 23 ff.
66. s. o. Anm. 62.
67. ZW IV 86—88 und 101.
68. s. u. S. 181 ff.
69. ZW V 756, 7; cf. ZW V 638, 19 ff.
70. ZW V 755, 5 „perhibent". Dazu Anm. 4 und zu S. 716, 11 Anm. 5 von W. Köhler.
71. ZW V 638, 23.
72. ZW III 902, 30 ff.; cf. an Bucer, ZW VIII 191 f.

alienos esse vetitos, alicubi simulachra, alicubi vero simul et deos alienos et imagines."[73]

Es war Zwingli offenbar nicht deutlich geworden, daß Luther keineswegs die ‚papistischen' Götzenbilder verteidigte, sondern lediglich die falsche Einschätzung und damit Überbetonung der Bilderfrage durch Karlstadt zurückwies. „Non est disputatio de substantia, sed usu et abusu rerum."[74] Das Argument der Bilder als biblia laicorum wurde von den ‚päpstlern' — völlig unangemessen — auch auf ihre Heiligenbilder und deren Verehrung angewandt[75]. Zwingli weist dieses Argument aber nicht nur den ‚päpstlern' gegenüber (1523 auf der 2. Disputation und 1525 in seiner Antwort an Compar) im Blick auf die ‚Götzen', die weder belehren noch zur rechten Andacht führen können, zurück[76], sondern auch Luther gegenüber[77], der nicht nur andere Bilder, sondern vor allem auch einen andern Bildgebrauch damit bezeichnete, der allerdings zu seiner Zeit kaum mehr geübt wurde[78]. Bilderverehrung lehnte Luther wie Zwingli ab. Nirgends wertete er Bilder als Ersatz für die Heilige Schrift (wie das Wort ‚Laienbibel' es nahelegt), sondern stets als Illustration, nirgends als Predigtersatz, sondern stets als Predigthilfe. Niemals wandte Luther den Begriff ‚Laienbibel' auf die ‚Bildgötzen' an. 1523 und 1525 wandte Zwingli sich an seine Gemeinde und gegen die ‚Götzen' bzw. gegen die katholische Kirche, die diese ‚Götzen' sanktionierte. 1527 wandte Zwingli sich gegen Luther. In der Bilderfrage kannte er keinen Unterschied zwischen Luther und den ‚Papisten'. Dabei übersah er, daß Luther das Bilderverbot nicht gestrichen hat, sondern als Zusatz zum 1. Gebot verstand, der zwar besonders für die Juden in Frontstellung gegen den heidnischen Kult wichtig war, aber jederzeit wieder aktuell werden konnte. Die von Zwingli geforderte Geltung des Bilderverbotes wurde von Luther nicht bestritten. Dafür genügte ihm das Bilderverbot als Teil des 1. Gebotes. Wie nahe Zwingli Luther in der Auslegung des Bilderverbotes kam, und daß der eigentliche Unterschied in der vorausgesetzten Bildart lag, hat Zwingli nicht gewußt. Dem verkehrten Bildgebrauch des Volkes gegenüber hatte Zwingli Recht und befand sich mit Luther nicht nur in der Auslegung, sondern auch in der Abwehr dieses Bildgebrauchs im Einklang. Er unterschied sich von Luther darin, daß Luther das christliche Bildverständnis, von dem das Bilderverbot noch nicht redet, mit in Betracht zog und von daher vor allem eine Entmachtung der Bildgötzen durch das Wort forderte. Zwingli, für den das Gottes- oder Heiligenbild nur als Götze brauchbar war, mußte außer der Belehrung des Volkes auch die Entfernung und Vernichtung dieser Götzen fordern[79]. Gegen Luther war Zwinglis Argumentation ein Schlag ins Leere, weil

---

73. ZW III 903, 20 f. Es kann nicht anders sein. Zur Zeit des AT kannte man nur den kultischen Bildgebrauch.

74. WA 28, 554, 5 ff.; cf. o. S. 62 Anm. 10 und S. 47 Anm. 47.

75. s. u. S. 181.

76. ZW II 708 und IV 120 f.

77. ZW III 900, 33—901, 8; ZW V 638.

78. s. o. S. 78 f. und 123 f.

79. ZW IV 103; ZW III 904.

er gegen Dinge kämpfte, die es nur in der Einbildung des Volkes gab. Zwingli geht mit seiner Anwendung des Bilderverbotes von demselben Bildverständnis aus, von dem das Alte Testament ausgeht, und das allerdings zu seiner Zeit im Volke ebenfalls vorherrschend war. Es muß aber die Möglichkeit eines anderen Bildgebrauches in Betracht gezogen werden, den die Christenheit seit etwa dem 3. Jahrhundert übte. Luther ist der Meinung, auch zur Zeit des Alten Testaments habe es unkultischen Bildgebrauch gegeben und führt als Beweis Schlange und Cheruben an[80]. Diese sind nach Zwingli Ausnahmen von der Regel und berechtigen nicht allgemein zu einem unkultischen Bildgebrauch[81]. Damit gibt Zwingli das Vorhandensein unkultischer Bilder zu. Den Beweis dafür, daß das Bilderverbot nicht nur kultische, sondern auch unkultische Bilder verbietet, hat er nicht erbracht. Nach dem heutigen Stand der alttestamentlichen Wissenschaft wurden im Bilderverbot in der Tat nur kultische Bilder verboten. Es gab keine unkultischen Bilder. Schlange und Cheruben usw. haben eine kultische Vergangenheit und hatten auch im israelitischen Gottesdienst ihren Platz. Sie wurden solange geduldet, als sie nicht als Gottesbild betrachtet wurden[82]. Mit den profanen Bildern, die seit dem 2./3. Jahrhundert aufkamen, haben sie nichts zu tun. Der Beweis, den Luther damals mit gutem Recht führte, kann heute nicht mehr aufrecht erhalten werden. Luther hat zwar darin Recht, daß nur kultische Bilder verboten wurden, Zwingli hätte sich aber zu Recht darauf berufen können, daß es nur kultischen Bildgebrauch solcher Bilder gab. Da man zur Zeit des Alten Testament keinen unkultischen Bildgebrauch kannte, hat sowohl Zwingli mit seiner Behauptung, das Bilderverbot verbiete alle ‚Götzen', als auch Luther mit seiner These, das Bilderverbot verbiete nur kultischen Bildgebrauch, Recht. Der Unterschied entsteht erst, wenn das andere neue christliche Bildverständnis in Betracht gezogen wird, von dem das Bilderverbot noch nichts wußte. Soll das Bilderverbot unter Berücksichtigung des christlichen Bildverständnisses seine Geltung für alle Bilder religiösen Inhaltes behalten, muß eine Begründung gefunden werden, die über die dem 1. Gebot entnommene Begründung der Verehrung hinausgeht. Das Argument der Undarstellbarkeit Gottes ist von Zwingli zwar angeführt worden, trifft aber nur Gottes-Bilder und ist von ihm nicht zu einer neuen Begründung des Bilderverbotes ausgewertet, sondern unter rein kultischem Aspekt gesehen und in den Gehalt des 1. Gebotes eingeordnet worden: Das Bilderverbot verbietet die Darstellung Gottes zu kultischem Gebrauch als einer Abkehr vom creator zur creatura[83], als einer unangemessenen Vergegenständlichung des Kultes des Gottes, der im Geist und in der Wahrheit angebetet werden will[84]. Dieser Gedankengang — bei Calvin zur Geltung gebracht und ausgewertet — steht bei Zwingli völlig im Hintergrund. Wichtig ist Zwingli der Kampf gegen die ‚Götzen'. Ursprung und

80. WA 10/2, 33, 18 ff. und 10/3, 27.

81. ZW III 900, 10. Ebenso Leo Jud auf der 2. Disputation: ZW II 695.

82. s. K. Galling, Bibl. Reallexikon S. 558 f. und RGG³ II 336; W. Eichrodt, Theologie des AT I S. 47.

83. ZW II 656; ZW VIII 195 (Brief an Bucer).

84. ZW III 901.

Sinn dieser ‚Götzen' ist der Unglaube, der beim Geschöpf sucht, was Gott allein geben kann und Geschaffenem gibt, was Gott gehört. Das Vorhandensein eines ‚Götzen' führt zwangsläufig zu seiner Verehrung[85].

Bei diesem Verständnis des religiösen Bildwerkes als einem Kultbilde, das an Gottes Stelle Verehrung und Glaube an Gebetserhörung erfährt, das also eindeutig als ‚Abgott' gewertet wird und dessen Besitz bereits gegen das 1. Gebot verstößt, ist auch das Bilderverbot lediglich als ein Teil des 1. Gebotes verstanden und wird von Zwingli zu Recht nicht als ein Gebot für sich, sondern mit dem Abgöttereiverbot zusammen als ein Gebot zitiert.

Nun finden sich bei Zwingli zwei Stellen, an denen er das Bilderverbot als eigenständiges Gebot zu werten scheint.

Die eine Stelle ist in „De vera et falsa religione commentarius" von 1525:

„Cum ergo dicitur, nos imagines non colere, quod tamen falsum est (nam augustius colimus, quam ullae Gentes idola coluerint; sed donemus hoc), non tamen sequitur: Licet ergo imagines habere, duplici nomine.

Zwingli bringt dazu eine doppelte Begründung:

(I) Primum, quod tam diserte habemus, tam in novo quam veteri testamento idolorum cultum esse vetitum."[86]

Er bleibt hier innerhalb des alttestamentlichen, an das 1. Gebot gebundenen Vorstellungsbereiches, der nur eine Abbildung Gottes zu kultischen Zwecken kennt. Er redet auch hier von einem ‚Abbilden' und ‚Haben' zum ‚Verehren' und trifft damit das heidnische Kultbild sowie den derzeitigen Gebrauch der Heiligen — und Gottesbilder, aber nicht den Gedankengang Luthers, der ein ‚Haben' ohne zu ‚Verehren' voraussetzt. Mit der zweiten Begründung scheint Zwingli über die Vorstellung des rein kultischen Gebrauches eines Bildes hinauszugehen.

„(II) Secundo sic patet imagines non licere habere, etiam si non colantur."[87] Auch wenn sie nicht verehrt werden, sagt Zwingli, darf man sie nicht haben. Denn sie können die Liebe zu Gott in uns nicht entzünden. Dies kann nur der Heilige Geist.

„nullis imaginibus potest mens accendi ad amorem dei ... in ara cordis pecuinos adfectus nemo potest adolere quam divinus spiritus."[88] Zwingli sagt hier wieder nichts anderes, als daß die einzige Existenzgrundlage eines Bildes die Verehrung ist. Zu etwas anderem sind sie nicht zu gebrauchen — höchstens um das Herdfeuer zu entzünden, sofern es ein hölzernes Bild ist. Auch die hier von Zwingli in Abrede gestellte Möglichkeit des Bildgebrauches gehört noch in den Bereich des 1. Gebotes: Du sollst Gott lieben und ehren ...

Die andere Stelle, an der Zwingli dem Bilderverbot einen über die Aussage des 1. Gebotes hinausgehenden Inhalt zu geben scheint, findet sich im Anhang zu einer gegen Luthers Abendmahlslehre gerichteten Schrift, der „Amica Exegesis"

85. ZW III 904, 19 ff.
86. ZW III 901, 28 ff.
87. ZW III 902, 15 ff. (Kursivsetzung ist von mir).
88. ZW III 902, 22 und 25 f.

von 1527, wobei Zwingli seine Unabhängigkeit von Luther und die größere Folgerichtigkeit seiner eigenen Theologie mit dem Hinweis auf Luthers Rückständigkeit in der Lehre von den Bildern und der von der Beichte deutlich machen will[89].

„Nos eas imagines, quae ad cultum prostant, servare, idolatriam esse diserte pronunciamus. Interdictum de idolis in decalogo, sive secundum praeceptum sid, sive membrum primi tam non debet loco moveri quam: „Diliges dominum deum tuum in toto corde" ectr. (Matt. 22, 37) . . ."[90]

Wieder weist Zwingli ausdrücklich darauf hin, daß er nur von Kultbildern redet, den ‚Götzen‘, deren Herstellung bereits eine Folge des Abfalles von Gott ist.

„Nunc autem, cum nemo idolum ad cultum (de his enim nihil plane sumus solliciti, quae non coluntur) prostituat, nisi deum prius fecerit eum, cui idolum posuit, non potest citra perfidiam idolum coli; . . ."[91]

Bilderdienst ist gleichbedeutend mit Götzendienst, folgt aus ihm und führt zum Götzendienst. Bei diesem Gehalt des Bilderverbotes ist es — wie Zwingli selber sagt — gleichgültig, ob das Bilderverbot als Teil des 1. Gebotes oder als 2. Gebot für sich gezählt wird. Hauptsache ist, daß es beachtet wird. Luther, so meint Zwingli, übergeht das Bilderverbot. Daß Luther es nicht gestrichen, sondern als zum 1. Gebot gehörend betrachtet hat, ist Zwingli entgangen[92]. Eine andere als die dem 1. Gebot entnommene Begründung des Bilderverbotes hat Zwingli auch an den beiden Stellen, an denen er dem Bilderverbot selbständige Bedeutung geben möchte, nicht genannt. Dies war auch bei seiner Auslegung des Bilderverbotes als einem Verbot der ‚Götzen‘ nicht notwendig. Eine stichhaltige Begründung für die Zählart des Bilderverbotes als eigenständiges 2. Gebot steht noch aus.

---

89. Das klingt schon 1523 in der Auslegung der Schlußreden an: ZW II 148, 1 ff.; cf. dazu W. Köhler in ZW V 551.

90. ZW V 754, 22—755, 1.

91. ZW V 756, 3—5.

92. Verständlich. Luther übernahm ja die katholische Zählung ohne Bilderverbot.

IV. Das Bilderverbot bei Leo Jud

Einige Jahre nach Zwinglis Tod wird von Leo Jud in seinen Katechismen von 1534, 1539 und 1541 das Bilderverbot nicht mehr als Teil des 1. Gebotes, sondern selbständig als 2. Gebot gezählt[1]. Nach August Lang[2] ist Leo Jud in seinen Katechismen durch Capitos Kinderbericht, Sams Christliche Unterweisung und Zwicks katechetische Schriften beeinflußt. Capitos Kinderbericht enthält den Dekalog nicht[3]. Sams Christliche Unterweisung zählt als 2. Gebot das Namensgebot, zitiert das Bilderverbot beim 1. Gebot nicht und geht auch bei der Auslegung des 1. Gebotes nicht auf das Bilderverbot ein[4]. Leo Jud scheint[5] der Erste unter den Reformatoren gewesen zu sein, der das Bilderverbot als selbständiges Gebot gezählt hat. In der Auslegung geht Leo Jud allerdings kaum über Zwingli hinaus. Er bringt nebeneinander zwei Begründungen für das Bilderverbot:

„Man darf Gott nicht abbilden, mit keinem Bilde.

Alle Bilder, die zur Verehrung gemacht werden, sind verboten."[6]
Man darf den ewigen unvergänglichen unsichtbaren Gott nicht sichtbar abbilden, weil er das nicht will[7]. Damit scheint das Bilderverbot eine eigene Begründung zu erhalten, die über die Begründung durch das 1. Gebot hinaus geht. Doch ebenso wie Zwingli, der wie viele andere vor ihm zwar Joh. 4, 24 als Beweis anführte, aber damit innerhalb des 1. Gebotes blieb[8], führt Leo Jud mit seiner Begründung, nach der Gott kein Bild, sondern unser Herz haben will, zum 1. Gebot zurück. Der Inhalt des 1. Gebotes liegt nach Leo Jud darin beschlossen, daß Gott allein das ganze Herz des Menschen besitzen will[9]. Das Abgöttereiverbot als erste negative Seite des 1. Gebotes, lautet dann:
Du darfst keinen Abgott im Herzen haben.
Das Bilderverbot als zweite negative Seite des 1. Gebotes lautet:

---

1. Beilage 3 Nr. 16 und 17. August Lang: Der Heidelberger Katechismus S. 34 meint, der kürzere Katechismus sei bereits 1535 geschrieben worden.
2. Nach Oskar Farner: Leo Juds Katechismen S. 21, wo er auf August Lang: Der Heidelberger Katechismus und vier verwandte Katechismen hinweist.
3. Cohrs II 100 ff.
4. Cohrs III 116 f.
5. Zwick, nach Cohrs IV 45 spätestens seit 1522 mit den reformatorischen Gedanken Zwinglis vertraut, bringt in seinen „Gebeten und Liedern für die Jugend" auch den Dekalog. Diese wurden von Spitta 1901 herausgegeben, konnten jedoch von mir nicht eingesehen werden. Daher kann ich nicht mit Sicherheit sagen, daß Leo Jud der erste war, der das Bilderverbot als selbständiges 2. Gebot gezählt hat.
6. O. Farner: Leo Juds Katechismen S. 357 (Anhang zum kürzeren Katechismus).
7. O. Farner: a. a. O. 38 (der größere Katechismus und 262 (der kürzere Katechismus).
8. Joh. 4, 24 wird zitiert: Im Katechismus der Waldenser (Zezschwitz 20). Im Katechismus der Böhmischen Brüder (Zezschwitz 21). Von Bucer 1524 (I 270, 17) und 1534 und 1537 (Reu 61 und 85). Von Zwingli 1525 (ZW III 901). Leo Jud 1523 auf der 2. Disputation (ZW II 696).
9. Oskar Farner: a. a. O. 33 f. und 40.

Du sollst keinen Abgott vor Augen haben, denn dies ist die Folge und das Zeichen eines Abgottes im Herzen.

„Deshalb ist Bild machen und verehren eine Abgötterei, d. h.: Sie gibt zu erkennen, daß der, der es tut, ein Abgöttler im Herzen ist. Keiner richtet ein Bild zur Verehrung auf, er habe denn zuvor jemand im Herzen, dem er es zu Ehren aufrichte."[10]

Dies hat bereits Zwingli gesagt[11]. Wie er, so schließt auch Leo Jud:

Darum: Bilder machen und verehren ist Abgötterei[12].

Aber: Bilder, die nicht zur Verehrung gemacht sind, sind erlaubt[13].

Anders als Karlstadt, für den ein Götze vor Augen gleichbedeutend mit einem Götzen im Herzen war, sieht Leo Jud wie Luther und Zwingli in der Anbetung eines Götzenbildes die Folge der Abgötterei im Herzen und kann wohl zwischen erlaubten und verbotenen Bildern unterscheiden, sieht aber wie Zwingli in einem Bilde Gottes oder eines Heiligen stets ein Kultbild, d. h. einen ‚Götzen'. Bei diesem Verständnis des religiösen Bildwerkes und der entsprechenden Auslegung des Bilderverbotes wäre es auch für Leo Jud folgerichtiger gewesen, das Bilderverbot weiterhin mit dem Abgöttereiverbot zusammen als ein Gebot zu zählen. Und so schreibt er selber:

„Das erste Gebot lehrt und gestaltet das Herz und es verhütet, daß kein Abgott im Herzen aufgerichtet werde. Das zweite Gebot verbietet die äußere Abgötterei, die Verehrung der Bilder und Götzen. Es wird auch in diesem zweiten Gebot das erste verboten, nämlich die Abgötterei des Herzens."[14]

Nur die hierauf folgende Bemerkung führt weiter:

„. . . Denn sonst Bilder machen, die man nicht zu Gottes Erkenntnis braucht oder die man an Gottes Stelle verehrt, das ist hier nicht verboten."

Leo Jud wendet sich hier gegen den Gebrauch der Bilder als „Laien-Bibel". Gott wohnt im Herzen: Bilder vor Augen führen weg von Gott und „in Blindheit des Gemütes und scheußliche Laster"[15]. Nur das Wort Gottes und der Heilige Geist führen zu Gott. Der Hinweis auf das Wort Gottes und den Heiligen Geist als dem einzigen Lehrer findet sich schon bei Zwingli[16], ist aber nicht mehr als ein Ansatz, der von Zwingli und von Leo Jud nicht weiter geführt werden kann, weil beide das Verständnis des Bildes, das dem unkultischen Gebrauch der Bilder als ‚der Laien Bibel' zugrunde liegt, nicht aufnehmen, sondern bei dem damals auch im Volke vorherrschenden heidnischen Bilderverständnis stehen bleiben.

---

10. a. a. O. 38.
11. s. o. S. 142 Anm. 25.
12. a. a. O. 38 und 263.
13. a. a. O. 40 und 357.
14. a. a. O. 40.
15. a. a. O. 38 und 262.
16. a. a. O. 41 oben; ZW III 901, 6 f.

V. Die Behandlung der Bilderfrage in Straßburg

In der Zeit von 1522—1543 erschienen in Straßburg zehn Katechismen[1]. Bis 1524 wird unter dem Einfluß Wittenbergs das Bilderverbot nicht genannt: In dem in Straßburg zuerst verwendeten Katechismus, einer Bearbeitung des Katechismus der Böhmischen Brüder, ist der die Bilderfrage betreffende Absatz gestrichen[2]. Die der „Kurtzen Auslegung" Luthers von 1518 nahe verwandte Straßburger Katechismustafel hat das Bilderverbot nicht[3].

Nachdem Farel in den Jahren 1524 und 1525 über Basel und Zürich nach Straßburg kam und sich dort eine Zeitlang aufhielt[4], zeigen die nach 1526 in Straßburg erschienenen sieben Katechismen deutlich den Einfluß aus der Schweiz. Martin Bucer zitiert bereits im Dezember 1524 in einer Schrift, in der er im Namen seiner Straßburger Kollegen die in Straßburg durchgeführten Reformen begründet, das Bilderverbot als Teil des 1. Gebotes[5]. Der Katechismus Wolfgang Capitos von 1527 enthält zwar nicht den Dekalog, zeigt aber in der Bilderfrage eindeutige Abhängigkeit von Leo Jud[6]. Die anderen Katechismen zitieren alle das Bilderverbot. Dabei nimmt seine Bedeutung ständig zu. Zunächst wird es noch mit dem Abgöttereiverbot zusammen als ein Gebot gezählt. Otto Braunfels bringt 1529 den um Dt. 6, 4 erweiterten vollständigen Text von Exodus 20 und betrachtet das Bilderverbot als Teil des 1. Gebotes[7]. In der „Gottsäligen Anfierung" von 1534 wird das Vorwort des Dekalog als 1. Gebot und das Bilderverbot — wiederum mit dem Abgöttereiverbot zusammen als ein Gebot — als 2. Gebot gezählt[8]. Matthäus Zell bringt als erster in Straßburg in seinem Katechismus „Frag und Antwort" das Bilderverbot als selbständiges Gebot[9]. Martin Bucer schwankt in der Zählung der Gebote. 1534 und 1543 zählt er das Bilderverbot mit dem Abgöttereiverbot zusammen als 2. Gebot, in der Zwischenzeit zählt er 1537 — angeregt wohl durch Calvins Institutio (1536) oder Matthäus Zells Katechismus (1535) oder Leo Juds Katechismus (1534) — das Bilderverbot allein als 2. Gebot[10].

In Auslegung, Bewertung und Anwendung des Bilderverbotes werden die neuen Anregungen aus dem Schweizer Lager mit den bekannten Wittenberger Argumen-

---

1. s. Beilage IV.
2. Nr. 1 von Beilage IV.
3. Nr. 3 von Beilage IV.
4. Alfred Stucki: Guillaume Farel S. 34 f.
5. Grund und Ursach, 1524: Butzer, Deutsche Schriften Bd. 1, 269, 14 ff.
6. Nr. 4 Beilage IV: In der Auslegung wendet er sich heftig gegen die ‚Bildgötzen' und fordert die, die das Recht und die Macht dazu haben auf, die Kirchen von den Bildern zu räumen. Die Kinder sollen die Götzen nicht ehren und sich vor ihnen nicht *bücken*. „bücken" ist eine charakteristische Wendung aus den Übersetzungen Leo Juds. Cohrs I 10.
7. Nr. 5 Beilage IV.
8. Nr. 6 Beilage IV: Auf die sonderbare Einteilung der Katechismen Nr. 6—8, die schon 1533 in Augsburg auftaucht (Beilage III Nr. 13) brauche ich hier nicht einzugehen.
9. Nr. 9 Beilage IV.
10. Nr. 7, 8 und 10 Beilage IV.

ten verbunden. Dies zeigt sich schon in der bereits erwähnten Schrift von Martin Bucer vom Dezember 1524[11]. Zu dieser Zeit sind die Bilder bereits zum großen Teil aus den Kirchen entfernt[12]. Bucer wünscht die Entfernung sämtlicher Bilder und beruft sich dafür auf den Schriftbeweis der Vorsteher der Gemeinde zu Zürich. In seinem eigenen Schriftbeweis bringt er allerdings abwechseln Argumente aus Zürich und aus Wittenberg. Wie Luther und Zwingli rechnet er das Bilderverbot zum 1. Gebot und entnimmt die Begründung des Bilderverbotes wie diese dem 1. Gebot.

„(Ex. 20, 2—5)! Auß disen worten ... mag ein jeder, der die worheit sucht, wol verston, das gott auch goetzen und bilder zu machen verbotten hat, doch das darumb, das in niemand eer erbiete, etwas auff sye halte und in diene, domit dann der einig wore gott veracht und übergeben würt."

Er setzt hier wie Zwingli Kultbild und Götze gleich und unterscheidet zugleich wie Luther zwischen dem von Menschenhand bearbeiteten Holz und Stein, dem „nichtigen Götzen" und den daraus durch Anbetung gemachten „greulichen Abgöttern".

„Dann sust ist der goetz in im selb nichs, dann ein bloß werck menschlicher hend, wie andere ding auch, so durch geschicklicheyt, die gott gibt, gemacht werden."[13]

Wie Zwingli bringt er die Standardbelegstelle Joh. 4, 24, ohne dabei das Bilderverbot aus seiner Abhängigkeit vom 1. Gebot zu lösen[14]. Auch mit seiner Widerlegung des Argumentes der Bilder als Laien-Bibel führt er nicht weiter. Wie Luther und Zwingli fordert er zuerst Predigt gegen die Bilder und Götzen und danach ihre Entfernung. Dabei betont er einerseits wie Luther, daß der Götze vornehmlich durch das Wort aus dem Herzen getan werden müsse und danach keinen Schaden mehr anrichten könnte[15].

„Darumb sye, wo rechter glaub ist, auch moegen gehabt werden." Andererseits meint er wie Zwingli, die vorhandenen Bilder wären nur zur Anbetung gemacht, würden wie „grewliche abgoetter" behandelt und darum das arme Volk verderben[16]. Sie müßten beseitigt werden, um — fast hört man Karlstadt reden — das Volk auch durch die Tat zu überzeugen.

„Als tieff hat diser aberglaub und achtung der bilder ingewurtzelt und wil bey vilen zu dem wort auch thaetlich exempel haben."[17]

Zum Beweis bringt er ein Beispiel aus seiner Gemeinde, der Pfarrkirche zu St. Aurelian[18], mit dem er — ohne es zu bemerken — Luther Recht gibt: Die Ent-

---

11. s. o. Anm. 5.
12. a. a. O. 269, 5 ff.
13. a. a. O. 269, 19 ff. und 25 ff.
14. a. a. O. 270, 17. Ebenso später in seinen Katechismen: Reu 61 und 85 (1534 und 1537).
15. a. a. O. 272, 25 ff. und 269, 27 ff.
16. a. a. O. 270, 25 ff. und 272, 38 f.
17. a. a. O. 270, 25 ff.
18. a. a. O. 273, 10 ff.

fernung des Bildgötzen aus den Augen nimmt dem Einfältigen lediglich die Gelegenheit des Götzendienstes, befreit ihn aber nicht von dem Glauben an den Götzen.

Noch im Oktober 1524, kurz nach der Ankunft Karlstadts in Straßburg, hatte Wolfgang Capito in seiner Schrift „Was man halten und antworten soll von der Spaltung zwischen Martin Luther und Andreas Carlstadt" sich auf die Seite Luthers gestellt:

> „Es hat ein ehrsamer Rath mit Tapferkeit die Tempel etwas von Götzen geräumt, ... und wird mit gleicher Linde, sobald Gott Gnade verleiht, weiter fahren und alle Götzen abthun. Warum sollte man aber hinein rauschen und ehe Hand anlegen, weder das Wort getrieben wäre? Im Herzen thun die Götzen am größten Schaden. Denn welche das Wort gehört, wissen, „daß der Götze nichts in der Welt sei", 1. Cor. 8, 4, und bringt ihnen keinen Anstoß. Lasset die Bildnisse eine gute Creatur Gottes sein. Welche das Wort noch nicht gehört haben, werden durch Hinnehmung der Götzen vor der Predigt nur verbittert und an den Kopf gestoßen, daß sie desto weniger hinnach der Wahrheit Ohren geben würden. Den Glauben gibt doch Gott durchs gehörte Wort und nicht durch urplötzliche Hinnehmung der Götzen ... Denn was ist's, daß etliche Götzen ungestüm abgerissen werden von den Wänden, da sie dem Gläubigen nicht schaden und dem Ungläubigen alle Dinge schaden, aber im Herzen, da sie allen Glauben ausschließen, noch belassen werden?"[19]

Wie Luther und Zwingli fordert Bucer ordnungsgemäße Entfernung der Bildgötzen. Die Dringlichkeit, mit der er sich wie später auch Capito[20] an die christliche Obrigkeit wendet, deren Pflicht es sei, die Bilder und Götzen zu beseitigen, hat ihr Vorbild zwar auch bei Karlstadt in Wittenberg, Bucer jedoch beruft sich auf Zürich. Dort ist der Aufruhr aufgehalten und eine rechtmäßige Säuberung der Kirchen durchgeführt worden.

> „Aber warlich die oberkeiten, wo die woellen Christen sein, ... also stot in auch folgens zu, thaetlich alle solche grewel der goetzen und bilder abzuthun, obgleich noch vil in der gemein seind, den solichs mißfallet."[21]

In der von Wolfgang Capito und Martin Bucer in bewußter Anlehnung an die Confessio Augustana verfaßten Confessio Tetrapolitana von 1530, die weder lutherisch noch zwinglisch sein wollte, werden in der Bilderfrage die im Lager Zwinglis üblichen Argumente gebracht: In der Alten Kirche seien die Bilder verboten gewesen. Nach Epiphanius sei auch ein Christus-Bild verboten. Schon den Juden im Alten Testament seien Bilder verboten gewesen. Das Argument der Bilderfreunde, nach dem die Bilder zur Unterweisung der Laien nützlich wären, sei schon von Lactantius und Athanasius als Ausrede erkannt und zurückgewiesen worden. Es wird zwar zugegeben, daß Bilder, falls sie nicht angebetet oder verehrt würden, an sich frei seien, zugleich aber auf den faktischen Gebrauch, der von den Bildern gemacht wird, hingewiesen. Die Bilder sind stets verehrt und angebetet worden. Man wollte sich durch Bilder vor Gott Verdienste erwerben,

19. Walch 20, 343.
20. Cohrs II 119 f. (Kinderbericht 1529, s. o. Anm. 6).
21. a. a. O. 273, 10 ff., s. auch 270 ff.

statt den Armen zu helfen. Die Bilder haben stets großen Ärger verursacht. Es kann keinerlei Nutzen durch Bilder aufgewiesen werden. Darum sollte man nicht klüger sein wollen als Gott und die alten rechtheiligen Christen[22].

Bucer nimmt in der Bilderfrage wie auch in anderen Fragen die Anliegen mehrerer Parteien auf. Ein Unterschied zu Zwingli besteht im Grunde lediglich in der Anerkennung der Neutralität der Bilder. Ein Unterschied zu Luther, der ja gegen eine ordnungsgemäße Bildentfernung nichts einzuwenden hatte, besteht in der Einstufung der Bilderfrage unter die Glaubensfragen und der stärkeren Bewertung der Folgen der praktischen Bildentfernung. Straßburg zeigt, daß zur Begründung der Entfernung vorhandener Bilder nach der Weise Zwinglis eine Auslegung des Bilderverbotes im Stile Luthers ausreicht.

---

22. Bucer: Deutsche Schriften Bd. 3, 150—161.

VI. Ergebnis

Nicht nur einige vor- und neben-reformatorische Strömungen, sondern auch die in der Schweiz erwachende reformatorische Bewegung schenkte dem Bilderverbot neue Beachtung und maß der Bilderfrage stärkeres Gewicht zu als Martin Luther. Drei Motive führten dazu, das Bilderverbot wieder zu beachten:

1. Ein *biblizistisches Anliegen:* Die ganze Heilige Schrift muß gehört werden. Deshalb soll jeder die Gebote im vollen Wortlaut kennen.

2. Der *Kampf gegen den Bilderdienst.*

3. Die *Gleichsetzung von Bild und Götze* führte zur Forderung der unbedingten und baldigen Vernichtung aller kirchlichen Bildwerke.

Der Kampf gegen den Bilderdienst, schon von den Vorreformatoren begonnen, wurde zwar von Martin Luther bereits vor den Schweizer Reformatoren in heftiger Weise aufgenommen, in Zürich und Straßburg jedoch wurde er wie bei den Böhmischen Brüdern direkt mit dem Bilderverbot begründet. Zugleich wurde der Dekalog vollständig aus Ex. 20 in den Katechismus aufgenommen und das Bilderverbot in Zürich seit 1534, in Straßburg seit 1537 als selbständiges 2. Gebot gezählt. In der Auslegung behielt das Bilderverbot allerdings seine Abhängigkeit vom 1. Gebot. In der Abwehr gegen den von der katholischen Kirche vorgebrachten Einwand des erlaubten Gebrauches der Bilder als ‚Laien-Bibel‘ tauchte im Ansatz eine neue Begründung des Bilderverbotes auf. Da diesem Bildgebrauch jedoch eine Bildauffassung zugrunde liegt, die dem Alten und Neuen Testament unbekannt ist und von Zwingli und Leo Jud bei der Auslegung des Bilderverbotes nicht berücksichtigt wurde, konnte dieser Ansatz nicht weiter geführt werden. In Zürich und Straßburg wandte man sich gegen die ‚papistischen Bildgötzen‘, auf die das Argument der Laienbibel nicht angewendet werden konnte. Zur Begründung der Entfernung der vorhandenen Bilder genügt die von den Schweizer Reformatoren gebrachte Auslegung des Bilderverbotes. Der Unterschied zu Martin Luther besteht weniger in der Auslegung des Bilderverbotes als in der andersartigen Bildauffassung. Akut wird die Frage der Selbständigkeit des Bilderverbotes erst im Blick auf die eventuelle Herstellung neuer Bilder. Es fehlt noch eine der christlichen Bildauffassung entsprechende neue Begründung des Bilderverbotes und ein eigenständiger negativer und positiver Gehalt des Bilderverbotes, der die Zählung des Bilderverbotes als selbständiges 2. Gebot rechtfertigt.

3. Teil

Calvins Beitrag zur Bilderfrage

I. Text und Stellung des Bilderverbotes im Dekalog

„Seit langer Zeit ist die enge Beziehung der Institutio (Calvins) von 1536 zu Luthers Kleinem Katechismus erkannt worden ... Man kann an manchen Stellen wörtlich Anklänge an das Enchiridion Luthers feststellen, so vor allem in der Auslegung der 10 Gebote."[1] Umso mehr fällt eine große Abweichung Calvins von Luthers Kleinem Katechismus ins Gewicht. Calvin zählt bereits in seiner Institutio von 1536 als zweites Gebot das Bilderverbot[2], während Luther in seinen Katechismen das Bilderverbot wegläßt und als zweites Gebot das Namensgebot zählt[3]. Dieses steht bei Calvin an dritter Stelle. Trotzdem zählt auch Calvin nur 10 Gebote, weil er die beiden Gebote, die bei Luther an 9. und 10. Stelle stehen, als ein Gebot zusammenfaßt[4]. Ausdrücklich lehnt er die lutherische Einteilung der Gebote im Verhältnis 3:7 auf die beiden Tafeln ab[5]. Luther stimmt in Wortlaut und Einteilung der Gebote mit der katholischen Kirche überein[6]. Calvin lehnt die katholisch-lutherische Zählung ab, weil hierbei das Bilderverbot gestrichen oder unter dem 1. Gebot verborgen wird und das 10. Gebot, das offensichtlich ein einziges Gebot ist, geteilt werden muß[7]. Er will nicht nur den vollen Wortlaut des Dekalog erhalten, sondern das 1. Gebot und das Bilderverbot als zwei verschiedene Gebote zählen. Daher zitiert er in der Institutio und in den Katechismen durchweg den vollen Text von Ex. 20, 2 ff. und zählt ohne Ausnahme das Bilderverbot als 2. Gebot[8]. Calvin ist sich dessen wohl bewußt, daß diese Einteilung für seine Zeit neu und ungewöhnlich ist[9]. Er beruft sich aber auf die Alte Kirche, die diese Einteilung ebenfalls gekannt habe und stellt damit fest, daß seine Einteilung keineswegs neu oder von ihm erdacht sei[10].

---

1. August Lang: Die Quellen der Institutio von 1536, S. 104 f.
2. OS I 42 u.
3. Kurze Auslegung 1518, WA I 250; Kurze Form 1520 WA VII 205; Kleiner Katechismus 1529, BS 508, 1 f.; Großer Katechismus 1529, Bek. Schr. 555, 16 f.; Decem Praecepta WA I 399.
4. OS I 52 o.
5. OS I 49 o.
6. s. o. S. 18 f.
7. OS III 353, 18 ff.; OS I 49; cf. o. Anm. 92 in 2. Teil III.
8. Institutio 1536, OS I 42 u; Institutio 1539 ff.; OS III 359, 5 ff.; Katechismus 1537, OS I 383; Genfer Katechismus 1542, Niesel S. 17; Dekalogharmonie CR 24, 375.
9. OS I 48 f.
10. OS I 49; OS III 353, 13 f.

II. Calvins Verhältnis zu seinen Zeitgenossen in der Bilderfrage

1. Martin Luther

Bewußt weicht Johannes Calvin in der Zählung des Bilderverbotes von Martin Luther ab. Die Katechismen Luthers waren Calvin bekannt. Fraglich ist, wie weit er von den polemischen und exegetischen Äußerungen Luthers zur Bilderfrage Kenntnis hatte. Es erscheint mir nicht wahrscheinlich, daß er die nur z. T. in lateinischer Sprache geschriebenen exegetischen Schriften, in denen sich Luther gegen die Bilder wendet, gelesen hat. Die polemischen Schriften gegen die Bilderstürmer sind deutsch geschrieben und scheiden ganz aus. August Lang[1] führt als „Schriften Luthers, von deren Benützung mit mehr oder minder großer Wahrscheinlichkeit in der Institutio von 1536 Spuren gefunden" worden sind, an:

Der Kleine Katechismus (in einer lateinischen Übersetzung des ‚Betbüchleins‘)

Der Große Katechismus

De libertate Christiana

De captivitate Babylonica

Sermon von dem Sakrament des Leibes und Blutes Christi wider die Schwarmgeister (1527 ins Lateinische übersetzt)

Sermon von dem hochwürdigen Sakrament des heyligen wahren leichnams Christi, (1524 übersetzt)

Die Kirchenpostille

In diesen Schriften äußert Luther sich — abgesehen von einer kurzen Bemerkung über Bilder im Großen Katechismus[2] — weder über Bilder noch über das Bilderverbot. Es erscheint also unwahrscheinlich, daß Calvin auf direktem Wege über Luthers Stellung in der Bilderfrage Kenntnis erhielt. Vermutlich beruht das meiste, was er hierin von Luther weiß, auf der Vermittlung Bucers und Melanchthons[3]. Soviel ist deutlich, daß er sich in dieser Frage einerseits nicht Luther anschließt, andererseits sich aber mit ihm nicht auseinandersetzt. Er weiß zwar, daß hier ein Unterschied zwischen ihm und Luther besteht, betont jedoch zu Beginn seiner Ausführungen über die Einteilung des Dekalogs, daß diese Meinungsverschiedenheit kein Grund zur Trennung ist[4]. Dennoch beharrt er ausdrücklich auf seiner Stellung, weil sie ebenso wie die Luthers theologisch begründet ist. Er zählt

---

1. August Lang: Die Quellen der Institutio von 1536 S. 105 f.

2. Bekenntnisschriften 564, 19 f.

3. Zu Bucer s. o. S. 156 ff. und S. 166. Melanchthons Loci waren Calvin ebenso bekannt wie die Confessio Augustana samt Apologie. So Niesel in Ref. Kirchenzeitung 81. Jg. 1931, S. 196 und A. Lang: Die Quellen, S. 106. Melanchthon vertritt in seinen Loci bereits 1521/22 Luthers Stellung zur Bilderfrage: Er läßt das Bilderverbot aus (2. Auflage von Kolde S. 122 f.), sagt am Schluß der Auslegung des 1. Gebotes: Gott im Geist und in der Wahrheit anbeten heiße, Gott vertrauen, lieben und fürchten und daraus ergebe sich der rechte äußere Gottesdienst von selbst (122 unten). Er wendet sich gegen Götzen und Götzenbilder (156 oben). Er zählt die Bilder zu den Mitteldingen: (227).

4. OS III 353, 12 (1539).

Luther nicht — wie Zwingli es tut — zu den zu widerlegenden Bilderfreunden[5]. Darum wendet er sich nie namentlich gegen Luther. Da Luther bei der Bilderfrage in einigen Punkten mit der katholischen Kirche konform geht, trifft Calvin mit seiner Kritik an der katholischen Kirche hierin auch Luther:

In Einteilung und Text des Dekalog

In Zählung und Wertung des Bilderverbotes

2. Die katholische Kirche

In seinen polemischen Äußerungen zur Bilderfrage wendet Calvin sich allein gegen die katholische Kirche. Da in Genf und in Straßburg die Bilder bereits beseitigt sind, richtet Calvins Polemik sich entweder allgemein gegen die „Papisten"[7] oder gegen bestimmte katholische Theologen wie Cochläus und Eckius[8]. Auf die Schrift von Johannes Eckius: „De non tollendis Christi et sanctorum imaginibus" von 1522 nimmt Calvin in seiner Institutio mehrfach Bezug[9]. Eckius wendet sich hier gegen die „lutherischen Bilderstürmer" und äußert sich zur Bilderfrage ähnlich wie die Verfasser der katholischen Beichtbüchlein. Der Inhalt dieser Schrift soll zur Chrakteristik der katholischen Bilderlehre zur Zeit Calvins kurz referiert werden:

1. Das Bilderverbot ist nur den Juden gegeben wegen ihres Aberglaubens[10].

2. Der unsichtbare Gott ist durch die Fleischwerdung des Wortes sichtbar und darstellbar gemacht worden.

3. Schon zur Zeit der Apostel gab es christliche Bilder. Für die Zeit der Alten Kirche führt Eckius Augustin, Hieronymus und Ambrosius sowie Euseb an.

4. Eckius beruft sich u. a. auf das Konzil von Nicäa im Jahre 787 und die Synode zu Frankfurt von 794.

5. Bilder sind nützlich, weil sie die Laien unterrichten und den Betrachter an

---

5. OS III 103, 3 f. (1550): „Qui hodie simulachrorum usum tuentur, Nicenae illius Synodi patrocinium allegant." Luther hat dies nicht getan.

7. ‚Papistae': In der Institutio erst ab 1550: OS III 91, 20 und 23 (1559); OS III 93, 23 und 95, 3 und 22 (1550); ‚Les Papistes': Op. 26, 157 (nach M. Grau S. 14); Op. 49, 612 (3. Predigt über 1. Kor. I nach M. Grau S. 15); Op. 26, 156 (5. Predigt über 5. Mose 4, 15—20 nach M. Grau S. 19); Op. 36, 69 (nach M. Grau S. 20).

8. Den Hinweis auf Eckius entnahm ich OS III 90 ff. Die Schriften von Cochläus, auf die in OS III ebenfalls hingewiesen wird (S. 100, 106 und 91) und in denen wohl vor allem der Unterschied zwischen Verehrung und Anbetung der Bilder behandelt wird, habe ich nicht eingesehen. Die Überschriften von Eckius, die als eine kurze Zusammenfassung der Stellung der katholischen Kirche zur Zeit der Reformation gelten können, bringe ich in Beilage V. Calvin wendet sich gegen Götzendienst, Aberglauben und Bilder auch in Briefen an Vertreter der katholischen Seite, z. B. den Pfarrer der savoyischen Gemeinde Cernez, François de Mandallaz (1543) Schwarz I S. 170 und 173; CR Nr. 443.

9. OS III 90 und 93 u. ö.

10. Eckius: De non tollendis imaginibus, Opp. Eckii II R 7 a. Als Beleg für die folgenden Ausführungen s. Beilage V.

Bekanntes erinnern. Sie sind lobenswert, weil sie zur Nachahmung anreizen. Der Bildergebrauch vermehrt die Andacht.

6. Bilder sind nicht anzubeten, aber zu verehren.

Die Schriftstelle von der „Anbetung im Geist und in der Wahrheit" (Joh. 4, 24) betrifft nicht die Bilder.

7. Bilderstürmer sind Häretiker.

Calvin stellt den Ausführungen der Papisten gegenüber fest:

1. Das Bilderverbot gehört zum Dekalog. Wer es nicht mitzitiert, tilgt es aus der Zahl der Gebote oder verbirgt es unter dem 1. Gebot[11].

2. Das Bilderverbot gilt auch heute noch. Die Behauptung der Papisten, es sei nur den Juden wegen ihres Hanges zum Aberglauben gegeben, ist faule Sophisterei[12].

3. Gott kann und darf nicht sichtbar vergegenwärtigt werden[13].

4. Die Alte Kirche kannte keine Bilder. Calvin beruft sich auf Augustinus, Origines, Chrysostomus, Lactantius, Euseb, Irenäus und Epiphanius[14].

5. Die genannten Konzile widersprechen sich und führen unmögliche Beweise[15].

6. Bilder können und dürfen nicht der ‚Laien Bücher' sein[16]. Außerdem werden sie in der Kirche nicht zur Belehrung, sondern zur Verehrung aufgestellt[17]. Nicht durch Bilder, sondern durch die Predigt vom Wort Gottes soll das Volk unterrichtet werden[18].

7. Bilder sind weder anzubeten noch zu verehren. Joh. 4, 24 spricht gegen die Anbetung bzw. Verehrung im Bilde. Die Unterscheidung von gebotener Verehrung und verbotener Anbetung ist sachlich falsch (Dienst ist mehr als Verehrung) und praktisch sinnlos. Das Volk unterscheidet nicht zwischen dem Bild und dem dadurch dargestellten Gott oder Heiligen[19].

Wo Calvin auf die Mißstände in der katholischen Kirche zu sprechen kommt, wendet er sich meist auch gegen Christus- und Heiligenbilder und den Bilderdienst[20]. Während Luther gegenüber der katholischen Kirche die Bilderherstellung und -stiftung für ein gutes Werk, Bildervernichtung für Häresie, Verehrung

---

11. OS III 353, 18 ff. und OS I 49 oben.

12. OS III 91, 22 f. (1559) und Op. 26, 156 (nach Grau S. 19).

13. OS I 42 f.: ‚Qui cum sit . . .'; Op. 49, 612 (nach Grau S. 15); Op. 26, 156 (nach Grau S. 19) s. u. S. 187 ff.

14. Calvin beruft sich auf Augustin, OS I 49 = OS III 354; OS III 94; OS V 157; Origines (Opus imperfectum in Mtth. inter Opus Chrysost.) OS I 49 = OS III 354; Lactantius und Euseb OS III 94; Irenäus OS III 101; Epiphanius OS III 101 und V 157; Canon 36 des Konzils zu Elvira 306, OS III 94; Mansi II 264.

15. OS III 105.

16. OS III 93; Op. 36, 69 (nach Grau S. 20).

17. OS I 44 ‚Ultimum effigium . . .'; Op. 26, 157 (nach Grau S. 15).

18. OS I 44 Mitte.

19. OS I 43; OS III 106 f.

20. Widmung der Institutio an Franz I, 1536: CR 30, 20; Mahnschreiben an Karl V, 1543, CR 34, 457 f., 509.

für geboten und allein die Anbetung für verboten erklärt, Anbetung und Verehrung der Bilder bekämpft und darum die Entfernung abgöttischer Bilder für gut, wenn auch nicht unbedingt notwendig und die zwangsweise unrechtmäßige Entfernung für sehr schädlich hält, großen Wert auf die Predigt gegen den Bilderdienst legt und den pädagogischen, paränetischen und didaktischen Gebrauch der Bilder für nützlich erklärt, wendet Calvin sich zwar ebenso wie Luther gleicherweise gegen Bilderdienst und Bildersturm[21], fordert gründliche Predigt und kurze Wartezeit vor der Bildentfernung, erachtet aber mit Zwingli die Entfernung der Bilder aus den Kirchen für notwendig und wertet die ordnungsgemäße Durchführung der Bildentfernung als ein Zeichen für den Durchbruch der Reformation[22]. Dabei ist für Calvin wie für Luther die Liebe Maßstab des Handelns. Aber ebenso wie unsere Freiheit der Nächstenliebe untergeordnet werden muß, muß wiederum die Liebe der Reinheit des Glaubens sich unterordnen[23]. Oberstes Kriterium ist die unantastbare Ehre Gottes: „ne in gratiam proximi Deum offenderem"[24].

Praktisch war die Frage der Bildentfernung schon entschieden, bevor Calvin als Reformator zu wirken begann:

In *Wittenberg* waren die Kirchen teils durch Karlstadts Eifer gewaltsam ihrer Bilder beraubt, teils noch im Besitz der Bildwerke, die aber infolge der Predigt der Wittenberger Reformatoren nicht mehr angebetet oder verehrt wurden.

In *Zürich* und *Straßburg* waren die Kirchen auf rechtmäßigem Wege von den Bildern befreit.

In *Genf* wurden die Bilder bereits 1535 gänzlich beseitigt[25].

Für Calvin lautete die Bilderfrage darum nicht mehr: ‚Sollen die abgöttischen Bilder entfernt werden?' sondern: ‚Sollen unsere Kirchen leer bleiben oder dürfen andere Bilder in den Kirchen angebracht werden?'[26] Wichtiger als die Frage der Bildentfernung ist für Calvin die Frage der Herstellung von Bildern. Es geht um die Eigenständigkeit des Bilderverbotes. Daher ist sein Beitrag zur Bilderfrage — abgesehen von gelegentlichen polemischen Äußerungen — grundsätzlicher Art.

3. Die Schweizer Reformatoren (Zürich und Straßburg).

Calvin ist nicht der erste der Reformatoren, der dem Bilderverbot neue Geltung verleiht und schon in vorreformatorischen Bewegungen wurde dem Bilderverbot neue Beachtung geschenkt. Dennoch beruft Calvin sich in der Bilderfrage auf keinen seiner Vor- und Mitreformatoren. Als diejenigen, von denen er gelernt habe, nennt er sonst Luther und Bucer[27]. Bis 1534 zeigt er auch in der Bilderfrage

---

21. Schwarz II 361 (nach Grau S. 19—21, Op. 18, 580 f.); Schwarz II 406; CR 24, 546, 18 ff. und 554, 18 ff.

22. Schwarz I 22 oben, Nr. 11, Brief vom 13. 10. 1536, in CR Nr. 34.

23. OS IV 292 f.

24. OS IV 292, 23.

25. s. o. S. 131, Anm. 8.

26. z. B. Op. 26, 157 (nach Grau S. 15).

27. Calvins eigenes Zeugnis: CR 6, 239 f. und 241 und 250; 8, 59; 9, 774 f. nach Niesel in Reformierte Kirchenzeitung 81. Jg. 1931, S. 196.

Abhängigkeit von Luther. Durch Bucers Schriften war Calvin schon in Frankreich mit Luthers reformatorischen Gedanken bekannt geworden[28]. Noch 1533 wertet er in der Rektoratsrede für Cop ganz im Sinne Luthers das Bilderverbot als Teil des 1. Gebotes, ja als Beispiel dafür, was z. Z. des Alten Testamentes unter ‚alienos deos' verstanden wurde[29]. 1534 lernte er in Basel Bucer und Capito persönlich kennen. 1536 erscheint die 1. Ausgabe der Institutio, in der das Bilderverbot bereits als 2. Gebot gezählt wird. Bucer selber zitiert das Bilderverbot jedoch erst 1537, d. h. nach Erscheinen der Institutio Calvins, als 2. Gebot und kehrt 1543 und 1550 wieder zu seiner ursprünglichen Einteilung zurück[30]. In dem Katechismus von 1534, in dem er wie Calvin vier Gebote in der 1. und sechs Gebote in der 2. Tafel hat, zählt er als 1. Gebot allein die Vorrede und als 2. Gebot das Abgöttereiverbot mit dem Bilderverbot zusammen[31]. Calvin lehnt in der Institutio von 1539 diese Zählung ausdrücklich ab[32]. Hätte er Bucers Katechismus vor 1536 gekannt, wäre er wohl schon in der Ausgabe von 1536 eingegangen. Es besteht die Möglichkeit, daß Calvin 1534 in Basel direkt das schweizerische Anliegen nahegebracht wurde. Warum aber erwähnt Calvin nirgends, daß in Zürich unter der Führung Zwinglis bereits seit 1523 die Bedeutung des Bilderverbotes neu erkannt, seit 1525 der Dekalog vollständig aus Exodus 20, 2 ff. zitiert und seit 1534 das Bilderverbot von Leo Jud als 2. Gebot gezählt wurde? Ist Calvin, der sich gegen Luther für eine größere Beachtung des Bilderverbotes entschieden hat und es wie Leo Jud als 2. Gebot zählt — ohne es zu bemerken — in der Bilderfrage von Zürich abhängig? Calvin selber betont, daß er Zwinglis Schriften nur zum Teil gelesen habe und sie auch nicht für übermäßig beachtenswert halte[33].

---

28. August Lang: Johannes Calvin, S. 21 und 77.
29. Concio Academica OS I, 7; Es ist in der Forschung unumstritten, daß die von Calvin 1533 zum Allerheiligentage ausgearbeitete Rede stellenweise bis in Einzelheiten des Gedankenganges von der Festpredigt abhängig ist, welche Luther an dem nämlichen Tage im Jahre 1522 gehalten hatte.
30. Beilage IV Nr. 10 und 8; De regno Christo S. 288 unten.
31. Beilage IV Nr. 7.
32. OS III, 353, 25 ff.
33. s. den Brief an Viret, 11. Sept. 1542. Schwarz I S. 159 = CR 11, 438, zitiert bei OS I 16; dazu CR 9, 51 ebenda. OS I 16 nennt als in Frage kommende Schriften Zwinglis, „Ußlegen und Gründe der Schlußreden" und den Commentarius de vera et falsa religione. Dazu bemerkt A. Lang in „Quellen der Institutio von 1536" S. 107, Calvin habe den Commentarius „gekannt und hier und da nicht bloß im negativen Sinne verwertet" und beruft sich auf OS III 339, Anm. 2 (= OS I 62 f.) mit dem Hinweis auf Zwingli CR III 710, 22 ff. Hinweise in OS auf andere Schriften Zwinglis, (III, 367 f., 369, 494) hält A. Lang für unsicher. Mir erscheint auch die von Lang anerkannte Stelle unsicher. Dort heißt es Zeile 29 ff.: „multi dum ... dicunt abrogatam esse Legem fidelibus ...“; OS verweisen dazu auch auf Melanchthons Loci. Dort heißt es in Kolde² p 225 (1525) „Ergo lex non est abrogata, nisi populo novi testamenti, ... id est vere fideli". Der Zusammenhang mit Melanchthons Loci, die von OS häufig angemerkt werden, erscheint mir hier wahrscheinlicher als mit Zwinglis Commentarius. Eine m. E. stichhaltigere Belegstelle wäre OS I 42 und dazu ZW III 901, 16 f. Hinzu kommt der Hinweis Langs auf den

In den frühen Schriften Zwinglis wird das Bilderverbot eindeutig als Teil des 1. Gebotes genannt und gewertet. In den späteren Schriften wird eine selbständige Wertung und Begründung des Bilderverbotes angedeutet, aber nicht durchgeführt[34]. Leo Jud, der Erste, der das Bilderverbot vollständig aus Ex. 20 zitiert und auch der Erste, der 1534 das Bilderverbot allein als 2. Gebot zählte, ist theologisch von Zwingli abhängig. Er hat die Eigenständigkeit des Bilderverbotes theologisch nicht eindeutig begründet[35]. Außerdem ist es fraglich, ob Calvin Leo Juds Katechismen, die ja in deutscher Sprache geschrieben sind, gekannt hat.

Auch in anderen Fragen beruft Calvin sich nicht auf seine Zeitgenossen. Sie sind keine allgemein anerkannte Instanz, auf die man sich berufen kann, sondern Mitarbeiter. Daher spricht Calvin in seinen reformatorischen Schriften, in denen er sich an und gegen die katholische Kirche wendet, nicht im Singular, sondern im Plural: „Auf unserer Seite steht die Wahrheit Gottes ..."[36]. Er sieht sich gemeinsam mit all den andern im Kampf gegen die katholische Kirche, gegen die ‚Papisten'. Der einzige, den er häufiger bei Namen nennt, ist Luther. Doch auch dieser ist keine Autorität, auf die Calvin sich beruft, sondern ein Vorkämpfer; der Erste, der mit andern zusammen „die Fackel vorangetragen hat auf dem Wege zum Heil; durch ihren Dienst sind unsere Gemeinden gegründet und geordnet"[37]. Vermutlich ist die Frage nach der Bedeutung des Bilderverbotes nicht nur von einer Seite her an Calvin herangetragen worden. Tatsache ist, daß die Impulse in der Bilderfrage — abgesehen von den Aktionen in Wittenberg durch Karlstadt und den Forderungen in vorreformatorischen Bewegungen — von Zürich, wo Zwingli die Führung hatte, ausgingen. Calvin hat in der Bilderfrage ein Anliegen der Schweizer Reformatoren aufgenommen. Entweder direkt durch die Kenntnis von Zwinglis Schriften und der Katechismen, die das Bilderverbot wieder in den Dekalog aufnahmen, oder indirekt durch die Vermittlung Straßburgs, vor allem

---

1. Satz der Institutio.

Die wichtigste Aussage Zwinglis im „Commentarius ..." über das Bilderverbot wird oben auf S. 121 bei Anm. 86—88 behandelt. Fritz Blanke, Aus der Welt der Reformation, 1960, S. 18 ff., hat alle Bemerkungen Calvins über Zwingli untersucht. Es ist ein spärliches Vorkommen: Zwingli wird in 6 von den rund 100 Schriften Calvins und 8 mal in seinen rund 1200 Briefen erwähnt. Blanke stellt fest, daß Calvin sich stets kritisch zu einigen Lehrpunkten bei Zwingli äußert. Über die Bilderfrage und Zwinglis Position und Wirkung dabei verliert er kein Wort. Die Nichterwähnung (auch andere wichtige Dinge, wie Zwinglis Kirchenbegriff und Gotteslehre bleiben unerwähnt) bedeutet nicht Zustimmung, sondern zeigt, daß Calvin hier von keiner Seite und aus keinem Anlaß heraus genötigt wurde, Zwingli zu erwähnen, bei dem er „den zuweilen theologisch unzulänglichen Denker und den Kirchengründer, der auf reformatorischem Grunde ein großes Werk schaffen durfte", unterschied (S. 47).

34. s. oben S. 152 f.

35. s. Beilage III Nr. 16 und 17 und oben S. 154 f.

36. CR 34, 500 unten und dazu OS III 9 ff., wo Calvin stets ‚wir' sagt.

37. CR 34, 459, 6 ff. Calvin nennt Luther einen Erstling unter den Knechten Christi, dem wir alle viel schulden (Schwarz I 201, 1544 an Bullinger), oder er sagt, von der Kirche zu Wittenberg sei das Evangelium ausgegangen (Schwarz I 189, 1544).

Bucers. Im zweiten Fall hätte er das Anliegen Zwinglis in Synthese mit dem Anliegen Luthers kennen gelernt.

Eine direkte Abhängigkeit Calvins in der Bilderfrage von einem der anderen Reformatoren habe ich nicht feststellen können, wohl aber die Verwendung zahlreicher Begriffe und Argumente, die andere schon vor ihm gebracht hatten. Etwa:

1. Die verschiedene Einteilung des Dekalog ist kein Grund zur Trennung (Bucer)[38].

2. Zutreffende Schilderung des heidnischen Bildergebrauches fast mit den gleichen Worten (Zwingli)[39].

3. Die Berufung auf die Alte Kirche, u. a. auf Lactantius und Ephiphanius (Zwingli, Tetrapolitana)[40].

4. Schriftbeweis aus dem Alten und Neuen Testament. Vor allem die Belegstelle Joh. 4, 24 (Waldenser, Böhmische Brüder, Bucer, Capito, Jud, Zwingli)[41].

5. Nicht ein Bild, sondern das Wort Gottes soll unser Lehrer sein (Zwingli, Leo Jud u. a.)[42].

6. Eine bildliche Darstellung verletzt die Ehre Gottes (Bucer u. a.)[43].

7. Ein Bild machen und aufrichten ist ein sicheres Anzeichen dafür, daß man einen Abgott im Herzen hat (Leo Jud, Luther)[44].

8. Ablehnung eines Bildgebrauches zur Erkenntnis Gottes (Leo Jud)[45].

9. Christus hat seine leibliche Gegenwart ,uns aus den Augen' getan und ist im Himmel. Darum sollen wir nicht den Blick an irdische Dinge heften, sondern zum Himmel erheben (Böhmische Brüder)[46].

10. Taufe und Abendmahl als Bilder Christi (Luther)[47].

Calvin hat in der Bilderfrage sich das Anliegen der Schweizer Reformatoren zu eigen gemacht und von verschiedenen Seiten Anregungen aufgenommen. Es ist die Frage, ob Calvin in der Bilderfrage die vorhandenen Ansätze weitergeführt hat. In der Akzentverschiebung der Fragestellung von der Betonung der Frage der Bildentfernung bei Zwingli zur Betonung der Frage der Bildherstellung bei Calvin deutet sich bereits Calvins Selbständigkeit an. Ist es ihm gelungen, eine eindeutige Begründung für die Eigenständigkeit des Bilderverbotes zu bringen?

---

38. OS III 353, 9 ff.

39. s. o. S. 142; ZW III 901, 16 f.; CR 34, 462 unten; s. u. S. 174 ff.

40. s. o. Anm. 14; Tetrapolitana: Müller S. 75; Zwingli: ZW IV 79, 12 f.; ZW V 756.

41. OS I 42, 6 und 38, 4. 12; OS V 176, 16 ff. s. o. S. 154, Anm. 8.

42. OS I 44, 11 ff. u. ö.; Zwingli ZW III 901, 6 f.; Leo Jud s. o. S. 155 und Karlstadt, Lietzmann Kl. Texte Nr. 74 S. 9 ff.

43. s. u. S. 178 f.; Bucer 1543 (Reu 61): Augsburger Katechismus 1533 (Reu S. 760).

44. s. u S. 186 ff.; Zwingli oben S. 142, Leo Jud, S. 155: O. Farner, Katechismen S. 34; Luther s. o. S. 55 f.

45. Leo Jud a. a. O. 40.

46. s. u. S. 210 ff. bei Anm. 70; Böhm. Brüder: F 61 (Zezschwitz S. 51); Bucer: Walch 20, 433 (1524).

47. OS III 102, 21 ff.; Luther: WA 47, 138.

III. Auslegung und Begründung des Bilderverbotes

1. sola scriptura

Calvin beruft sich in der Bilderfrage weder auf seine Mitreformatoren, die vor und neben ihm dem Bilderverbot neue Geltung verschufen, noch auf die Alte Kirche, deren Vertreter er in reichlichem Maße anführt. Seine Mitreformatoren sind keine allgemein anerkannte Instanz, auf die er sich berufen könnte, sondern Mitarbeiter und wie er auf der Suche nach der Wahrheit. Die Kirchenväter sind für ihn ebenfalls keine unanfechtbare Autorität, sondern Zeugen aus der Vergangenheit, Väter im Glauben, die sein Urteil bekräftigen[1].

Die einzige Autorität, auf die Calvin sich beruft, ist die Heilige Schrift. Nicht nur in der gemeinsamen Bekämpfung des Bilderwahnes, sondern auch in der voneinander abweichenden Zählung des Dekalogs berufen sich Luther und Calvin auf die Heilige Schrift. Nach Walter Zimmerli kann sich in der Tat jede der beiden Zählungsarten auf echte Tatbestände im kanonischen Dekalogtext berufen[2]. Calvins Zählung entspricht der formalen Anlage des Dekalog. Luthers Zählung entspricht der Auslegung des ältesten uns bekannten Interpreten des Dekalog, der wie später Luther den inhaltlichen Zusammenhang des Bilderverbotes mit dem Abgöttereiverbot gesehen und in der Zählung zum Ausdruck gebracht hat. Nun begründet Calvin, der den engen Zusammenhang zwischen Abgöttereiverbot und Bilderverbot auch erkannt und zugegeben hat[3], dennoch die Zählung des Bilderverbotes als eigenes Gebot gerade mit dem Inhalt der beiden Gebote.

„quoniam autem haec duae sunt distincta, colligimus diversa esse praecepta, ubi de rebus diversis agitur."[4]

2. Hermeneutische Voraussetzung

Calvin schickt der Auslegung des Dekalog in seiner Institutio seit 1539 prinzipielle Erwägungen über die rechte Methode zur Auslegung der Gebote voraus[5].

1. Die Gebote und Verbote enthalten stets *mehr* als der tatsächliche Wortlaut sagt. Der Sinn des Gebotes darf nicht auf den Wortbestand eingeengt werden[6].

---

1. Schwarz I 13; OS III 17, 16 ff. (an Franz I 1536) = OS I 27, 7 ff. Schwarz I 29, Nr. 15 CR Nr. 87, (an Bucer 12. 1. 1538).

2. s. Excurs II: Das Bilderverbot im AT, Abschnitt 1.

3. CR 24, 377, 21 f. von unten: „Interea non infitior, coniunctum haec legenda esse, sicuti colendi superstitio vix unquam a priore vitio separatur: quia simul ac quispiam sibi permisit imaginem Deo attribuere, statim ad falsum cultum delabitur ... Facile igitur patiar duo haec, quae inseparabile sunt, simul coniungi, modo ..."

4. CR 24, 376, 20 ff.

5. OS III 350.

6. OS III 350, 14 ff.

a) Gott nennt in jedem Gebot immer nur das Hauptlaster[7]. Es muß ‚per synecdochen' der Gesamtinhalt erschlossen werden, d. h. es ist sehr viel mehr verboten, als wörtlich gesagt wird.

b) Gott erwartet von uns nicht nur die Enthaltung von dem betreffenden Laster, sondern fordert von uns die diesem Laster entgegengesetzte Leistung[8].

2. Natürlich ist der Auslegung eine bestimmte Grenze gesetzt. Das Kriterium dafür, wieweit man über den Wortbestand hinausgehen kann, ist dem Grund oder der Absicht des Gebotes zu entnehmen[9].

Wer ein Gebot recht verstehen will, muß also zuerst nach dem *Motiv*[10] (finis) fragen. Daraus ergibt sich der volle *Inhalt* des Gebotes, also alles, was verboten und alles, was geboten ist.

3. Das Verhältnis des Bilderverbotes zum Abgöttereiverbot

Aus den hermeneutischen Voraussetzungen Calvins ergibt sich für unsere Frage: Wenn Abgöttereiverbot und Bilderverbot zwei verschiedene, selbständige Gebote sein sollen, müssen sie auch je einen eigenen Inhalt haben. Nach der Methode Calvins muß also zu dem genannten Hauptlaster jedes Gebotes ein umfassender Gesamtinhalt, eine eigene Absicht bzw. eigene Begründung und ein dem negativen Gehalt entsprechender besonderer positiver Gehalt erschlossen werden können.

a) Motiv und Inhalt des Abgöttereiverbotes nach Calvin

1. *Motiv:* Gott will in seinem Volk ganz allein groß sein und sein Recht vollständig ausüben. Er will für sein Volk der einzige Gott sein und seine Ehre keinem anderen geben[11]. Daraus ergibt sich als

2. *Inhalt des Verbotes:* Was Gott gehört, kann nicht anderen gegeben werden. Du sollst keine anderen Götter erdenken, haben, verehren[12]. Dem entspricht als

3. *Inhalt des Gebotes:* Gott allein schulden wir Anbetung, Vertrauen, Anrufung und Danksagung. Ihm allein gebührt Ruhm, Ehrfurcht, Liebe und Furcht[13].

b) Motiv und Inhalt des Bilderverbotes nach Calvin

1. *Motiv:* Gott will seine Verehrung nicht durch abergläubische Gebräuche entweihen lassen[14]. Daraus ergibt sich als

---

7. OS III 351, 38.

8. OS III 351, 16 f.

9. OS III 350, 21 f.

10. Calvin verwendet hier (OS III 350, 22) ‚ratio', an anderer Stelle (OS III 359, 12) ‚finis'. In dem neulateinischen ‚Motiv' = Beweggrund ist ‚Grund' und ‚Ziel' enthalten, und es erscheint mir darum hier der richtige Begriff zu sein. Statt ‚Inhalt' könnte man ‚res' wohl auch mit ‚Gehalt' oder ‚Sache, um die es geht', übersetzen.

11. OS III 357, 14 f.; CR 24, 227.

12. OS III 357, 21 f.; OS III 359, 9 = OS I 43, 6 ff.; OS III 356, 18.

13. OS III 357, 24 ff.; 344, 30 f. und OS I 42.

14. OS III 359, 12 f. (nach der Übersetzung von O. Weber zitiert).

2. Inhalt des Verbotes. Dem Wortlaut nach nennt das Bilderverbot nur das Hauptlaster: Idolatria externa[15]. Als Gesamtinhalt ist gemeint: Jeder vom Menschen erdachte Gottesdienst[16]. Das Bilderverbot besteht nach Calvin aus zwei Teilverboten.

    1. Teil: Du sollst dir kein Bild machen

    2. Teil: Du sollst kein Bild anbeten[17].

    3. Inhalt des Gebotes: Geboten ist die legitime Form der Verehrung Gottes: „Quare in summa, . . . ad legitimum sui cultum, hoc est spiritualem et a se institutum, format."[18]

c) Ergebnis

Aus dem Vergleich der beiden Gebote ergibt sich: Jedes der beiden Gebote hat ein ihm eigenes Motiv und einen ihm eigenen Gehalt. Thema des Abgöttereiverbotes ist die Ausschließlichkeit der Verehrung. Thema des Bilderverbotes ist die legitime Form der Verehrung Gottes[19].

4. Struktur des Bilderverbotes

Für das Bilderverbot nennt Calvin ein doppeltes Verbot, aber nur ein einfaches Gebot. Dabei entspricht das von ihm genannte Gebot nur dem 2. Teil des Verbotes (Du sollst Gott nicht im Bild, sondern geistlich anbeten) und enthält eine Ausrichtung, die weder dem Bilderverbot noch einer anderen Stelle des Alten Testamentes direkt zu entnehmen ist. An anderer Stelle bringt Calvin ein Gebot des Bilderverbotes, das dem 1. Teil des Verbotes entspricht:

„Du sollst dir kein Bild machen, sondern auf Gottes Wort hören."[20]

Dies entspricht jedoch nicht ganz dem aus dem Motiv erschlossenen Inhalt: Rechte Form der Verehrung Gottes. Wie kommt Calvin dazu, ein Verbot, das ursprünglich ein einziges war, in zwei Verbote aufzuteilen und seinen positiven Inhalt in dieser Weise zu erweitern?

Da nach Calvin der volle Inhalt eines Gebotes sich nicht auf den Wortsinn beschränkt, sondern aus der Motivierung des Gebotes zu erschließen ist, muß nun nach der Motivierung des Bilderverbotes im Alten Testament gefragt werden[21]. Das Bilderverbot richtet sich von Anfang an gegen das, was dem Bilde in der Umwelt des Alten Testamentes Wert verlieh: Die Möglichkeit, durch ein Bild der

---

15. OS III 359, 18.

16. CR 24, 376, 14 „omnes fictios cultus damnat"; OS III 359, 13 f. cf. Obbink, Jahwebilder S. 274.

17. OS III 359, 19 f.; cf. CR 24, 376.

18. OS III 359, 13—17, cf. CR 24, 376, 23 f.

19. OS I 42 unten und 43, 8 f.; 383, 8 von unten; 384, 3.

20. OS III 89, 9 ff.

21. Um Calvin gerecht zu werden habe ich mich im folgenden nach Möglichkeit der hermeneutischen Methode Calvins bedient.

Gegenwart Gottes und seiner Macht sicher zu sein; der Versuch, Gott an einen bestimmten Ort und eine bestimmte Form der Offenbarung zu binden. Es richtet sich gegen den Versuch, mit Jahwe so zu verkehren, wie die Heiden mit ihren Götzen verkehren. Es gibt kein Mittel, Gott zu zitieren. Es gibt überhaupt kein Offenbarungsmittel, denn Gott offenbart sich, wann und wo und wie *er will*[22]. Demnach ist die Motivierung des Bilderverbotes ebenso wie die des 1. Gebotes und des Namensgebotes indirekt im Vorspruch enthalten

> „Ich bin der *Herr*.“

Demnach müßte das Bilderverbot übersetzt werden:

> Du sollst mich nicht zum Götzen machen.

Das entsprechende Gebot wäre dann:

> Allein die von Gott gewählte Offenbarungsform (wann, wo und wie Gott will) ist legitim.

Das Bilderverbot hat dem Abgöttereiverbot gegenüber eine eigene Aussage, deren Begründung sich dem Vorspruch entnehmen läßt. Die positive Aussage des 1. Teiles des Bilderverbotes nach Calvin,

> ‚Du sollst auf Gottes Wort hören‘

ist zwar nicht direkt im Bilderverbot oder in der Motivierung durch den Vorspruch enthalten, findet sich jedoch schon Dt. 4, 15 f und entspricht der Einleitung der Gebote: „Höre Israel!“ Die positive Aussage des 2. Teiles des Bilderverbotes nach Calvin,

> ‚Du sollst Gott geistlich anbeten‘

ist so weder im Bilderverbot noch in einer andern Stelle des Alten Testamentes enthalten, sondern dem Neuen Testament entnommen.

> „... quin potius adoremus Deum, qui spiritus est, in spiritu et veritate.“[23]

Zwingli und Leo Jud, Bucer und Capito, Karlstadt und vor ihnen die Waldenser und die Bömischen Brüder zitieren Joh. 4, 24 mit Vorliebe und können sich ihrerseits hierin auf die Alte Kirche berufen[24]. So geschah es auch in These 7 zur Lausanner Disputation 1536, an der Calvin teilnahm[25]. Neu bei Calvin ist die Aufteilung des Bilderverbotes in zwei Teile und die gesonderte Begründung der beiden Teile des Bilderverbotes, wobei Joh. 4, 24 den Schriftbeweis für die positive Aussage des 2. Teiles des Bilderverbotes liefert. Dabei ist „spiritus“ die positive Gegenseite zu ‚incomprehensibilis, incorporeus, invisibilis, sicque omnia contineat, ut nullo loco concludi possit‘[26], und das Gebot der Anbetung ‚in spiritu et veritate‘ die Gegenseite des Verbotes: ‚Du sollst kein Bild anbeten.‘ Weil Gott ‚incomprehensibilis‘ und ‚spiritus‘ ist, kann er nicht abgebildet, sondern nur ‚in spiritu et veritate‘ verehrt werden.

---

22. s. Exkurs II: Abschnitt 4: Begründung des Bilderverbotes im AT.

23. OS I 43, 4 f.

24. Karlstadt: Von Abtuhung, Lietzmann Kl. T. 74, S. 16, 16. Die übrigen s. S. 154, Anm. 8 und S. 168 Anm. 41.

25. K. Müller, Bek. Schr. 110, 26 ff. / Schwarz I S. 22, Brief vom 13. 10. 1536.

26. OS I 42 f.; s. u. S. 219.

Für das Verbot hat Calvin Belegstellen aus dem Alten und Neuen Testament: Dt. 6 und 10; 1. Reg. 8, 27; Joh. 1, 18; 1. Tim. 1, 17[27].

Für das Gebot bringt er nur eine Belegstelle aus dem Neuen Testament: Joh. 4, 24. Diese Stelle wird von Calvin nur in der Institutio von 1536 und dem Genfer Katechismus von 1537 beim Bilderverbot angeführt[28]. In den späteren Ausgaben fehlt der Hinweis auf Joh. 4, 24 bei der Abhandlung über das Bilderverbot, findet sich jedoch an drei anderen Stellen, deren Themen dem positiven Inhalt des 2. Teiles des Bilderverbotes nahe stehen: Das geistliche Wesen des Dreieinigen Gottes, die Bestimmung der Kirchengebäude und die kirchlichen Gebräuche[29]. Der Gedanke, daß die rechte Verehrung dem Wesen des Verehrten zu entsprechen habe, d. h. daß die geistliche Art Gottes eine geistliche Anbetung erfordert, findet sich zwar auch in der Institutio von 1559, jedoch ohne Bezugnahme auf Joh. 4, 24, sondern mit dem Hinweis auf viele Prophetenworte.

> „quia, ut spiritualis est, non alio quam spirituali cultu oblectatur. Testantur hoc tot Prophetarum sententiae . . .“[30]

Der positiven Aussage des 1. Teiles des Bilderverbotes entsprechend müßte m. E. das Gebot des 2. Teiles des Bilderverbotes lauten:

> Du sollst Gott, deinem Herrn, durch Gebet antworten.

Dem entspricht bei Calvin die Bestimmung der kirchlichen Gebäude zum Ort des gemeinsamen Gebetes. In der Art der Anbetung sieht Calvin einen Unterschied zwischen dem Alten und Neuen Bund.

> „Hanc quoque dissimilitudinem veteris et novi populi notavit Christus suis verbis, quum diceret mulieri Samaritanae, venisse tempus quo veri cultores adorarent Deum in spiritu et veritate (Johan. 4. c. 23) . . . Ceremoniae ideo nobis divinitus paucae datae sunt et minime laboriosae, quo praesentem Christum demonstrent. Judaeis plures datae sunt, quo essent absentis imagines.“[31]

So wie für Martin Luther das 1. Gebot Christus enthält, füllt Calvin das Bilderverbot vom Neuen Testament her[32].

Deshalb wird das Bilderverbot zunächst in der Sicht des Alten und dann in der Sicht des Neuen Testamentes betrachtet werden müssen.

5. Der alttestamentliche Gehalt des Bilderverbotes

> „Deo tribuere visibilem formam nefas esse, ac generaliter deficere a vero Deo quicunque idola sibi erigunt.“[33]

---

27. OS I 43, 5 f.

28. In dem Abschnitt von 1536 (OS I 42, 38—43, 5) entsprechenden Absatz in Institutio II 8, 17 (OS III 359, 12—20) fehlt Joh. 4, 24.

29. Institutio I 13, 20 / III 20, 30 / IV 10, 14.

30. OS III 327, 18 f. Ebenso in der Gesetzesharmonie: CR 24, 376, 23 f.: „Summa autem est, spiritualem esse Dei cultum, ut eius naturae respondeat.“

31. OS V 176, 16 ff. und 28 ff.

32. „Auf Christus weisen‘, ist auch nach Calvin die Aufgabe des mosaischen Gesetzescorpus. OS III 326, 22 ff.

33. OS III 88, 14 ff.

a) Inhalt und Begründung des 2. Teiles des Bilderverbotes:
,Du sollst kein Bild anbeten.'

Der 2. Teil des Bilderverbotes richtet sich gegen den kultischen Bildgebrauch. Es werden alle Arten von Kultbildern genannt[34]. Bereits die Ausführungen Calvins in der Institutio von 1536 zeigen[35], daß er das Wesen eines Kultbildes bei den Heiden gut erkannt hat. Auch die Heiden haben ihre Götterbilder nicht mit ihren Götzen gleichgesetzt, sondern zwischen dem Bild und der Gottheit unterschieden. Sie waren nicht so töricht, Holz und Stein für Götter zu halten. Auch sie wähnten ihre vermeintlichen Götter im Himmel, aber Juden wie Heiden glaubten nicht, Gott werde bei ihnen sein, wenn er sich nicht körperlich (carnaliter) gegenwärtig zeigen würde[36]. Diese Bilder sind auch für die Heiden nur Zeichen der Anwesenheit Gottes. Die Juden wollten mit dem goldenen Kalb nicht einen neuen Gott haben. Sie hatten Jahwe, der sie aus Ägypten führte, nicht vergessen; aber (so fährt Calvin an dieser Stelle fort) sie wollten ihren Gott in dem Kalb vorangehen *sehen* [37]. Die Juden glaubten, den ewigen, einigen Herrn Himmels und der Erden in solchen Bildern zu verehren. Damit ist der Einwand der Papisten, sie würden nicht das Bild, sondern Gott im Bilde verehren, zurückgewiesen[38]. Die Verehrung Gottes im Bilde ist heidnischer Aberglaube und war schon den Juden als Abfall von Gott verboten. Götzendienst bleibt Götzendienst, gleich welchen Namen man dafür erfindet. Mit ihrem eigenen Verstand ersinnen die papistischen Götzendiener die Merkzeichen (Symbola), unter denen sie sich Gott vorstellen wollen und gestalten sie mit ihren eigenen Händen[39]. Zu allen Zeiten seit Erschaffung der Welt errichten die Menschen Zeichen (signa), in denen sie Gott vor ihren irdischen (carnales) Augen zu erblicken glauben[40]. Ursache ist hier wie da der Unglaube, der nicht vertrauen, sondern sehen und greifen will, der Gott in irdischen Dingen haben will[41]. Die auf das Konzil zu Nicäa zurückgehende Unterscheidung von gebotener Verehrung und verbotener Anbetung[42] ist nicht nur sachlich, sondern auch sprachlich verkehrt[43] und außerdem praktisch sinnlos. Das einfache Volk unterscheidet genausowenig zwischen einer Bildern dargebrachten Verehrung und

---

34. OS III 359, 22 ff. (1539).

35. OS I 43, 17 ff.

36. OS I 43, 32 f. „... non crediderunt Deum sibi adesse, nisi carnaliter se praesentem exhiberet."

37. OS III 98, 15 ff.

38. OS III 100.

39. OS III 100, 23—25.

40. OS III 97, 23—25 = OS I 43, 33—35.

41. dem Sinne nach, OS III 97 = OS I 43.

42. Hinweis auf P. Lombardus, Thomas v. Aquino, Eckius und Cochläus in OS III 106 Anm. 1. Hinweis auf Eckius und die Synode zu Nicäa OS III 100 Anm. 1. Der Wortlaut des Dekrets auch bei Mirbt, S. 116.

43. OS III 100 und 106 f. Die Papisten behaupten, ihr Bilderdienst (Idodulie) sei erlaubt und nur Bilderverehrung (Idolatrie) verboten. Calvin erwidert: 1. Dienst ist mehr als Verehrung. 2. Im Grunde sind die zugrundeliegenden griech. Begriffe gleichbedeutend.

der Gott geschuldeten Anbetung, wie es zwischen einem Bild und dem durch das Bild dargestellten Gott (oder auch Heiligen) zu unterscheiden vermag. Die Haltung diesen Bildern gegenüber beweist das[44]. Das ist ein weiteres Argument gegen den Vorwand der Bilderfreunde, daß nicht das Bild, sondern Gott im Bilde verehrt werde[45]. Der Bilderdienst, der zu Calvins Zeiten getrieben wurde, ist im Grunde nichts anderes als ein doppelter Rückfall ins Heidentum.

> „Iam de adoratione quid dicam? Quidquid reverentiae exhibere volunt homines Deo, an non id illi in statuis et imaginibus exhibent? Errat autem, qui putat quidquam interesse inter hanc ethnicorum insaniam."[46]

Er ist nicht weniger grob und handgreiflich als z. B. der der alten Ägypter. Auch die Gemeinde des Alten Bundes war voller Mißstände und bedurfte der ständigen Mahnung durch die Propheten. Wie diese gegen den heidnischen Bilder- und Götzendienst kämpften, der in die Gemeinde Gottes eingedrungen war, so Calvin und seine Mitreformatoren gegen den Bilderwahn und Aberglauben, der in der katholischen Kirche herrschte[47]. Calvin führt eine große Zahl von Stellen aus dem Alten Testament, besonders den Propheten und den Büchern Mose an. Er bringt aber auch einige Beweisstellen aus dem Neuen Testament.

Institutio   von 1536: Dt. 32; Jes. 40; Jer. 2; Hes. 6; Hab. 2[48]
Institutio I 11, 2 von 1539: Dt. 4, 15; Jes. 40, 18; 41, 7. 29; 45, 9; 46, 5;
                    Act. 17, 29[49]
Institutio I 11, 13 von 1543: 1. Joh. 5, 21[50]
Institutio I 11, 4 von 1559: Ps. 115, 4. 8; 135, 15; Jes. 44, 12; 40, 21; Jes. 2, 8;
                    31, 7; 57, 10; Hos. 14,4; Mich. 5, 12[51]
Kommentar zum Dekalog: Ex. 34, 14. 17; Ex. 20, 22 ff.; Lev. 19, 4; 26, 1;
                    Nu. 33, 52; Dt. 4, 12 ff.; 6, 10; 12; Jos. 22, 10[52]

Mit dem Kampf gegen den heidnischen Bilderwahn befindet sich Calvin im Einklang mit Luther. Ebenso mit der Motivierung des 2. Teiles des Bilderverbotes, die eindeutig dem 1. Gebot entnommen ist. Die angebeteten Bilder sind an Gottes Stelle gerückt. Sie sind Götzen und damit ein Verstoß gegen das 1. Gebot geworden. Calvin gibt auch den engen Zusammenhang zwischen dem Bilderverbot und dem 1. Gebot zu, bestreitet aber, daß dies der einzige Inhalt des Bilderverbotes ist. Wer nur dies als Inhalt des Bilderverbotes angibt, läßt es im 1. Gebot untergehen[53].

---

44. OS I 43, 6 von unten ‚Hoc qui ...' = OS III 99, 11 ff.; CR 34, 463 oben; Schwarz I 170, CR Nr. 443.
45. OS I 43, 11 ff. Huc advertant ...; OS III 98, 6 ff.
46. CR 34, 462 unten.
47. CR 34, 436.
48. OS I 44, 10.
49. OS III 89, 11. 18 f. 22.
50. OS III 102, 13.
51. OS III 92.
52. CR 24, 382, ff.
53. OS III 353, 20 f. = OS I 49; CR 24, 377.

„Facile igitur patiar duo haec, quae inseparabile sunt, simul coniungi, modo teneamus Deo contumeliam inferri, non solum ubi transfertur eius cultus ad idola, sed ubi externa aliqua similitudine eum exprimere tentamus."[54]

b) Inhalt des 1. Teiles des Bilderverbotes: Du sollst Dir kein Gottesbild machen

Zur Zeit des Alten Testamentes ist „imagines adorare" gleichbedeutend mit „idola erigere". Zur Zeit Calvins fällt beides auseinander. Es entsteht dadurch die für das Alte Testament nicht bestehende Frage: Ist nur das Anbeten oder auch schon das Herstellen eines Bildes verboten?

Luther schließt aus der Nichterwähnung des profanen Bildgebrauchs im Alten Testament auf Erlaubnis. Auch bei ihm fällt die ursprüngliche Einheit von ‚machen' und ‚anbeten' auseinander. Bilder sind verboten, weil und sofern sie angebetet werden. Die Herstellung eines Bildes zu profanen Zwecken ist erlaubt. Damit hat Luther bei seiner Auslegung den direkten Wortsinn erhalten, aber den Wortbestand verkürzt. Calvin verfährt umgekehrt. Er behält den Wortbestand, muß aber nun den Inhalt erweitern. Gerade auf das von Luther in der Auslegung übergangene Wort ‚machen' legt Calvin, wie schon Karlstadt, Zwingli und Leo Jud großen Wert. Es steht ‚machen' da und darum ist nicht erst die Anbetung, sondern schon die Herstellung eines Bildes Gottes verboten. Hat Calvin ‚auf den Buchstaben gepocht', so wie Luther dies Karlstadt entgegenhält? Calvin selber hat zu Beginn seiner Auslegung des Dekalogs betont: Nicht der äußere Wortlaut, sondern der Sinn entscheidet[55].

> In der Streitfrage um den Wortlaut eines anderen Gebotes benutzt Calvin dieselbe Methode gegen die Schwärmer, die Luther im Bilderverbot benutzt hat: Nicht der Wortlaut, sondern die Hauptabsicht (scopus) entscheidet[56]. Die Schwärmer haben sich bei dem Verbot des Eides auf das Wörtlein ‚allerdinge' in Mt. 5, 34—37 festgebissen. Sie beziehen ‚allerdinge' auf ‚Eid' und legen das Wort Christi so aus: Du sollst überhaupt nicht schwören. Calvin bezieht ‚allerdinge' dem folgenden Satz entsprechend auf die Dinge, bei denen man schwört und erhält den Sinn: Du sollst nicht leichtfertig schwören. Er kann nicht einsehen, was bei einer ernsthaften Anrufung Gottes zum Zeugen unzulässig sein soll.[57]

Ebenso konnte Luther nicht einsehen, was bei der Herstellung eines harmlosen Bildes unzulässig sein sollte, solange das Bild nicht durch Anbetung mißbraucht wird. Dagegen betont Calvin: Es gibt kein harmloses Bild Gottes. Darum teilt Calvin das Bilderverbot in zwei Teile und besteht auf der Geltung des 1. Teilverbotes des Bilderverbotes in Bezug auf ein Bild Gottes.

„Ac duae quidem sunt mandati partes: prior licentiam nostram coercet, ne Deum, qui incomprehensibilis est, sub sensus nostros subiicere, aut ulla specie

---

54. CR 24, 377 unten.

55. s. o. S. 169 ff. Dasselbe Prinzip nennt er im Komm. zum 1. Kor. bei 11, 3: Jede Stelle muß aus ihrem Zusammenhang heraus verstanden werden. (Übersetzung von G. Graffmann S. 411).

56. OS III 368, 4 f.

57. OS III 370, 10 f.

repraesentare audeamus. Secunda vetat, ne imagines ullas adoremus religionis causa."[58]

Das 1. Teilverbot handelt von der Herstellung von Gottesbildern, das 2. Teilverbot von der Anbetung und damit der Vergötzung von Bildern. Die Geltung des 1. Teiles des Bilderverbotes erstreckt sich nicht auf alle Bilder, nicht einmal auf alle Bilder, deren Anbetung im 2. Teil verboten wird, sondern trifft nur Bilder Gottes.

> „Prohibetne in totum, ne aliquae pingatur aut sculpantur imagines? Non, sed duo tantum hic vetat, ne quas faciamus imagines: vel Dei effigiendi, vel adorandi causa."[59]

Ein Bild Gottes darf auf keinen Fall hergestellt oder in Besitz behalten werden. Hier ist nicht erst die Anbetung, sondern schon der Besitz und die Herstellung verboten. Gottes Majestät geht weit über das hinaus, was unsere Augen wahrnehmen können. Es darf aber nur das gemalt oder gestaltet werden, was unsere Augen erfassen können.

Bilder über Geschichten und Ereignisse sind erlaubt und zur Belehrung und Aufmunterung nützlich.

Gemälde oder Statuen von Personen sind zwar erlaubt, aber abgesehen von der Freude des Betrachtens haben sie keinerlei Nutzen. Gedenksteine wie die Säulen Jakobs waren schon Israel erlaubt. Darum kann man Bilder zu profanen Zwecken wohl herstellen und gebrauchen[60].

> „Neque tamen ea superstitione teneor ut nullas prorsus imagines ferendas censeam. Sed quia sculptura et pictura Dei dona sunt, purum et legitimum utriusque usum requiro: ... Deum effingi visibili specie nefas esse putamus. Restat igitur ut ea sola pingantur ac sculpantur quorum sint capaces oculi."[61]

Während Zwingli Gottesbilder und Heiligenbilder als ‚Götzen' anspricht, denen der ‚Götzencharakter' fest anhaftet, und damit von der ‚heidnischen' Bildauffassung ausgeht, kommt Calvin mit seiner Bildauffassung Luther näher. Er hat zwischen dem Bild an sich und seiner Verehrung durch einen Menschen ebenso wie Luther unterschieden[62]. Das Heiligenbild ist nur verboten, sofern es angebetet wird. Doch in der Praxis urteilt Calvin wie Zwingli. Ein Heiligenbild, das in der Kirche steht, wird dort über kurz oder lang verehrt werden und ist daher auf jeden Fall von dort zu entfernen. Außerdem sind die Heiligenbilder nicht nur nutzlos und sinnlos, sondern der Anblick der zu seiner Zeit üblichen Heiligen-

---

58. OS III 359, 19—22.
59. OS II 98, 12 ff. (Cat. Genev. 1545), cf. CR 24, 545 unten.
60. CR 24, 546 unten. Calvin beruft sich auf Gen. 28, 18; Dt. 27, 2; Nu. 33, 52.
61. OS III 100, 26—101, 6.
62. CR 24, 383 oben; OS III 100, 25 ff. Auch Zwingli kennt theoretisch den Unterschied zwischen dem Bild an sich und dem, was der Verehrer des Bildes darin sieht. Er geht aber nicht nur bei der praktischen Haltung den Bildern gegenüber, sondern auch bei der Auslegung des Bilderverbotes von der heidnisch-abergläubischen Bildauffassung aus. Daher spricht er bei den bekämpften Bildern stets von ‚Götzen'. s. o. S. 144 f.

bilder ist anstößig und dem Gemeindeglied schädlich[63]. Gerade von dieser schädlichen Art sind die meisten Bilder in den Kirchen. Dies ist mit ein Grund, sie zu entfernen. Die Herstellung von Heiligenbildern ist zwar nur verboten, falls diese zur Anbetung hergestellt werden[64], ein harmloses Heiligenbild hat jedoch nach Calvin nur geringen Wert.

In der Auslegung des Bilderverbotes unterscheidet Calvin sich sowohl von Luther als auch von Karlstadt und Zwingli. Gegenüber Luther besteht Calvin auf der Geltung des Bilderverbotes als selbständigen Gebotes, das nicht nur dem 1. Gebot entsprechend in seinem 2. Teil die Anbetung eines Bildes verbietet, sondern das in seinem 1. Teil auch die Herstellung eines Gottesbildes untersagt. Gegenüber Karlstadt und Zwingli schränkt er die Geltung des 1. Teiles des Bilderverbotes auf Gottesbilder ein. Schon Leo Jud hat an dem Verbot der Herstellung von Bildern mit der Einschränkung auf Bilder Gottes festgehalten:

„Man darf Gott nicht abbilden, mit keinem Bilde.

Alle Bilder, die zur Verehrung gemacht werden, sind verboten."[65]

Der von Leo Jud in diesem Satz angedeutete, aber nicht weiter ausgeführte doppelte Inhalt des Bilderverbotes wird von Calvin in zwei Teilverboten getrennt genannt, motiviert, ausgelegt und angewendet.

c) Begründung des 1. Teils des Bilderverbotes durch direkten Schriftbeweis.

Es geht Calvin in seiner Auseinandersetzung mit der ,papistischen' Bilderlehre vor allem um die Eigenständigkeit des Bilderverbotes, d. h. um die Geltung des 1. Teiles des Bilderverbotes für alle Zeiten. Darum konzentriert sich Calvin darauf, den Erweis für die Geltung des 1. Teiles des Bilderverbotes zu erbringen, d. h. eine Begründung für das Bilderverbot, die über das 1. Gebot hinausgeht, aufzuweisen. Diese ist weder von Zwingli noch von Leo Jud oder gar von Karlstadt erbracht worden. Calvin geht von der Geltung des 1. Teiles des Bilderverbotes auf das Gottesbild aus und behauptet: Ein Gottesbild kann und darf nicht hergestellt werden. Auch ein Gottesbild, das nicht angebetet wird, ist verboten.

„Deum effingi visibili specie nefas esse putamus, quia id vetuit ipse, et fieri sine aliqua gloriae eius deformatione non potest!"[66]

Calvin beruft sich zunächst auf den Tatbestand im Alten Testament. Im Bilderverbot selbst ist nicht erst die Anbetung, sondern dem Wortlaut nach bereits die Herstellung eines Gottesbildes verboten. Die Begründung des Bilderverbotes bei Mose und den Propheten zeigt deutlich, daß jede bildhafte Darstellung Gottes verboten ist und nicht, wie die Ostkirche nach buchstäblicher Übersetzung des Bilderverbotes meint, nur das Standbild[67]. Ein Standbild oder auch nur ein ge-

---

63. OS I 44; OS III 95, 7 ff.; Zwingli ebenso: ZW II 218, 10 ff. (1523).

64. OS II 98, 12 ff. (zitiert bei Anm. 59).

65. Leo Jud: Katechismen 357; s. o. S. 154.

66. OS III 100, 31 ff. Im folgenden ist Inst. I 11, 2 und 4 (1519), OS III 89 f. 92 f. zugrunde gelegt.

67. s. Exkurs II 2: Der Inhalt des Bilderverbotes; CR 24, 546.

maltes Bild von Gott herzustellen, ist verboten, weil es unmöglich ist. Niemand hat eine Gestalt Gottes gesehen. Jedes Bild und jede Abbildung muß körperliche und sichtbare, d. h. dieser Welt entnommene Dinge zum Vorbild nehmen. Also wird Gott, der incorporeus, invisibilis und immensus ist, durch leblose, irdische, sichtbare und greifbare tote Materie dargestellt.

„Qui cum sit incomprehensibilis, incorporeus, invisibilis, . . . ne somniemus figura aliqua exprimi posse aut quovis simulacro repraesentari."[68] Solch ein Bild ist die genaue Verkehrung des lebendigen Gottes und zieht Gottes Majestät in den Schmutz[69]. Dies mißfällt Gott aufs äußerste. Das Gottesbild will das Unmögliche möglich machen. Es ist Lüge[70]. Es entspringt menschlicher Willkür und entbehrt der Bestätigung Gottes. Gott will sie nicht haben. Wer eine sichtbare Gestalt Gottes haben will, fällt von ihm ab.

„Videmus ut aperte vocem suam opponat Deus omnibus figuris: ut sciamus a Deo desciscere quicunque visibiles eius formas appetunt."[71] Er verwechselt Gott mit toter irdischer Materie. Gottes Namen und Gottes Ehre werden auf einen toten Klotz übertragen. Der Mensch gelangt schließlich dahin, von diesen toten und gefühllosen Dingen Hilfe zu erwarten. Der Mensch macht Gott selber zum Götzen, zum Werk von Menschenhand, zum Objekt menschlicher Gestaltung[72]. Gott aber ist frei und läßt sich nicht an sichtbare, irdische, körperliche Formen binden. Diese Ausführungen in der Institutio von 1539 und überwiegend von 1559 kann Calvin mit Zitaten aus dem Alten Testament, überwiegend aus Mose und Jesaja, und einem Zitat aus dem Neuen Testament belegen:
Dt. 4, 15; Jes. 40, 18; 41, 7. 29; 45, 9; 46,5; Apg. 17, 29; Ps. 115, 4; 135, 15; Jes. 44, 12 ff.; 40, 21; 2, 8; 31, 7; 57, 10; Hos. 14,4; Micha 5, 12; Ps. 115, 8; Hab. 2, 18[73].
Dabei bleibt Calvin mit dieser Begründung des 1. Teiles des Bilderverbotes noch innerhalb des alttestamentlichen Bildverständnisses. Das hier abgelehnte Gottesbild ist ein Kultbild. Seine Herstellung und Aufstellung hat unweigerlich die Anbetung zur Folge[74]. Mit dieser Begründung des Bilderverbotes bringt Calvin noch nichts Neues, nichts, was vor und neben ihm nicht bereits gesagt wurde.

---

68. OS I 42 f.; dazu OS III 88 (1559).
69. OS III 100, 3 (zitiert bei Anm. 68).
70. OS III 93, 17.
71. OS III 89, 11—13 (1559).
72. CR 24, 383.
73. OS III 89, 92 f.
74. OS III 97, 26 ff.

IV. Der christliche Bildtyp

1. Problematik

Die Schwierigkeit in der Auslegung des Bilderverbotes für die Christenheit besteht darin, daß das alttestamentliche Bildverständnis sich mit dem christlichen nicht deckt. Man hatte einen Bildgebrauch und eine Bildauffassung, die das Alte Testament nicht kannte und darum auch im Bilderverbot keine Rücksicht darauf nehmen konnte. Im Bilderverbot und im gesamten Alten und auch Neuen Testament wird das Kultbild vorausgesetzt. Die Heilige Schrift kannte wie die heidnische Umwelt Israels nur Kultbilder. Das Alte Testament verbietet sämtliche Arten von Kultbildern, auch gestaltlose Kultsteine. Deshalb müßte die wortgetreue und sinngemäße Übersetzung des Bilderverbotes lauten:

‚Du sollst dir kein Kultbild machen‘[1]. Für dieses Bilderverständnis sind ‚machen‘ und ‚anbeten‘ auswechselbare Begriffe. Es gibt nur einen kultischen Bildgebrauch. Es wurde im Verlauf dieser Arbeit bereits auf Elligers Untersuchung[2] hingewiesen, nach der sich etwa in der Mitte des 2. Jahrhunderts eine „neue christliche Bildanschauung" bildete und allmählich durchsetzte. Das christliche Bild hat nicht mehr, wie die Bildwerke in der heidnischen Umwelt des Alten Testaments, rein kultische, sondern andere Aufgaben. Es hat im Laufe der Zeit einen Wandel hinsichtlich seiner Aufgabe durchgemacht, will zeitweilig bezeugen und verkündigen, dann belehren und ermahnen, zeigt zunächst argumentativen und demonstrativen Charakter, bekommt später didaktische und pädagogische Tendenz. Es will — auch in kirchlichen Räumen — nicht wie das heidnische Kultbild die Gegenwart Gottes garantieren, sondern will bezeugen und verkündigen oder belehren, ermahnen und erziehen. Die von ihm geforderte Haltung ist nicht wie bei dem Kultbild Anbetung, sondern Betrachtung. Für das christliche Bilderverständnis fallen deshalb ‚machen‘ und ‚anbeten‘ auseinander. Dieses neue Bilderverständnis erfordert eine neue Begründung des Bilderverbotes. Gegenüber der auch in der Christenheit aufkommenden Anbetung von Christus- und Heiligenbildern genügt der Hinweis auf das 1. Gebot. Soll das Bilderverbot trotz des Wandels vom kultischen zum mehr profanen Bilderverständnis seine Selbständigkeit gegenüber dem 1. Gebot bewahren, muß ein Motiv, das gegen diese Bilder gerichtet ist und damit eine Begründung für das Verbot der Herstellung solcher Bilder genannt werden. Es muß nun indirekt aus der Heiligen Schrift, die ja direkt hierzu nichts sagt, geschlossen werden, ob ein profanes Bild mit religiösem Inhalt erlaubt ist. Calvin gibt dies für Geschichtsbilder und mit Vorbehalt für Bilder und Statuen von Personen zu. Er hält die Geltung des 1. Teiles des Bilderverbotes als Verbot der Herstellung jedoch für das Bild Gottes aufrecht. Es bleibt hier dabei:

1. Ein solches Bild ist unmöglich und darum Betrug.
2. Es hat nur kultischen Sinn.

---

1. s. Exkurs II 2: Der Inhalt des Bilderverbotes im Alten Testament.
2. s. Exkurs III: Christliche Bildanschauung, s. u. S. 233.

Calvin sieht sich zwei Argumenten der katholischen Kirche, die bis ins 8. Jahrhundert und weiter zurückgehen, gegenüber.

1. Seit Christus kann und darf Gott sichtbar dargestellt werden.
2. Das christliche Bild ist kein Kultbild.

2. Bilder als ‚biblia laicorum‘

„hodie papistae, ut sua idola ab utilitate commendent, iactant libros esse idiotarum."[3]

Ein von Seiten der Bilderfreunde immer wieder vorgebrachtes Argument ist der Gebrauch der Bilder als Laienbibel. So überschreibt Eck sein V. Kapitel: „Rationabilem esse imaginum usum, qui laycos instruat ..."[4]. Man verteidigt die Herstellung und Verwendung von Bildern mit dem Hinweis darauf, daß im Alten Testament ja nur Kultbilder, d. h. Bilder, die man an Gottes Statt anbetet, verboten waren, nicht aber Bilder, die keinerlei Anspruch auf die Gott zustehende Anbetung erheben, sondern lediglich den des Lesens Unkundigen mit dem Inhalt der Schrift und der kirchlichen Lehre bekanntmachen und durch Darstellung der Heiligen zur Nachahmung ihres frommen Beispieles anreizen sollen.

„... certo certius sit non in alium usum prostare quam adorentur."[5]

Bereits im 1. Hauptteil wurde festgestellt, daß diese Begründung des Bildgebrauchs sich mit dem faktischen Bildgebrauch des Volkes nicht deckt. Deshalb weist Calvin das Argument der Bilder als Laienbibel zunächst im Blick auf die Praxis in der katholischen Kirche zurück. Es ist offensichtlich und kann von niemandem abgestritten werden, daß die Bilder in den katholischen Kirchen nicht zur Belehrung, sondern zur Anbetung aufgestellt wurden. Diesen Gebrauch macht der Laie auch von den Bildern. Das Argument der Laienbibel ist weder für die vorhandenen Bilder noch für den üblichen Bildgebrauch des Volkes stichhaltig[6].

„Dixit hoc Gregorius."[7]

Calvin wendet sich nun nicht nur wie Luther gegen den faktischen falschen Bildgebrauch, die Anbetung der Bilder, und verlangt — anders als Luther — mit Zwingli die restlose Entfernung dieser Bilder, sondern begibt sich in eine ausführliche Diskussion mit den Argumenten der katholischen Kirche, die sie aus der Tradition übernahm, obwohl mit ihnen ein anderer als der zur Zeit der Reformation übliche Bildgebrauch begründet wird. Die Bilder werden ‚biblia pauperum‘ genannt[8]. „Der Gesichtspunkt der ‚biblia pauperum‘ kündigt sich schon bei Basilius und Gregor von Nyssa an und wird auch im Abendland von Paulinus von

---

3. CR Op. 36 S. 69 (nach Grau a. a. O. 20); cf. OS III 93, 12 f. 23 f. (Kursivsetzungen in diesem Abschnitt sind von mir).
4. s. Beilage V.
5. OS I 44, 12 f.
6. CR 26, 157 (nach Grau a. a. O. 15).
7. OS III 93, 13 (1550).
8. s. o. S. 72 Anm. 23 und Exkurs III.

Nola gestreift ... Ausführlich wird dieser Gedanke erstmals von Nilus ... entwickelt."[9] Calvin nennt Gregor den Großen, der dieser Theorie die klassische Formulierung gegeben hat:

> „Aliud est enim picturam adorare, aliud picturae historia quid sit adorandum addiscere. Nam quod legentibus scriptura, hoc idiotibus praestat pictura cernentibus, quia in ipsa ignorantes vident, quod sequi debeant, in ipsa legunt qui literas nesciunt."[10]

Gregor unterscheidet streng zwischen der Belehrung durch ein Bild und der einem Bild gezollten Verehrung. Belehrung durch ein Bild ist nützlich, Anbetung ist verboten. Gregor spricht hier von zwei verschiedenen Verhaltensweisen Bildern gegenüber. Zwingli unterscheidet zwischen zwei verschiedenen Arten von Bildern, von denen die eine zur Belehrung geeignet und die andere nur zur Anbetung tauglich ist. Eines schließt das andere aus. Ein Bild, das zur Anbetung herausfordert, ist zur Lehre ungeeignet. Und niemand wird auf den Gedanken kommen, ein Bild, das eine biblische Geschichte erzählt, zu verehren. Heiligenbilder sind nach Zwingli bereits von ihrem Gegenstand her „Götzen". Luther weiß um die Götzenbilder seiner Zeit, meint aber wie Gregor der Große, es könnte wohl Bilder von Heiligen geben, die nicht der Anbetung, sondern zur Erbauung dienen. Das Heiligenbild hat in der Tat verschiedene Ausprägungen erhalten, die dem einen oder anderen Typ angehörten, wobei der Übergang von einem Heiligenbild, das zum frommen Nachahmen anspornen soll, zu einem Heiligenbild, das zur Verehrung verleitet, fließend ist. So wurde das im 14. Jahrhundert aufkommende Andachtsbild immer mehr zum Mirakelbild[11]. Bereits Gregors Ausführungen lassen die Überschneidung der beiden Bildaufgaben und damit die Gefahr, die im Heiligenbild verbogen ist, deutlich erkennen:

> „... Scio quidem quod imaginem Salvatoris nostri non ideo petis, ut quasi Deum colas, sed ob recordationem filii Dei eius amore recalescas, cuius te imaginem videre desideras. Et nos quidem non quasi ante divinitatem ante illam prosternimur, sed illum adoramus, quem per imaginem aut natum aut passum, sed et in throno sedentem recordamur. Et dum nobis ipsa pictura quasi scriptura ad memoriam filium Dei reducit, animum nostrum aut de resurrectione laetificat aut de passione demulcet."[12]

Und schon Gregor der Große erlebte es, daß das Volk von der Bildbetrachtung zur Bilderverehrung überging und mußte einerseits zum rechten Bildgebrauch mahnen, andererseits ungestümen Bildersturm zurückweisen. So schreibt er dem Bischof Serenus von Marseille:

> „Perlatum siquidem ad nos fuerat, quod inconsiderato zelo succensus sanctorum imagines sub hac quasi excusatione, ne adorari debuissent, confringeres, quia quoniam picturas imaginum, quae ad aedificationem imperiti populi factae fuerant, ut

---

9. OS III 93, 13. Belegstellen s. OS III 93 Anm. 1. s. o. S. 72 f.; von Campenhausen in ‚Das Gottesbild‘ S. 87.

10. Brief an Serenus, Bischof zu Marseille im Oktober 600, MG Ep. II 270 (hier zitiert nach Mirbt Nr. 212, S. 99).

11. nach Kollwitz in ‚Das Gottesbild‘ S. 130 f.

12. Ep. IX, 52 (Migne 991). (Hier zitiert nach Koch a. a. O. 78).

nescientes litteras ipsam historiam intendentes, quid dictum sit, discerent, *transisse in adorationem* videras, idciro commotus es, ut eas imagines frangi praeciperes."[13] Calvin erlebte es täglich, wie das einfache Volk die auch in den Libri Carolini festgehaltene Unterscheidung des rechten vom falschen Bildgebrauch nicht einhielt, zumal man zu seiner Zeit durch die seit dem 10. Jahrhundert aufkommende Vollplastik und deren Verbindung mit dem Reliquienkult und die seit dem 14. Jahrhundert auftretenden Andachts- und Wallfahrtsbilder[14] eine völlig andere Ausprägung des Heiligenbildes vor Augen hatte als Gregor der Große und die Theologen des Karolingerreiches. Darum ist Calvin dem an sich erlaubten Personenbild gegenüber mißtrauisch. Es hat nicht nur keinen besonderen Nutzen außer der Ergötzung, sondern birgt stets die Gefahr des abgöttischen Heiligenbildes in sich. Die vorhandenen Bilder in den Kirchen lehnt er als abgöttisch und unsittlich ab. Aus dem gleichen Grunde forderte Luther eine andere Ausführung der Heiligenbilder, besonders des Marienbildes.

Die doppelte Möglichkeit eines Heiligenbildes erlaubte es den ‚Papisten', sich auf Gregor den Großen zu berufen, um die Ungefährlichkeit, Profanität und Nützlichkeit der Bilder als Laienbibel nachzuweisen, obwohl die vorhandenen Bilder zur Betrachtung im Sinne Gregors höchst ungeeignet waren und ausschließlich dem Typ des Anbetung heischenden Heiligenbildes angehörten, und zugleich die diesen Bildern erwiesene Verehrung zu sanktionieren, gegen die Gregor selber ausdrücklich Stellung genommen hatte. Die Inkonsequenz dieser Argumentation wird besonders deutlich, wenn man nicht nur mit Gregor zwischen Anbetung und Belehrung durch das Bild als zwei einander ausschließende Verhaltungsweisen Bildern gegenüber unterscheidet, sondern auch mit Luther beachtet, daß diese zwei Verhaltungsweisen zwei verschiedene Arten von Bildern voraussetzten. Gregor der Große und nach ihm die Libri Carolini setzten sich für das Lehrbild ein und lehnten die Anbetung folgerichtig ab. Die katholische Kirche zur Zeit Calvins beruft sich — für ihre Bilder völlig unberechtigt — auf Gregor und fordert zugleich unter Berufung auf das Konzil zu Nicäa die Verehrung der Bilder. Sie übernimmt dabei auch die vom Volk nicht nachvollzogene Unterscheidung von Verehrung und Anbetung. In Nicäa war von einem dem Abendland fremden Bildtyp, der Ikone, die Rede. Die Argumentation der Papisten, die einerseits darauf aus ist, die Ungefährlichkeit und Profanität der Bilder darzulegen, andererseits aber die den Bildern dargebrachte Verehrung zu verteidigen, stützt sich auf zwei verschiedene Bildtypen, die nichts miteinander zu tun haben. Außerdem trifft keiner der beiden auf das vorhandene katholische Bild zu. Die Argumentation der katholischen Kirche ist inkonsequent und in doppelter Hinsicht unzutreffend. Für eine legitime Berufung auf Gregor den Großen hätte man sämtliche Bilder beseitigen und die Frömmigkeit des Volkes auf eine andere Grundlage stellen müssen. Die Inkonsequenz der katholischen Argumentation zeigt sich bereits im 13. Jahrhundert bei Durandus und in verstärktem Maße bei Thomas von Aquino und Bonaventura,

---

13. s. Anm. 10 (zitiert nach Mirbt S. 99). (Die Kursivsetzung ist von mir.)
14. nach Kollwitz a. a. O. 112 f. 130 f.

auf denen die katholische Bilderlehre zur Zeit Calvins eigentlich fußte. In der Benutzung bestimmter Termini wie Laienbibel, Belehrung, Erinnerung, schließt man sich Gregor und der Tradition der alten Kirche an. So schreibt Durandus:

> „Picturae et ornamenta in ecclesia sunt *laicorum lectiones* et scripturae, unde Gregorius: Aliud est picturam adorare, aliud per picturae historiam quid sit adorandum addiscere; nam quod legentibus scriptura, hoc idiotis cernentibus praestat pictura ... Illas non adoramus ... sed ad *memoriam et recordationem* ... "[15]

Die näheren Ausführungen zeigen, daß — besonders in der italienischen Linie des Abendlandes seit Hadrian — griechisches Gedankengut aufgenommen, aber nur zum Teil verarbeitet wurde. Schon Durandus übernimmt die Unterscheidung von Verehrung und Anbetung.

> „Illas non *adoramus* ... sed ad memoriam et recordationem rerum olim gestarum eos *veneramur*. Unde versus: Effigiem Christi, qui transis, pronus honora. Non tamen effigiem, sed quod designat, adora."[16]

Thomas verwertet das Urbild-Abbild-Denken, und Bonaventura fügt das Argument der Incarnation hinzu[17]. Dieses wird auch zur Zeit Calvins immer wieder von den Papisten vorgebracht, allerdings ohne das Urbild-Abbild-Denken. Es ist also bei ihrer Berufung auf die Inkarnation nur an das Bild des irdischen sichtbaren Jesus gedacht, ohne den Anspruch auf Darstellung des Gottmenschen. Auch die aus dem Urbild-Abbild-Schema sich für griechisches Denken ergebende Erfülltheit des Bildes mit göttlicher Kraft ist im Abendlande nicht übernommen worden[18]. Es scheint so, als habe man, um den üblich gewordenen Bildgebrauch zu sanktionieren, griechische Argumente übernommen, die aber ein ganz anderes Bild meinen als das im Abendland übliche, das erst in der Verwilderung und damit im Abgleiten des christlich-abendländischen Bildgebrauches in heidnisch-abergläubisches Verhalten zum Gegenstand der Anbetung wurde. Zwingli nennt die zu seiner Zeit üblichen Bilder zu Recht „Götzen" und „Teufelskopfer". Sie haben nichts spezifisch Christliches an sich. Hier werden Christus oder Heilige vergötzt, zu heidnischen Götzen gemacht. Bei der Ikone liegen die Dinge anders.

Calvin weist die Argumente der katholischen Theologie seiner Zeit zu Recht als für die damals vorhandenen Bilder und den üblichen Bildgebrauch unzutreffend zurück. Die Berufung auf Gregor den Großen dagegen hat er anerkannt: ...

> „Libros idiotarum esse imagines. Dixit hoc Gregorius!"[19]

> „... in totum damnari ab illis (Prophetis) quod papistae pro certo axiomate sumunt, imagines esse libros."[20]

---

15. Durandus, Rationale 1, 3 de picturis (zitiert nach Kollwitz a. a. O. 135) (Kursivsetzung ist von mir).

16. s. Anm. 15 (in der Ausgabe Neapel 1859, 23) (Kursivsetzung ist von mir).

17. s. Kollwitz a. a. O. 125. 127.

18. s. Kollwitz a. a. O. 128.

19. OS III 93, 12.

20. OS III 93, 22 ff.

Die von Eck vorgebrachte weitverbreitete Argumentation trifft nach Calvin zwar auf den zu seiner Zeit üblichen Bildgebrauch nicht zu, kann sich aber auf Gregor den Großen berufen. Doch hier irrt Gregor. „Quisquis ergo rite doceri cupiet, aliunde quam ex simulachris discat quod de Deo sciendum est."[21] Mit der Bezeichnung ‚biblia laicorum' wird für Calvin der Anspruch erhoben, diese Bilder seien vollwertiger Ersatz für die Heilige Schrift[22]. Als Beweis dafür, daß die Bilder kein Wissen über Gott vermitteln können, führt Calvin die Propheten an. Dabei gibt er zwar zu, daß die Propheten sich — wie Eck behauptet — gegen den Aberglauben, der sich an die Bilder hält, wenden, betont aber, daß diese nicht nur den Mißbrauch der Bilder, sondern die Bilder selbst ablehnen. Sie haben den Bildern den einen wahren Gott entgegengesetzt und deutlich gesagt, diese Bilder könnten nichts lehren, sondern würden alle, die von ihnen Gotteserkenntnis erwarten, betrügen[23]. Diese Beweisführung Calvins ist so nicht zutreffend. Stellen wie Jer. 10, 3 und Hab. 2, 18 sagen nur, daß Bilder stumm und leblos sind und daher nicht *helfen* können[24]. Von einem Lehren oder Erkenntnis vermitteln durch Bilder ist im Alten Testament nirgends die Rede. Man kannte diesen Bildgebrauch noch nicht. Der Betrug der heidnischen Götzenbilder beruhte auf der Vortäuschung göttlicher Kraft und Gegenwart. Gegen diesen Aberglauben wandten sich die Propheten. Ein direkter Schriftbeweis gegen das Argument der Bilder als Laienbibel ist nicht möglich. Die Heilige Schrift kennt diesen Bildtyp nicht.

„*Tenendum nobis est hoc principium, impio mendacio corrumpi Dei gloriam quoties ei forma ulla affingitur.*"[25]

In seiner grundsätzlichen Auseinandersetzung mit dem Argument, Bilder seien der Laien Bibel, befaßt Calvin sich in der Hauptsache mit dem Bild Gottes. Es geht hier um die Frage der erlaubten oder verbotenen Herstellung von Bildern, d. h. um den 1. Teil des Bilderverbotes. Dieser gilt nach Calvin nur für das Bild Gottes. Calvin wußte wohl, daß die Macht der Bilder darauf beruhte, daß die Menschen seiner Zeit, wie die Heiden oder gesetzesuntreuen Juden zur Zeit des Alten Bundes die Gegenwart Gottes oder eines Götzen bzw. Heiligen, zumindest das Vorhandensein göttlicher Kräfte in oder durch Bilder gegeben sahen[26]. Ein Heiligenbild, dem göttliche Kraft zugesprochen wird, verstößt nicht durch sein Vorhandensein, sondern erst durch den Aberglauben, der ihm göttliche Kraft zuschreibt, gegen das 1. Gebot bzw. gegen den 2. Teil des Bilderverbotes, der seine Begründung dem 1. Gebot entnimmt. Anders ist es bei einem Bilde Gottes. Hier ist die

---

21. OS III 95, 1 f. (1550).
22. Luther versteht unter dem Bild als biblia laicorum etwas anderes. s. o. S. 74, 85 ff.
23. OS III 93, 18 f.
24. Götzen *helfen* nicht. Das besagen Schriftstellen, die Calvin selber anführt, um die Unangemessenheit der stofflichen Bilder darzulegen: Jes. 41, 29 und 46, 5 (v. 7): OS III 89, 19; Jes. 44, 12 ff. (v. 17): OS III 92, 27. Auch Calvin sagt unter Hinweis auf Ps. 115, 8: „Furorem exaggerat Propheta in Psalmo, quod auxilium implorent a rebus mortuis..." OS III 92, 39 f. und 93, 5.
25. OS III 88, 29 f. (1559).
26. OS III 99.

Anbetung erst eine Folge des Irrtums, der zur Herstellung der Bilder führte. Calvin sieht wie andere vor ihm den Verlauf der Entstehung eines Gottes — bzw. — Götzenbildes in drei Etappen:

1. Schritt: Der Verstand macht sich statt Gottes einen Götzen.
2. Schritt: Die Hand bildet ein entsprechendes Bild.
3. Schritt: Der Mensch verfällt dem Bilde in dem Wahn, es sei etwas Göttliches an ihm.

Das Gottesbild wird zwangsläufig zum Götzen, weil es seinen Ursprung in dem vom Menschen erdachten Götzen hat[27]. Ähnlich redet Zwingli von den ,Götzen'. Jedem Götzenbild geht Abgötterei voraus und folgt darum auch Abgötterei. Darum ist es stets zu entfernen, auch wenn zeitweilig die Abgötterei, die einstmals zur Herstellung und Aufrichtung des Götzenbildes führte, durch die Predigt beseitigt ist. Der ,Götze' vor Augen bildet eine ständige Gefahr[28]. Für Luther, der ebenfalls den Ursprung der Abgötterei im Herzen sah, ergab sich daraus die Notwendigkeit, das Wort Gottes lauter zu verkündigen, um so die Götzen im Herzen der Menschen zu vernichten und dadurch die äußeren Götzen ihrer verkehrten Macht zu berauben[29]. Während Zwingli bei der Bekämpfung des Bilderdienstes nicht zwischen dem Bild und dem, was der Mensch daraus macht, unterscheidet, sondern diese Bilder als ,Götzen' betrachtet, zumindest als solche bezeichnet, betont Calvin wie Luther: Das Gottesbild selbst ist nicht böse. Er unterscheidet wie Luther wohl zwischen einem Bild und dem, was der Mensch daraus macht. Doch nicht erst die Anbetung, sondern schon der Gedanke, der zur Herstellung eines Gottesbildes führt, verstößt gegen die Majestät Gottes.

„ex simulachris petitur Dei cognitio . . ."[30]
Die Vorstellung, im Bild sei Gott oder göttliche Kraft vorhanden, ist erst eine Folge der Meinung, das Bild stelle Gott dar, bringe Erkenntnis Gottes[31]. Weil das Bild den Anspruch der *Aussage* über Gottes Wesen, der Erkenntnisvermittlung erhebt, ist bereits seine Herstellung und nicht erst seine Anbetung verboten. Der Versuch, Gott sichtbar darzustellen, und die Meinung, dieses Bild bringe etwas von Gottes Wesen zum Ausdruck, zieht Gott zu uns herab und beleidigt die Ehre Gottes[32].

„Deum effingi visibili specie nefas esse putamus, quia id vetuit ipse, et fieri sine aliqua glorae euis deformatione non potest."[33]
Neu für seine Zeit ist der Begriff der ,Erkenntnis' in der Erörterung der Bilderfrage bei Calvin. Soweit ich sehe, taucht er vorher nur bei Leo Jud auf, ohne von ihm ausgewertet zu werden[34]. Das Bild will Gotteserkenntnis bringen. Dies ist die

---

27. OS I 43, 27 ff.; OS III 97, 11 ff. 26 ff.
28. s. o. S. 143.
29. s. o. S. 57 f.; WA 28, 554, 7 „non cupimus mutari res, sed tuum cor perversum."
30. OS III 93, 31.
31. OS III 88, 29 ff. und 97 und 98, 4—8 (1550).
32. OS III 89, 13 ff.; 100, 31 ff.; CR 24, 377 unten und 383; OS III 89, 24 f.
33. OS III 100, 31—33 (1543); s. auch OS III 88, 29 f.
34. s. o. S. 155.

Wurzel allen Götzendienstes bei Heiden und Juden: „spirituali intelligentia non contenti, certiorem ac propiorem ex simulachris impressum iri sibi putabant"[35]. Es ist aber ganz und gar verkehrt, sichtbare Gestalten zu bilden, die Gott darstellen sollen[36], denn die aus den Bildern genommene Gotteserkenntnis ist falsch und irreführend." ... fallacem esse et adulterinam quaecunque ex simulachris petitur Dei cognitio, ..."[37]. Darum fügt Calvin in der französischen Fassung der Institutio von 1551 an die eben zitierte Aussage, eine Darstellung Gottes entstelle seine Ehre, hinzu, sie verfälsche seine Wahrheit: „... aussi pource que sa gloire est d'autant defigurée, et sa verité falsifiée"[38]. Sie stammt ja aus des Menschen Geist, in dem das Bild seinen Ursprung hat, und alles was menschlicher Verstand von Gott aussagen und Menschenhand danach formen kann, steht im Widerspruch zu Gottes Wesen:

„satis aperte docuimus, quasqunque excogitat homo visibiles Dei formas, pugnare ex diametro cum eius natura."[39]

Wer Gott abbilden will, versucht, ihn seinem menschlichen Verstand zu unterwerfen. Unser Verstand geht nicht über das Irdische hinaus, also dichtet er Gott etwas Irdisches an. Anstelle Gottes erfaßt er ein Wahngebilde[40].

„Nam certe eius immensitas terrere nos debet, ne eum sensu nostro metiri tentemus: Spiritualis vero natura quicquam de eo terrenum aut carnale speculari vetat."[41]

Die bereits den Propheten geläufige Gegenüberstellung Gottes als des unsichtbaren Schöpfers alles Kreatürlichen mit den aus irdischer Materie bestehenden, sichtbaren und greifbaren, aber leblosen Götzenbildern ist hier unter einem anderen, neuen Gesichtspunkt gesehen. Für die Propheten waren die Götzenbilder der direkte Gegensatz zu Gott, weil sie leblos und nutzlos waren und keine Hilfe gewähren konnten. Daß sie von Menschenhand aus gewöhnlichen Stoffen, die sonst zu alltäglichen Dingen benutzt wurden, hergestellt waren, ist für Jesaja ein Anlaß, sie lächerlich zu machen[42]. Calvin legt nun — in Front gegen das papistische Argument der Laienbibel — den Ton darauf, daß ein Gebilde aus toter Materie dem lebendigen Gott nicht adäquat ist. Bilder eignen sich nicht dafür, Gottes Geheimnisse zu vergegenwärtigen: „... imagines repraesentandis Dei mysteriis non esse idoneas."[43]

Der sich schon in der Bilderherstellung zeigende Anspruch, Gott verstandes-

---

35. OS III 99, 2—4.

36. OS III 93, 33 f.; CR 24, 546; OS I 43.

37. OS III 93, 30 f. (1550).

38. OS III 100, 33.

39. OS III 359, 30 ff. (1536).

40. OS III 97, 6 ff.

41. OS III 108, 32—109, 1 (1559); s. auch OS I 43, 8 ff. OS III 359, 20 f. und OS II 98 F 145 (Genf, Kat. 1545).

42. Diese alttestamentliche Argumentation greift Calvin auf: OS III 89, 14 ff. Die Betonung legt er jedoch auf Erkenntnisvermittlung.

43. OS III 91, 5 f.; cf. III 94, 18.

mäßig fassen zu können, führt nicht nur von der rechten Erkenntnis Gottes ab, sondern ist eine Herabwürdigung Gottes, eine Beleidigung seiner Majestät, und raubt die Ehrfurcht vor Gott[44]. Schon Augustinus zitiert in diesem Sinne Varro: „Qui primi deorum simulachra induxerunt, eos et metum dempsisse, et errorem addidisse."

Und Calvin zieht daraus den Schluß:

„Quisquis ergo rite docteri cupiet, aliunde quam ex simulachris discat quod de Deo sciendum est."[45]

Die Absicht, Wissen über Gott zu bringen, liegt nun aber dem heidnischen Kultbild ebenso fern wie den vom Volk verehrten Heiligenbildern und Kruzifixen zur Zeit Calvins. „Den Anspruch, die Gottheit wesensgemäß erschöpfend darzustellen, haben die Bilder nicht erhoben . . . . Nicht über das Sein der Gottheit und die Art ihres inneren gottheitlichen Wesens sagt das Bild aus."[46] Nicht: ‚so ist Gott‘, sondern ‚hier ist Gott‘ will das Bild zur Zeit des Alten Testaments sagen. Andererseits ist das Wesen des heidnischen Kultbildes von Calvin klar erkannt und dargelegt worden[47]. Es ist Zeichen der Anwesenheit des unsichtbaren Gottes. Auch die Heiden wollten Gott im Bild verehren. Dies wurde den Juden verwehrt. Der Aberglaube des Volkes zur Zeit Calvins entspringt dem einen Wunsch, der die Menschen zu aller Zeit beseelt, Gott bei sich zu haben. Darum machten die Heiden sich Götzenbilder und auch die Israeliten. Sie machten das Goldene Kalb, um einen sichtbaren und greifbaren Garanten der Nähe Gottes zu haben[48]. Calvin will sich hier jedoch weder mit dem heidnischen Kultbild noch mit dem abergläubischen Bildgebrauch seiner Zeit, sondern mit dem Argument der Laienbibel auseinandersetzen, das so zuerst von Gregor dem Großen formuliert wurde und das ein anderes Bildverständnis voraussetzt. Die Berufung auf Mose und die Propheten kann darum nur eine indirekte sein. Was nach Gregor der legitime Zweck des Bildes sein soll, das liegt, so will Calvin ausführen, auch schon dem heidnischen Kultbild in seinem Ursprung zugrunde und wird bereits von den Propheten zurückgewiesen.

Gregor der Große jedoch verstand unter dem Bild als biblia laicorum nicht ein Bild, das neue Gotteserkenntnis verkündigen, die Heilige Schrift ersetzen oder die Lücke der fehlenden Predigt ausfüllen sollte, sondern ein Bild, das die Predigt der Kirche unterstützen und dem Volk eindringlich machen sollte.

„Nam quod legentibus scriptura, hoc idiotis praestat pictura cernentibus, quia in ipsa etiam ignorantes vident quid sequi debeant, in ipsa legunt qui literas nesciunt; unde praecipue *gentibus pro lectione pictura est.*"[49]

Gregor der Große dachte — wie vor ihm Basilius und Gregor von Nyssa, Paulin von Nola und Nilus — [50] an Geschichts- und Heiligenbilder, die die biblischen Ge-

---

44. OS III 89, 11—13 (1559).
45. OS III 94, 13 f. und 95, 1 f.
46. von Rad: Theologie des AT I 212.
47. s. o. S. 174 f.
48. OS I 43 „Ad haec . . ."; OS III 89, 5 f. und 97, 9—25.
49. an Serenus; hier zitiert aus Mirbt: Quellen . . . S. 99 (Kursivsetzung ist von mir).
50. nach von Campenhausen: Die Bilderfrage als theol. Problem der Alten Kirche S. 44.

schichten dem Gedächtnis einprägen und das fromme Beispiel der Heiligen dem Volk, es zur Nachahmung anspornend, vor Augen führen sollten[51]. Das Bild tritt hier an die Stelle des Lesens. Bilder, die lediglich Geschichten und Geschehnisse (historiae ac res gestae) zum Inhalt haben, sind auch nach Calvin zur Belehrung und Aufmunterung nützlich (usum in docendo vel admonendo aliquem habent)[52]. Auch personenhafte Bilder (imagines ac formae corporum) sind erlaubt, obwohl Calvin nicht einsehen kann, wozu sie nützen sollen außer zur Ergötzung (oblectatio)[53]. Calvin denkt in seiner grundsätzlichen Auseinandersetzung mit dem Argument des Bildes als ‚biblia laicorum' an ein Gottesbild. Er redet daher weder von dem Bild, das zu seiner Zeit üblich war, auf das das Argument der Laienbibel nicht zutrifft, noch von dem Bild, das von Gregor dem Großen und anderen vor ihm eine Laienbibel im Sinne einer bildhaften Wiedergabe dessen, was Schrift oder Heiligenlegenden lehren, genannt wurde. Er redet nicht von einem Bild, das erinnern und ermahnen soll, sondern von einem, das verkündigen, d. h. neue Erkenntnis bringen will. Auch Gregor konnte zwar sagen, das Evangelium werde ‚per literas et per picturas' verkündigt[54], doch meinte er hiermit kein Verkündigen im Sinne Calvins, das von sich aus Erkenntnis Gottes bringen kann, sondern stets Erinnerung an das, was Schrift und Legende sagen. Dies wird aus folgendem Zitat deutlich:

„Et dum nobis ipsa pictura (gemeint ist ein Christusbild) quasi scriptura ad memoriam filii dei reducit."[55]

Die Meinung Calvins, ein Bild wolle von seinem Ursprung her Erkenntnis Gottes bringen, fußt also nur scheinbar auf dem Stichwort der Papisten, das Bild sei der Laien Bibel.

3. Calvin, der Bilderstreit des 8./9. Jahrhunderts und die Alte Kirche

a) Das Bild als Offenbarungsmittel

Calvin setzt sich in Wirklichkeit weder mit den Papisten seiner Zeit noch mit Gregor dem Großen oder mit den auf ihm fußenden Theologen des Abendlandes — nördlicher oder südlicher Ausprägung — auseinander. Er setzt einen Bildtyp voraus, der wie die gelesene und vor allem gepredigte Heilige Schrift verkündigen will, der an Stelle und in gleicher Weise die Aufgabe des Wortes übernimmt, der in der Tat Gotteserkenntnis bringen will. Ein Bild, das nach Gregors Meinung ‚verkündigen' soll, kann nicht verehrt werden, während für Calvin Verehrung die automatische Folge des Anspruches, Erkenntnis zu bringen, ist. Der im 1. Teil des Bilderverbotes verbotene Bildtyp, von dem Calvin redet, ist weder das Götzen-

---

51. So noch in den Libri Carolini, s. Joh. Kollwitz in ‚Das Gottesbild im Abendland' S. 111.
52. OS III 101, 7 ff. (1543).
53. Op. 26 p 157 (nach Grau S. 15). OS III 102, 16 ff.
54. Epist. ad German.: (Mansi 1395 C) nach Kollwitz a. a. O. 58.
55. Ep. 9, 52 zitiert nach Kollwitz a. a. O. 132 Anm. 3.

bild seiner Zeit noch das Lesebild und Lehrbild Gregors. Es ist ein Bild Gottes, das zwar stets zur Verehrung führt, das aber auch dann, wenn es noch nicht verehrt wird, verboten ist, weil es Gottes Majestät verletzt. „Verum illa figura Deum repraesentare apud quam colitur nihil aliud est quam eius gloriam corrumpere."[56] Der Schritt von der Herstellung zur Anbetung eines Gottesbildes ist folgerichtig. Der Irrtum liegt nicht erst darin, daß von der Erkenntnis auf die Anwesenheit Gottes im Bilde geschlossen wird, sondern der Irrtum liegt bereits in der verkehrten Meinung, das Bild bringe Gotteserkenntnis.

Der Begriff der ‚Erkenntnis' hat bei Calvin eine besondere Bedeutung: *Gotteserkenntnis hat Gottesverehrung zum Ziel*[57]. Umgekehrt führt die Verkennung Gottes zum Götzendienst. Es geht nicht darum, irgendein Wissen über Gott zu erlangen, sondern darum, Gott selber zu erkennen, Gott kennenzulernen. Das aber kann nur, wer ihm nahe kommt.

„il est question de venir à Dieu"[58]
Ursprünglich war Gott aus seinen Werken als Schöpfer erkennbar. Aber für den verderbten Menschen ist Gott nur durch sein Wort erkennbar[59]. Dieser Sicht entspricht der Aufbau der Institutio Calvins:

Buch I handelt von der Erkenntnis Gottes des Schöpfers.

Buch II handelt von der Erkenntnis Gottes als des Erlösers in Christo.

In beiden Büchern legt er dar, daß Erkenntnis zur Verehrung Gottes führt. In beiden Büchern wird das Bilderverbot behandelt. Nachdem Calvin Institutio I, 11, 9 dargelegt hatte, daß die Heiden wohl zwischen Bild und Götze unterschieden hätten und der eigentliche Grund der Entstehung eines Götzenbildes das Verlangen nach leiblich sichtbarer Gegenwart ihres Gottes war[60], fährt er fort: „Was ergibt sich daraus? Alle Götzendiener, ob aus den Juden oder Heiden, waren nicht anders gesinnt, als ich geschildert habe: mit der geistlichen Erkenntnis nicht zufrieden, meinten sie aus den Bildern eine nähere und gewissere zu empfangen"[61]. Gotteserkenntnis erhalten, bedeutet für Calvin, Verbindung mit Gott gewinnen, der Gegenwart Gottes gewiß werden. Dem entspricht es, daß Calvin als Ursprung des Götzenbildes in einem Atemzug zwei verschiedene Ursachen nennt, als wären sie ein und dieselbe:

1. Der menschliche Verstand denkt sich einen Gott nach seinem Fassungsvermögen aus.
2. Der Mensch glaubt nicht, Gott werde ihm zur Seite stehen, wenn er sich nicht leiblich gegenwärtig darstellt.

Darum ist für Calvin menschlich von Gott denken und Gott sichtbar abbilden, Gott erkennen und seine Gegenwart greifbar machen, ihn im Bild vergegenwärti-

---

56. CR 25, 546 unten.
57. OS III 358, 6—14.
58. Op. 26 p 156 (nach Grau S. 19).
59. OS III 34 ff.
60. OS III 97—99; OS I 43; s. o. S. 188 bei Anm. 48.
61. OS III 99, 1 ff. (1539), zitiert nach der Übersetzung von O. Weber.

gen wollen, gleichbedeutend. In verschiedener Ausdrucksweise redet er von ein und derselben Sache:

„isti Deum se nosse non posse dicant nisi aliqua similitudine repraesentetur."

„*Communicandi rationem* intelligo, non illam generalem ..., sed istam specialem, qua piorum animae, et illuminatur in *Dei notitiam*, et illi quodammodo copulantur."

„Deo qui cum sit incomprehensibilis, incorporeus, invisibilis, sique omnia contineat, ut nullo loco concludi possit; ne somniemus *figura aliqua exprimi* posse aut quovis *simulacro repraesentari*, nec *idolum* quasi Dei *similitudo* esset, vereremur; quin potius adoremus Deum, qui spiritus est, in spiritu et veritate."

„prior licentiam nostram coercet, ne Deum, qui incomprehensibilis est, *sub sensus nostros subiicere*, aut ulla specie *repraesentare* audeamus."[62]

Gotteserkenntnis bringen, heißt nicht ein abstraktes Wissen über Gott vermitteln, sondern die Begegnung mit Gott herbeiführen. Wenn Calvin ein Gottesbild ablehnt, weil es keine Gotteserkenntnis vermitteln kann und darf, heißt dies: Es darf und kann kein Bild Gottes geben, weil ein Bild die Begegnung mit Gott nicht vermitteln kann und darf. *Es geht in der Bilderfrage um die Begegnung zwischen Gott und Mensch.*

„ ..., qui se putabant talibus figmentis adiutos propius ad Deum accedere —."[63]

Die Quelle des Bilderwahnes liegt in dem Bestreben, Gott nahe zu kommen. Heute wie zu allen Zeiten fühlen die Menschen ihre Gottesferne. Sie können die göttliche Majestät nicht begreifen. Sie brauchen sichtbare Zeichen und Bilder, um der Gegenwart Gottes sicher zu sein und ziehen damit Gott zu sich herab.

„Voilà donc la source de toute superstition: et quand on s'est fait ainsi des figures visibles ç'a esté pource qu'on a pas cognu la hautesse de Dieu, et sa majesté incomprehensible" oder:

„Nous voyons la source de toutes les idolatries qui ont jamais regné: c-est à scavoir quand les hommes ne cuident point que Dieu leur soit prochain, sinon qu'ils en ayent quelque marque visible."[64]

Aber Gott kann es nicht ertragen, daß man seine unendliche Majestät unter Stein und Holz durch ein Bild oder irgendeinen Gegenstand dieser Welt repräsentiert[65]. Setzt man die Gleichsetzung von ‚lehren‘ oder ‚erkenntnisvermitteln‘ mit ‚Gottnahe-bringen‘ voraus, so können Jer. 10, 3 und Hab. 2, 18 als indirekte Beweisstellen anerkannt werden. Aus der Aussage eines Bildes: ‚so ist Gott‘ — wie man es ursprünglich nach der Formulierung Calvins, das Bild wolle etwas über Gottes Wesen sagen, vermutet — wird nun: ‚so kommt Gott‘. Damit sind wir wieder in

---

62. Op. 30 p 121 (nach Grau S. 16); OS III 408, 19—24; OS I 42 f. und dieselbe Stelle in der Institutio seit 1539: OS III 359, 20 f. (Kursivsetzung ist von mir).

63. Op. 36 p 69 (nach Grau S. 20).

64. Op. 34 p 296 (85. Predigt über Hiob 22 nach Grau S. 15); Op. 49, 612 (3. Predigt über den 1. Kor. nach Grau S. 15); cf. OS III 97, 11—13.

65. Op. 28 p 316 f. (nach Grau S. 16).

der Nähe der Bedeutung, die das Götterbild zur Zeit des Alten Testamentes hatte: Gottes Gegenwart zu vermitteln. Das Bild ist letzlich bei Calvin ganz im Sinne des Alten Testamentes als Offenbarungsort verstanden[66]. Das Bild, das nach Calvin durch das Bilderverbot für alle Zeiten verboten ist, ist das Bild, das Offenbarungsmittel zu sein beansprucht. Für die Zeit des Alten und Neuen Testamentes versicherte es durch sein Vorhandensein — ganz gleich, welche Gestalt es hatte — der gnädigen Gegenwart Gottes. Das Bild der Christenheit, gegen das Calvin sich wendet, will Offenbarungsmittel sein, indem es Erkenntnis und damit Begegnung mit Gott durch Betrachtung vermittelt. Es garantiert oder repräsentiert nicht nur die gnädige Gegenwart Gottes, sondern zeigt das uns zugewandte Angesicht Gottes, läßt den Menschen Gott so erkennen, wie er sich zu ihm stellt und bringt durch Anschauung Gott und Mensch zusammen.

„Deum igitur non solo verbi auditu cognosci, sed etiam imaginum aspectu!"[67] Dies trifft genau auf das Bild der orthodoxen Kirche zu. Die Ikone ist — heute noch — ein „wesentlicher Teil des Kirchenraumes"[68] und Gottesdienstes. Sie ist „gemalte Liturgie"[69] und hat dieselbe Aufgabe wie die Liturgie: Vergegenwärtigung des Göttlichen[70]. Hier, in der Liturgie, in der Verlesung der Heiligen Schrift, im Anschauen der Ikonen offenbart sich wie in den Sakramenten, den Heiligen und den Dogmen des Glaubens die Kraft des Reiches Gottes bereits auf Erden. Hier und jetzt haben die Gläubigen Anteil an Gottes Ewigkeit in der Einheit mit den Verstorbenen und in Gottes Herrlichkeit Eingegangenen[71]. Liturgie und Ikone bringen Gott und Mensch zusammen. Hier darf der Mensch Gottes Herrlichkeit schauen. Die „heilige Ikone ist eine Theophanie des Unschaubaren."[72]

Calvin selber hat nie eine Ikone gesehen und doch schildert er als das vom Bilderverbot verbotene Bild genau den Typ der Ikone. Den wohl nicht nur in

---

66. von Rad schreibt in seiner Besprechung des Buches von Hubert Schrade: Der verborgene Gott, in Verkündigung und Forschung 1951/52, München, S. 173: „Es wäre vielmehr zu fragen gewesen, weshalb die Vergegenständlichung Jahwes im Bild so schroff verweigert, aber gewisse kultische Symbole gestattet wurden. Man würde bei solcher Fragestellung auf die spezifische Kategorie der Offenbarung stoßen. Das Bild konnte nur als eine Selbstoffenbarung Jahwes verstanden werden, während der Lade oder den Cheruben keinerlei Offenbarungsdignität eigen war." S. 178: „Vor allem aber kommt man dem Bilderverbot nicht bei, wenn man es von der ,Gottesvorstellung' her interpretiert. Das Bilderverbot will ja nicht eine religionsphilosophische Aussage darüber machen, wie Gott ist (daß man ihn sich überweltlich oder geistlich vorstellen solle), sondern wie er sich offenbart ... ein Ausdruck seiner Macht, aber vor allem seiner Freiheit und Verborgenheit, indem Jahwe es nämlich nicht zuläßt, daß seine Präsenz von Menschen so statisch und anschaubar proklamiert wird."

67. OS III 103, 21. Das wurde nach Calvin in Nicäa unter Berufung auf 1. Joh. 1, 1 behauptet. s. Libri Carolini I 30 p 60.

68. Kurt Onasch in Theol. Rundschau NF 22, 1954 (in einer Buchbesprechung) S. 246.

69. Else Giordani nach K. Onasch a. a. O. 246.

70. K. Onasch a. a. O. 243.

71. S. Verkhowsky: Der neue Mensch in Christus, in Ev. Theologie 11, 1951/52 S. 343.

72. Georg Schückler nach K. Onasch a. a. O. 243.

seiner Dimensionslosigkeit[73] der Ikone entfernt verwandten Bildtyp der Romanik hat Calvin zwar in Paris[74] kennengelernt. Die Übereinstimmung des von ihm geschilderten Bildes mit der Ikone, um die im 8. Jahrhundert ein heftiger Streit ausgefochten wurde, legt aber die Vermutung nahe, daß Calvin weder von der romanischen noch von einer sonst ihm bekannten Bildart ausgeht, sondern sein Bildverständnis aus den Kirchenvätern, die er ja in reichlichem Maße zitiert, erhebt. Dann würde er sich — obwohl er als seine eigentlichen Gegner die Papisten nennt und sich auch namentlich gegen ihren Gewährsmann für das Argument der Laienbibel wendet — in Wahrheit weder mit der papistischen Bilderlehre, noch mit Gregor dem Großen, sondern mit der durchdachten Bildtheologie des 8./9. Jahrhunderts auseinandersetzen.

b) Der byzantinische Bilderstreit

Die bedeutendsten Vertreter der Bilderfreunde des 8. und 9. Jahrhunderts, Johannes von Damascus, Theodor von Studion und Nicephorus, deren Werke die wichtigsten Quellen für die Bilderlehre der Ikonodulen sind[75], werden von Calvin nicht erwähnt. Auch von den früheren griechischen Kirchenvätern, die an der im byzantinischen Bilderstreit besonders wichtigen Lehre von der Identitätsbeziehung zwischen Bild und Prototyp wesentlich beteiligt waren und die darum häufig von den Bilderfreunden zitiert wurden[76], nennt Calvin weder die Kappadocier noch Chrysostomus noch Pseudo-Dionysius Areopagita. Die Bilderfeinde dieser Zeit, „die wir nur aus Zitaten der bilderfreundlichen Gegenschriften kennen"[77], kommen bei Calvin auch nicht direkt zu Worte.

Das Konzil von Nicäa wird von Calvin in der Institutio zwar ausdrücklich erwähnt, aber im Blick auf die Bilderfrage erst 1550 und auch dann nur, weil jeder, der „heutzutage den Bildgebrauch verteidigen will, sich auf dieses Konzil" beruft[78]. Der Abschnitt über das Konzil zu Nicäa in Calvins Institutio bei der Behandlung der Bilderfrage[79] hat lediglich den einen Zweck, zu zeigen, daß dieses Konzil illegitim war. Wäre die Synode von Nicäa eine legitime gewesen, so müßte sie für alle Zeiten gelten. Dann wäre die Berufung auf dies Konzil ein nicht zu widerlegendes Argument. Dem Konzil von Nicäa von 787 steht das von Konstantinopel von 754 entgegen. Die Entscheidung darüber, welches Konzil rechtmäßig ist, ist nach Calvin am Wort des Herrn nachzuprüfen[80]. Als Beweis der Illegimität

---

73. nach Kurt Onasch: Gott schaut dich an, Berlin 1949, S. 8 unten.

74. Mündlicher Hinweis von Prof. O. Weber.

75. s. Ladner: Der Bilderstreit und die Kunstlehren der byzantinischen und abendländischen Theologie, in ZKG 50, 1931, S. 3.

76. s. Ladner a. a. O. 3 und Elliger: Die Stellung der Alten Christen zu den Bildern in den ersten vier Jahrhunderten, Band I S. 61 ff., Leipzig 1930, in Studien über christliche Denkmäler NF, H 20.

77. Ladner a. a. O. 7.

78. OS III 103, 2 f. Das Konzil wird zwar bereits 1543 genannt, jedoch nicht bei der Behandlung der Bilderfrage, sondern der Konzilien allgemein.

79. OS III 102—105.

80. OS V 158, 5—8.

der Synode von 787 zeigt Calvin die Entstellung und Zerpflückung der Heiligen
Schrift durch die Männer, von denen die Beschlüsse dieser Synode stammen, auf
und führt die von den Synodalen gemachten Aussagen ad absurdum. Er macht
sie lächerlich[81]. Ein Konzil, auf dem derart unmögliche Dinge gesagt und derlei
unglaubliche Schriftbeweise geführt wurden, kann nur die Karikatur eines Konzils,
nicht aber ein für alle Zeiten geltendes legitimes Konzil gewesen sein. Das Konzil,
auf dem die Verteidiger der Ikone den Sieg davongetragen haben, ist nach Calvin
nicht nur illegitim, sondern so unmöglich in seiner Beweisführung, daß es der
näheren Betrachtung nicht wert ist. So führt er lediglich unter Hinweis auf die
vielen unmöglichen Schriftbeweise zwei Thesen von Nicäa an:

> „Sed in primis ingeniosa est ista interpretatio (von 1. Joh. 1, 1), Ut audivimus,
> ita et vidimus. Deum igitur non solo verbi auditu cognosci, sed etiam ima-
> ginum aspectu."[82]

Hier wird der Bildtyp charakterisiert, den Calvin ablehnt. Gott soll nicht nur
durch das Hören seines Wortes, sondern auch durch das Anschauen der Bilder erkannt werden. Aus der Erkenntnis Gottes ergibt sich für Calvin die Verehrung
Gottes[83]. Es ist nicht zu verwundern, daß diese Art Bilder angebetet wurden.

> „Decrevit enim Synodus Nicena ... non habendas modo in templis esse
> imagines, sed etiam adorandas!"[84]

Damit hat das Konzil „den Bildern uneingeschränkt dasselbe gegeben wie dem
lebendigen Gott"[85]. Das Hauptargument von Nicäa, die Inkarnation des Logos,
nennt Calvin nicht. Er geht auch den Papisten gegenüber, die sich stets darauf
berufen[86], nicht auf dieses Argument ein. Die für den Bilderstreit im Mittelpunkt
stehende Problematik des Christusbildes, der Beziehung zwischen Bild und Prototyp, der Frage nach menschlicher und göttlicher Natur Christi und der Begriff
der Hypostase, mit dessen Hilfe „die Bilderfrage mit der Incarnation in eine ver-
standesmäßig faßbare Beziehung gebracht und zugleich ... den Bildern — eben
durch die Identität nach der menschliche und göttliche Natur einschließenden
Hypostase — doch auch ein Anteil an der Göttlichkeit des Urbildes gesichert
wird"[87], spielen bei Calvin keine Rolle. Sie werden mit keinem Satz erwähnt.

Auch die Bilderfeinde des 8. Jahrhunderts rücken die „Darstellung Christi als
das Wichtigste in den Mittelpunkt". Ihr Gegenargument „... das Geheimnis der
Vereinigung einer göttlichen und einer menschlichen Natur in einer Hypostase bei
Christus könne geglaubt und bekannt, nicht aber nachgebildet werden"[88], wird

---

81. OS III 103 ff.; OS V 158, 3 ff.

82. OS III 103, 20 ff.; OS III 103 Anm. 8 wird die Belegstelle der Libri Carolini
genannt.

83. OS I 43; OS III 97; s. auch oben S. 189.

84. OS III 102, 32 f. OS verweist unter Anm. 3 auf Mansi XIII, 377. Auch Mirbt
bringt das Dekret, S. 116.

85. OS III 105, 3 ff.

86. s. o. S. 163.

87. Ladner a. a. O. 5.

88. Ladner a. a. O. 7 f.

von Calvin, der sich mit der christologischen Problematik des 8. Jahrhunderts nicht befaßt, nicht erwähnt, geschweige denn aufgenommen.

Das Hauptargument der Ikonoklasten, es sei gottlos und unmöglich, das Göttliche umschreiben zu wollen, scheint bei Calvin wiederzukehren. Aber bei den Ikonoklasten ist dies im Blick auf ein Christusbild, bei Calvin im Blick auf das im 8. Jahrhundert nicht zur Debatte stehende Gottesbild verwendet worden. Die Unmöglichkeit der Umschreibung des Göttlichen ist ein Teilargument in der Beweisführung der Bilderfeinde gegen Möglichkeit und Erlaubtheit des Christusbildes. Es wird hier ausgeführt, daß den Bilderfreunden „nur die Wahl bleibe zwischen den Ketzereien der Monophysiten, indem nämlich bei der Darstellung des ganzen Christus die göttliche und die menschliche Natur zu einer vermengt werden müßten, oder der Nestorianer ..., wenn behauptet werde, das Bild Christi zeige ihn bloß von seiner menschlichen Seite." Denn ebenso wie der Versuch, das Göttliche umschreiben zu wollen „verstößt es gegen den Glauben, die fleischliche Natur Christi getrennt zur Darstellung zu bringen"[89]. Diese Argumentation wird von Zwingli[90] aufgenommen, nicht von Calvin. Das Bild Christi nimmt bei Calvin keine Sonderstellung ein. Es wird als Bild Gottes gewertet und als Bild Gottes abgelehnt. Im byzantinischen Bilderstreit ging es vor allem um das Christusbild; um die Bilder der Mutter Gottes und der Heiligen erst in 2. Linie, während die Undarstellbarkeit Gottes selbst für Bilderfeinde und Bilderfreunde eine Selbstverständlichkeit war[91]. Calvin geht es um die Frage des Bildes Gottes. Darum beschäftigt er sich nicht mit den für das 8./9. Jahrhundert so wichtigen christologischen Problemen. Er bringt keineswegs eine gründliche, ausführliche Auseinandersetzung mit den Argumenten von Nicäa, sondern lehnt lediglich die Synode von 787 als eine illegitime Synode[92] unter Hinweis auf die unmöglichen Schriftbeweise und auf die Stellung der Alten Kirche, die gegen diese Synode spricht, ab.

c) Die Alte Kirche

Calvin scheint in der Bilderfrage der Alten Kirche nahe zu stehen. Auf sie beruft er sich auch bei seiner Einteilung des Dekalog und seiner Stellung zur Bilderfrage ausdrücklich. Aber seine Auswahl der Väterzitate scheint mehr oder weniger willkürlich zu sein.

Calvin beruft sich nicht auf Justin, Tertullian, Clemens von Alexandrien oder Euseb, die deutlich auf das Bilderverbot verweisen[93]. Für seine Einteilung des Dekalogs beruft er sich auf Origenes, zu dessen Zeit diese Einteilung allgemein anerkannt gewesen sei, auf den Verfasser des ‚Opus imperfectum‘ und auf Augustin, der beide Einteilungen für möglich hielt[94]. Die von Bucer vertretene Einteilung, bei der zwar zur 1. Tafel 4 Gebote gehören, das Bilderverbot jedoch mit dem

---

89. Ladner a. a. O. 8.
90. s. o. S. 146.
91. Ladner a. a. O. 4.
92. OS V 157, 24 ff.
93. Elliger a. a. O. I 23; 29; 40; 50.
94. OS III 354.

Abgöttereiverbot zusammen ein Gebot ist, erwähnt Calvin[95], nennt aber weder Bucer noch dessen Vorgänger in der Alten Kirche, Cyrill und Hesychius — der das Bilderverbot auch bei dieser Zählung völlig übergeht — bei Namen[96]. Calvin meint, daß nach dem Zeugnis der Alten Kirche etwa 500 Jahre hindurch die christlichen Kirchen allgemein ohne Bilder gewesen seien[97], und beruft sich bei der Ablehnung der Synode zu Nicäa von 787, die das Aufstellen von Bildern in Kirchengebäuden gewährte, auf das Zeugnis der Kirchenväter. Augustin hätte erklärt, dies könne nicht ohne unmittelbare Gefahr der Abgötterei geschehen und vor ihm hätte Epiphanius noch schärfer gelehrt: „nefas enim et abominationem esse tradit, aspici in templo Christianorum imagines"[98]. Dazu zitiert Calvin in der Institutio ab 1543 den 36. Kanon der Synode zu Elvira von 306: „Placuit in templis non haberi picturas: ne quod colitur vel adoratur, in parietibus pingatur"[99].

Es geht Calvin jedoch bei der Behandlung der Bilderfrage nicht nur um die Ablehnung der Bilderverehrung, sondern vor allem um die grundsätzliche Frage nach der Möglichkeit und Erlaubtheit eines Gottesbildes. Er steht mit der Bewertung des Christusbildes als eines Gottesbildes ohne besondere Problematik den Apologeten und frühen Kirchenvätern nahe, von denen das Christusbild weitgehend als Gottesbild abgelehnt wird[100]. Er beruft sich dafür aber weder auf Clemens von Alexandrien und Origenes, die auf die Undarstellbarkeit Gottes hinweisen[101], noch auf Justin und Tertullian, die mit der Unmöglichkeit und Unerlaubtheit eines Bildes Gottes ihre Ablehnung von Bildern Gottes und Christi begründen[102].

---

95. OS III 353, 25 f.

96. OS III 353 A. 3. Hinweis auf Cyrill und Hesychius.

97. OS III 101 Anm. 2. Hinweis auf Irenäus, Synode zu Elvira und Euseb. Nach Elliger a. a. O. I wandte Euseb sich „nicht mehr gegen eine drohende aber noch nicht akut gewordene Gefahr, sondern opponiert gegen eine konkrete Situation". cf. dazu Exkurs III: Christliche Bildanschauung.

98. OS V 157, 26 f. (1543).

99. OS III 94, 9 ff. Anm. 3 wird als Beleg Mansi II 264 genannt. Der Wortlaut der Synode nach Mirbt S. 38, 15: „Ne picturae in ecclesia fiant. Placuit picturas in ecclesia esse non debere, ne, quod colitur et adoratur, in parietibus depingatur." In der Institutio von 1543−1545 hat Calvin „depingatur".

100. Elliger a. a. O. I 96: „... speziell für das Christusbild die aus der Vorstellung seiner Gottheit sich ergebende Folgerung der Undarstellbarkeit Christi, die bei den apostolischen Vätern, den Apologeten und Tertullian nur mit einiger Wahrscheinlichkeit als Motiv der Verwerfung zu erschließen ist, bei Irenäus, Clemens von Alexandrien und Origenes klar vortritt, von Eusebius und Epiphanius deutlich ausgesprochen wird."

101. Elliger a. a. O. I 40 ff.; Koch a. a. O. 14 ff. und 22.

102. Elliger a. a. O. I 22 f. und 29 f.: Nach Justin sei „das Verfertigen und Anbeten von Götzenbildern ἄλογον und ἐφ' ὕβρει τοῦ θεοῦ (Apol. I 9, 3). Es ist Gotteslästerung. An die Stelle des ‚Unmöglich' tritt das ‚Unerlaubt'. Elliger a. a. O. 22. Tertullian empfand und bekämpfte nach Elliger bereits „die bildliche Darstellung des Guten Hirten als Sakrileg", und sieht „jegliches christlich-religiöse Kunstschaffen als Idolatrie" an. Elliger a. a. O. I 29.

Die besondere Problematik des Christusbildes wird zwar erst allmählich erkannt und beachtet, doch schon Tertullian lehnt ein Christusbild mit dem Hinweis auf die beiden Naturen Christi ab: „videmus duplicem statum non confusum sed coniunctum in una persona deum et hominem Jesum"[103]. Epiphanius sieht die Einheit der Christusvorstellung durch den Versuch einer bildlichen Darstellung gefährdet. Er nennt bereits die christologischen Argumente, mit denen die Ikonoklasten des 8. Jahrhunderts arbeiten[104]. Calvin läßt diese frühen Hinweise genauso unbeachtet[105] wie die ausführliche christologische Beweisführung des 8. Jahrhunderts. Wohl verweist er auf Euseb und Lactantius, nach denen „Wesen, die man abgebildet in Bildern sehen kann, notwendig sterblich sein müssen"[106]. Damit ist aber lediglich gesagt, daß Calvin wie Euseb voraussetzt, daß ein Bild Jesu Christi eben nicht das Bild des Menschen Jesus, sondern das Bild des Gottes-Sohnes Christus sein, d. h. ein göttliches Wesen darstellen will. Bei Euseb stand hinter dieser Auffassung des Christusbildes der Gedanke, daß „die göttliche Qualität Christi . . . auch den Menschen Jesus" verklärte[107]. Bei Origenes verwandelte „der Gedanke einer verklärten Leiblichkeit des Auferstandenen rückwirkend in seiner Vorstellung das Bild des geschichtlichen Jesus und vergöttlichte das σωμα θνητικον "[108]. Für Calvin steht überhaupt nur der Auferstandene zur Debatte. ‚Jesus nach dem Fleisch kennen wir nicht mehr'. So sagt Paulus im 2. Brief an die Korinther. Und Calvin erklärt: „Auch wenn Christus eine Zeitlang auf der Erde gelebt hat und den Menschen unter den Verhältnissen irdischen Lebens bekannt gewesen ist, so müssen wir ihn doch jetzt auf eine andere Weise erkennen, nämlich geistlich. Wir können ihn nicht mehr in weltliche Maße fassen"[109].

---

103. Adv. Prax. c. 27, zitiert nach Elliger a. a. O. I 31. Auf der Seite der Bilderfreunde ist quellenmäßig Gregor von Nyssa der erste, bei dem der Hinweis auf die vollkommene Menschhaftigkeit Jesu formuliert begegnet. Elliger a. a. O. I 97.

104. Elliger a. a. O. I 58 f.

105. Auf der Synode zu Konstantinopel 754 berief man sich zu Recht auf Epiphanius. Die Konzilsväter von 787 dagegen gaben sich alle Mühe „nachzuweisen, daß das in Konstantinopel vorgebrachte Zeugnis: Non est sancti patris nostri Epiphanii (Mansi 13, 294 b) und jene Bücher zu den noviter scripti gehören (Mansi 13, 295 b), also eine bewußte Fälschung darstellen. Diese Meinung ist im Wesentlichen herrschend geblieben, bis Holl die Echtheit einiger unter des Epiphanius Namen gehender Fragmente nachgewiesen hat". Elliger a. a. O. I 53.
Calvin nennt OS V 157, 25 ff. Epiphanius als einen, der schon vor Augustin sich gegen Bilder in chritslichen Kirchen gewandt habe und zitiert ihn (s. o. bei A. 98). Er wußte also um die Haltung des Epiphanius in der Bilderfrage. Es ist hier nicht nötig, festzustellen, ob er die von Holl als echt nachgewiesenen Fragmente kannte und Epiphanius zurechnete. Der Grund der Nichterwähnung der christologischen Argumente ist bei Calvin nicht Unkenntnis, sondern eine andere Fragestellung.

106. OS III 94, 3 — 5.

107. Elliger a. a. O. I 52.

108. Elliger a. a. O. I 43.

109. Im Komm. zum 1. und 2. Korintherbrief zu 2. Kor. 5, 16, zitiert nach der Übersetzung von Gertrud Graffmann, in der Ausgabe durch O. Weber S. 532.

Wir können uns kein eigenes Bild von Christus machen. Das Bild des irdischen Jesus nützt uns nichts. Um die geistliche Erkenntnis Gottes in Christus geht es Calvin in der Bilderfrage. Wenn er von der Wahrung des Bilderverbotes spricht, spricht er nicht von einem Jesusbild, sondern von einem Christusbild, oder genauer von einem Bild des jetzt zur Rechten Gottes sitzenden Christus, der die 2. Person der Trinität ist, d. h. von einem Christusbild, das nichts anderes als ein Gottesbild ist. Bei Augustinus, den Calvin am häufigsten als Zeugen zitiert, findet Calvin die treffende Charakterisierung eines heidnischen Götzenbildes, die Ablehnung von Bildern in Kirchen sowie deren Verehrung oder Weihung, die Betonung einer rechtmäßigen Entfernung der Götzenbilder, die grundsätzliche Ablehnung eines Gottesbildes, ja sogar in einem von Augustin genannten Zitat von Varro die Bestätigung des engen Zusammenhanges zwischen Erkenntnis Gottes und Verehrung Gottes im Ansatz wieder[110]. Augustin ist ja auch nach Elliger der einzige der Kirchenväter der ersten vier Jahrhunderte, der empfunden hat, „daß es vom christlichen Standpunkt aus mit einer bloßen Anerkennung oder Ablehnung der Bilder nicht getan sei"[111]. Dennoch sind die Unterschiede zwischen Calvin und Augustin zu groß, um hier irgendeine direkte Beziehung sehen zu können. Augustin war weder Bilderfeind noch Bilderfreund[112], sondern sah Nutzen und Gefahr der Bilder. Er geht — wie Luther — von der Wirkung des Bildes auf den Betrachter aus. Er denkt, vom psychologischen Aspekt ausgehend, vor allem an die im Bilde verborgenen Gefahren und Vorteile und redet daher von dem rechten und falschen Bildgebrauch. Von daher muß auch seine grundsätzliche Ablehnung eines Götzenbildes gesehen werden. Es geht ihm um die „Reinerhaltung der Gottesvorstellung von allen anthropomorphen Zügen"[113]. Es geht ihm um die Wirkung des Bildes auf den Betrachter, nicht um eine Verletzung der Ehre Gottes. Daher ist für Augustin auch die falsche Vorstellung von Gott im Herzen eines Menschen schlimmer als irgendein unangemessenes Bild. Hier sind die Beziehungen zu Luther dichter als zu Calvin. Calvin redet zwar auch von der Gefahr der falschen Vorstellung von Gott durch ein Bild, vor allem aber von dem Anspruch des Gottes-Bildes bzw. des Christusbildes, Gottes Gegenwart zu vermitteln. Dies ist der Anspruch der Ikone.

Calvin beruft sich zwar ausdrücklich auf die Autorität der Alten Kirche[114] und nennt ihre Vertreter auch namentlich, zitiert aber nicht ihre entscheidenden Aussagen zur Bilderfrage.

Warum beruft Calvin sich nicht auf Justin, Athenagoras, Tertullian oder Clemens von Alexandrien? Warum bringt er von Origenes, Irenäus, Euseb und Augustin nicht stichhaltigere Belege? Warum begnügt er sich mit Hinweisen auf die Anerkennung seiner Zählung durch die Kirchenväter, auf das Zeugnis der Kirchenväter für eine lange bilderlose Zeit der frühen christlichen Kirche und auf die Berufung der Kirchenväter auf die Haltung der Urchristenheit? Warum zitiert er

110. CR 24, 546; OS 94, 12—14 (1550).
111. Elliger a. a. O. I 98.
112. Elliger a. a. O. I 90.
113. Elliger a. a. O. I 87.

dagegen so häufig Augustin, der weder Bilderfreund noch Bilderfeind war und mit dem er weniger als Luther gemeinsam hatte?

4. Calvins Fragestellung

Bei näherer Betrachtung zeigte es sich, daß die oben ausgesprochene naheliegende Vermutung, Calvin bewege sich in der Problematik des 8. Jahrhunderts und erhebe sein Bildverständnis aus den Kirchenvätern, nur zum Teil zutrifft.

Calvin beschränkt sich darauf, scheinbar wahllos Zitate einiger Kirchenväter zu bringen, die nicht die schärfsten Bildergegner waren und auch das, was er von ihnen zitiert, ist nicht das wichtigste, was sie zur Bilderfrage zu sagen hatten. Calvin unternimmt keine spezielle Auseinandersetzung mit den Argumenten der frühen Bilderfreunde. Es gibt bei Calvin zwar Anklänge an diese oder jene Stellungnahme der Bilderfeinde, aber keine volle oder auch nur annähernde Übereinstimmung mit den von ihm zitierten Kirchenvätern. Er benutzt sie anscheinend nur als Colorit, als zusätzliche Untermalung und Bekräftigung seiner eigenen Darlegungen. Sein Bilderverständnis hat er nicht direkt aus den Kirchenvätern erhoben. Unter der Vielzahl der Bildanschauungen, die bereits in der Alten Kirche und bis hin ins 8. Jahrhundert auftreten, deckt sich keine mit der Calvins. Auch die Problematik, in der Calvin sich bewegt, läßt sich so weder in der Alten Kirche, in der es bei Bilderfreunden und -feinden an „einer grundsätzlichen klaren Erkenntnis der mit dem Bildgebrauch für die christliche Frömmigkeit der Zeit gegebenen Probleme noch gebricht" und denen darum „eine auch in den Konsequenzen durchdachte theoretische Begründung ihrer praktischen Haltung fehlt"[115], noch in der Zeit des byzantinischen Bilderstreites mit ihrer ausgeprägten Bildtheologie finden. Die Bildanschauungen der Alten Kirche variieren vielfältig von einer „vom Heidentum überkommenen magisch-realistischen Bildauffassung"[116] der apostolischen Väter und Apologeten, die diese in Verbindung mit dem Bilderverbot zur strikten Ablehnung der Bilder führte, über eine „mehr geschichtliche Betrachtungsweise" — zunächst szenischer Kompositionen, dann aber auch personenhafter Bilder — und danach einer pädagogisch-didaktischen Zielsetzung und dem psychologischen Aspekt bei Augustin[117] bis zurück über Märtyrer- und Heiligenbildern zu heidnischer, d. h. bei Christen abergläubischer, Bildbetrachtung und -Verehrung. Daß Calvin das rein heidnisch-magische Bildverständnis nicht teilt und die neue zunächst rein geschichtliche Bildbetrachtung nicht ablehnt, ist bereits dargelegt worden. Er kennt und anerkennt ein profanes christliches Bild. Er unterscheidet mit Nilus, Asterius, Chrysostomus, den Kappadociern und Gregor dem Großen zwischen kultischem und unkultischem Bildgebrauch. Er kennt aber einen speziell christlich-kultischen Bildgebrauch und ein christliches Kultbild.

---

114. OS III 101, 22.
115. Elliger a. a. O. I 98.
116. Elliger a. a. O. I 95.
117. Elliger a. a. O. I 97.

Von dem Versuch, die Möglichkeit bzw. Unmöglichkeit eines Christusbildes zu erweisen, gelangte man im 8. Jahrhundert mit Hilfe des Abbild-Urbild-Denkens in Verbindung mit dem neuplatonischen Emanationsschema zu einer christlichen Bildanschauung, die nicht nur, wie Elliger es für die ersten vier Jahrhunderte ausführt, „die Bilder als eine sinnlich wahrnehmbare Form des Beweises der in der Geschichte sich offenbarenden Macht Gottes über Leben und Tod ansehen lehrte und damit den Konflikt zwischen Ex. 20, 4 und der magisch-realistischen Bildbetrachtung beseitigte und die Geltung des Mosaischen Verbotes auf heidnische Götterbilder zu beschränken wußte"[118] und damit dem Bild Aussagekraft und d. h. Verkündigungscharakter verlieh, sondern die ihm als letztem Ausläufer vom Prototyp Christus her einen, wenn auch geringen Anteil an der Wesenhaftigkeit des Göttlichen zusprach und ihm damit Offenbarungskraft zuerkannte. Dieses Bild lehnt Calvin ab. Er geht jedoch nicht auf die genannten christologischen Argumente ein, sondern bezieht das, was im 8. Jahrhundert in Byzanz vom Christusbild gesagt wurde, allgemein auf das Gottesbild. Er fragt grundsätzlich nach der Möglichkeit und Erlaubtheit eines Bildes Gottes und damit nach der Legitimität der Offenbarung bzw. Verkündigung durch Bilder. Deshalb erhebt er sein Bildverständnis weder aus den lateinischen noch aus den griechischen Kirchenvätern, sondern entwickelt es abstrakt von seiner grundsätzlichen Frage her. Er setzt sich nicht mit einer bestimmten Richtung, die für einen bestimmten Bildtyp eintritt, auseinander und fußt darum auch nicht auf einer bestimmten Richtung, die einen bestimmten Bildtyp ablehnt oder aus einem speziellen Anliegen — etwa christologischer oder psychologischer oder rein praktischer Natur[119] — gegen christlichen Bildgebrauch Stellung nimmt. Er setzt sich weder mit Gregor dem Großen noch mit den ‚Papisten‘ seiner Zeit und deren inkonsequenter Bilderlehre, weder mit dem Konzil zu Nicäa oder dem in den frühen Jahrhunderten bereits auftauchenden „Bedürfnis nach sinnenfälliger Wahrnehmung der heiligen Personen und Geschehnisse"[120] noch mit der seit dem 4. Jahrhundert bereits einsetzenden Bilderverehrung auseinander. Er schließt sich weder den frühen Bildergegnern an, denen er in der Einstufung des Christus-Bildes als einem Gottes-Bild am nächsten steht, noch den Bildergegnern beim byzantinischen Bilderstreit, denen er in der strikten Ablehnung des Offenbarungsanspruches des Bildes nahe kommt, noch Augustin, dem er in der Warnung vor der in jedem Bilde verborgenen Gefahr der Vergötzung eines Objektes und der Herabziehung Gottes in die irdisch-menschliche Vorstellungswelt nahe steht, noch macht er sich die „in den Libri Carolini niedergelegte Auffassung" des karolingischen Nordens des Abendlandes, die die Synode von 787 zwar ablehnt, aber „einer mittleren Linie folgt und nach der Bilder zugelassen, aber nicht verehrt werden sollen"[121], zu eigen. Er wendet sich gegen jedes Bild und gegen jeden Bildgebrauch, dem das Bilderverbot in seinen beiden

118. Elliger a. a. O. I 97.
119. Wie etwa Chrysostomus, Asterius u. a., die bei grundsätzlicher Anerkennung einer christlichen Darstellung aus praktischen Bedenken heraus übertriebenen Bildgebrauch ablehnen. Elliger a. a. O. I 96.
120. Elliger a. a. O. I 97.

Teilen entgegensteht und d. h. gegen jedes Bild, das an Gottes Stelle gehört bzw. geschaut oder verehrt werden will. Darum kann er in die Fülle der Kirchenväter hineingreifen um zu zeigen, wie zu allen Zeiten und bei jedem Bildverständnis die Gefahr des verbotenen Bildes lauerte und auch erkannt wurde.

Die Problematik Calvins trifft sich mit der des 8./9. Jahrhunderts in einem Punkt, in dem Anspruch der Ikone, „Vehikel"[122], Träger und Mittler des Göttlichen zu sein, deckt sich aber nicht mit ihr. Bilderfeinde und -freunde des 8./9. Jahrhunderts tragen den Bilderstreit auf dem Feld der Christologie aus. Es dreht sich zwar um das Bild Christi, es geht aber damit zugleich um die Grundfragen der Christologie. Calvin denkt umfassender und hat eine andere Grundfrage. Es dreht sich bei ihm um das Bild Gottes, es geht ihm aber um den rechten Weg zu Gott. Das Offenbarungsbild beansprucht ein solcher Weg unter anderen zu sein. Dabei ist die Ikone unter den vorhandenen Bildern die reinste Erscheinung des Bildes, das Calvin grundsätzlich ablehnt, aber nicht die einzige.

---

121. Ladner a. a. O. 6.
122. Harnack: Lehrbuch Bd. 2 S. 480, nach Ladner a. a. O. 6.

V. Eigene theologische Begründung des 1. Teiles des Bilderverbotes

1. Thematik

Dem hermeneutischen Grundsatz Calvins gemäß, nach dem der Sinn eines Gebotes nicht auf den reinen Wortlaut eingeschränkt werden darf, umfaßt das Bilderverbot weit mehr als das wörtlich genannte Beispiel. Es handelt nicht nur von Bildern, sondern von der Art der Offenbarung schlechthin. Dem Wortlaut des 1. Teiles des Bilderverbotes:

,Du sollst dir kein Bild machen'

entspricht die negative Aussage:

Jedes vom Menschen erdachte oder erwählte Offenbarungsmittel ist verboten. Denn Gott selbst ist der einzige zutreffende Zeuge seiner selbst.

„Deus ipse solus est de se idoneus testis."[1]

2. Dem Alten Testament entnommene Motivierung

„Cognoissons donc que Dieu se manifestant par sa voix."[2]

Der Versuch, Gott durch Schauen seines Angesichts zu erkennen, ist bereits im Alten Testament angedeutet. Nachdem das Volk am Fuße des Sinaigebirges sich ein typisch heidnisches Kultbild gemacht hatte[3], versucht Mose, Gott auf andere Weise an sich zu fesseln. Er will sein Angesicht schauen und so Gott erkennen, wie er ist. Dann wäre die Zukunft des Volkes gesichert[4]. Mose bekam damals zur Antwort, nicht durch den Anblick der Herrlichkeit Gottes, sondern durch Gottes Wort und Führung in der Geschichte soll und könne Gottes Herrlichkeit erkannt werden. Dies ist genau der bleibende Gehalt des Bilderverbotes nach Calvin:

„Daß Gott sich den Kindern Israel durch sein Wort, nicht unter körperlicher Gestalt offenbare, bestätigt das 2. Gebot. Unbestritten bleibt der Grundsatz, daß ein Bild Gottes niemals zutreffen kann, weil der Herr sich von seinem Volk nur *im Wort schauen lassen wollte*."[5]

Die Begründung und damit zugleich den der negativen Aussage entsprechenden positiven Gehalt des 1. Teiles des Bilderverbotes entnimmt Calvin nicht dem 1. Gebot, sondern erschließt ihn aus dem Handeln Gottes mit seinem Volk. Die Begründung lautet:

Gott will sich uns nur durch sein Wort offenbaren.

Die positive Aussage ist:

Du sollst Gottes Stimme hören.

---

1. OS III 88, 25.
2. Op. 26 p 148 (nach M. Grau a. a. O. 16).
3. Exodus 32; OS III 97, 14 ff. geht Calvin darauf ein. s. o. S. 174.
4. Exodus 33, 12 ff. 18.
5. CR 24, 384 und 385 f.; cf. Calvins Kommentar zu 1. Kor. 13, 12 (Kursivsetzung ist von mir).

Dies entspricht der Einleitung des Dekalogs: ‚Höre Israel!' Calvin hat jedoch hierauf nicht verwiesen. Gott selber hat, so führt Calvin aus, es mehrfach ausdrücklich betont, daß keine direkte oder mittelbare Offenbarung, die sich an unsere Augen wendet, sondern nur eine Offenbarung durch sein Wort legitim ist. Der am häufigsten von Calvin angeführte Beleg ist Dt. 4, 15 ff:

> „... apud Mosen, Memento quod Jehovah loquutus tibi sit in valle Horeb: *vocem audisti, corpus non vidisti;* observa ergo teipsum, ne forte deceptus, facias tibi ullam similitudinem, etc. (Deut. 4, 15) Videmus ut aperte vocem suam opponat Deus omnibus figuris."[6]

Gerade die Cheruben, mit deren Beispiel die Papisten Bilder Gottes oder der Heiligen verteidigen wollen, sind das beste Zeugnis dafür, daß „... imagines repraesentandis Dei mysteriis non esse idoneas"[7]. Der Vorhang, die Cheruben mit ihren Flügeln und die Lade selber sind nur dazu da, um zu verhüllen.

> „... non oculos modo humanos, sed omnes sensus prohiberent a Dei intuitu: atque ita temeritatem corrigerent."

> „Car voila le voile, qui estoit pour cacher le grand sanctuaire et puis il y avoit deux cherubins qui couvroyent l'arche de l'alliance. A quoy est-ce que tout cela revient, et à qui doit-il estre rapporté, sinon qu'il faut que nous fermions les yeux."[8]

Gott wäre zwar aus seiner Schöpfung erkennbar, aber der menschliche Verstand ist „träge und stumpf". Wir liefen in der Suche nach Gott in die Irre, würde uns die Heilige Schrift nicht lenken[9]. Die Schrift spiegelt, indem sie von der Geschichte Gottes mit den Menschen berichtet, des unsichtbaren Gottes lebendiges Angesicht wider:

> „Denique meminerimus, ... Deum illum invisibilen et cuius incomprehensibilis est sapientia, virtus et iustitia, Mosis historiam speculi loco nobis proponere, in quo viva eius effigies relucet."[10]

Das uns in der Heiligen Schrift überlieferte Wort führt uns zu Gott. Dieses Wort hören und aufnehmen, heißt glauben. Auch in Institutio III, 2, wo Calvin das ‚Wesen des Glaubens' erläutert, kehrt sein besonderes Verständnis von ‚erkennen' und ‚gelehrtsein' wieder. Es ist gleichbedeutend mit ‚Gottes Stimme hören', ‚zum Glauben kommen'[11]. Für dies Verständnis beruft Calvin sich auf die Heilige Schrift Alten und Neuen Testamentes.

> „et audire passim accipitur pro credere ... Cui respondet quod passim

---

6. OS III 98, 8–12 (Kursivsetzung ist von mir).

7. OS III 91, 5 f.; s. u. bei Anm. 37.

8. OS III 91, 7–8; Op. 26 p 156 (5. Predigt über Mose 5, 15–20; zitiert nach M. Grau a. a. O. 19); s. u. bei Anm. 38.

9. OS III 153, 15 (1559).

10. OS III 153, 10–13. An dieser Stelle der Institutio ist die Schöpfungsgeschichte gemeint, das Gesagte gilt aber für das gesamte Handeln Gottes mit den Menschen.

11. Calvin erläutert Glaube mit notitia (OS IV 21, 36 ff. und 22, 1), cognitio (OS IV 10, 12 f. und 24, 34), agnitio und scientia (OS IV 25, 14).

Evangelistae fideles et discipulos ponunt tanquam synonyma."[12]

Darum ist das Wort „das Fundament des Glaubens":

„Verbum ergo Dei obiectum est et scopus fidei, in quem collineare debet, basique qua fulciatur ac sustineatur, sine qua etiam consistere nequeat."[13]

Es ist wie ein Spiegel, in dem der Glaube Gott anschaut:

„verbum ipsum, utcunque ad nos deferatur, instar speculi esse dicimus, in quo Deum intueatur (et contempletur) fides."[14]

Im Spiegel seines Wortes Gott schauen, heißt: sein Wort annehmen, das Unsichtbare schauen, Gott selbst erkennen, heißt glauben.

Bei dieser Erkenntnis Gottes geht es nicht darum „zu wissen, wie er in sich selbst ist, sondern wie er sich uns gegenüber verhalten will".

„Neque enim scire quis in se sit, tantum nostra refert, sed qualis esse nobis velit."[15]

Wieder werden wir an Ex. 33 u. 34 erinnert, die Stelle im Alten Testament, an der bereits die Gleichsetzung von ‚Gott schauen' mit ‚Gott erkennen' und dadurch wissen, wie er sich in Zukunft verhalten will, vollzogen wird. In Institutio I 10, 2 wo Calvin darlegen will, wie aus der Heiligen Schrift, in der „Certis quidem locis dilucidae magis descriptiones nobis proponuntur, quibus εἰκονικῶς visenda exhibetur germana eius facies"[16], Kenntnis von Gott dem Schöpfer zu erlangen ist, verweist Calvin ausdrücklich auf Ex. 34, 6, wo Mose kurz zusammenfaßt, was wir Menschen von Gott wissen sollen.

„non quis sit apud se, sed qualis erga nos: ut ista eius agnito vivo magis sensu, quam vacua et meteorica speculatione constet."[17]

Glaube beruht also auf der aus der Heiligen Schrift geschöpften Erkenntnis Gottes und seines göttlichen Willens[18]. Ja, der Glaube ist nichts anderes als die Erkenntnis und die feste Überzeugung des göttlichen Wohlwollens gegen uns[19]. Wir erkennen Gott, indem er uns begegnet[20]. Schon das Alte Testament hat die Beziehung zwischen Gott und Mensch nicht in einem Wissen über Gottes Wesen, sondern in dem Verkehr Gottes mit den Menschen gesehen. Durch das Wort wurden die Väter innerlich zur Erkenntnis Gottes erleuchtet. Durch das Wort hat-

---

12. OS IV 14, 14 f. 18 — 20 (1559).

13. OS I 69, cf. OS IV 14, 26 f.

14. OS IV 14, 31 — 15, 1 (1539). ‚et contempletur' fehlt 1559. cf. Kommentar zu 1. Kor. 13, 12.

15. OS IV 15, 9 — 10.

16. OS III 86, 6 f. (1539).

17. OS III 86, 17 — 19 (Kursivsetzung ist von mir).

18. OS IV 10, 12 f.: „sed in cognitione sita est fides: atque illa quidem non Dei modo, sed divinae voluntatis."

19. OS IV 21, 36 — 22, 1: „Quanquam etiam fides divinae erga nos benevolentiae notitia est, et certa de eius veritate persuasio."

20. Dem Begriff ‚erkennen' bei Calvin entspricht das alttestamentliche ‚erkennen' als ‚nahe kennenlernen, Gemeinschaft haben mit', ‚bekannt sein mit'.

ten sie Gemeinschaft mit Gott[21]. Dementsprechend enthält Calvins Institutio kein Kapitel über ,das Wesen Gottes'. Die Aussagen über das unermeßliche und geistliche Wesen Gottes in der Heiligen Schrift sollen . . . uns „davor zurückschrecken, Gott nach unserem Verstande messen zu wollen . . . und verbieten uns ihm irgendetwas Irdisches oder Fleischliches anzudichten"[22]. Wir haben uns an das zu halten, was Gott selber uns durch sein Wort offenbart[23]. Uns gilt „das Evangelium von seinem Sohn, das er zu seiner Zeit offenbarte"[24]. Die Lehre des Evangeliums ist geistlich. „Spiritualis est Evangelii doctrina". Sie öffnet den Zugang zum Besitz unzerstörbaren Lebens[25]. Sie hält das Herz des Menschen nicht bei den Freuden des jetzigen Lebens auf, sondern reißt es zur Hoffnung auf die Unsterblichkeit hin[26]. ,Geistlich' heißt also bei Calvin ,nicht zu der vergänglichen irdischen Welt, sondern zur Welt Gottes gehörend'.

„His satis superque confirmatur quod dixi, Christi regnum in Spiritu, non terrenis deliciis vel pompis esse situm."[27]

,Geistlich' ist ein Synonym zu ,himmlisch' und könnte geradezu mit ,göttlich' übersetzt werden. ,Gott ist geistlich' heißt dann: Gott kann nicht mit den Dingen und dem Wesen dieser Welt verglichen werden. Man darf ihm nichts Irdisches und Fleischliches andichten. Zu der Erläuterung des geistlichen Wesens Gottes dienen nicht nur die allem irdisch-fleischlichen entgegengesetzten negativen Aussagen: invisibilis, incomprehensibilis, immensus, incorporeus[28], sondern vor allem positive Aussagen wie allmächtig, frei, gütig. Als eine der Stellen in der Heiligen Schrift, an denen uns Gottes Angesicht wie in einem Bilde (εἰκονικῶς) wahrhaftig entgegentritt, nennt Calvin Ex. 34, 6, wo Gottes Tugenden aufgezählt werden: clementia, bonitas, misericordias, iustitia, iudicium, veritas, virtus et potentia[29]. Und im Genfer Katechismus von 1545 heißt es:

»M. Quo sensu nomen illi omnipotentis tribuis?

P. Non hoc modo potentiam ipsum habere, quam non exerceat:
     sed omnia ipsum habere sub potestate et manu: providentia sua gubernare mundum, arbitrio suo omnia constituere: omnibus creaturis, prout visum est, imperare."

Gott allein ist es, der „sapientia, bonitate, potentia, totum naturae cursum atque ordinem regat".

„Hanc in eo sitam esse diximus, ut Deum agnoscamus bonorum omnium auctorem, eiusque bonitatem, iustitiam, sapientiam, potentiam, laude et gratiarum actione prose-

---

21. OS III 408.
22. OS III 108, 32 ff. (1559).
23. cf. Calvins Kommentar zu 2. Kor. 5, 7.
24. OS III 404, 34 f.
25. OS III 405, 15 ff.
26. OS III 405, 3 f.
27. OS III 477, 16 ff.
28. OS I 42; OS III 89, 16 f.
29. OS III 86, 6 f. 21 f.; cf. Confessio Gallicana, 1559, Müller Bekenntnisschriften S. 221, 32—35; Calvins Entwurf in CR IX 731.

quamur: ut in solidum bonorum omnium gloria penes ipsum resideat."[30]
Entsprechend ist die Herrschaft Christi nicht sichtbar, sondern geistlich. Sie bringt
Gerechtigkeit und Leben mit sich:

    M. Quale vero hoc eius regnum est, quod commemoras?
    P. Spirituale, quod verbo et spiritu Dei continetur:
       quae iustitiam et vitam secum ferunt."[31]

All dies sind Eigenschaften, die Gott in Beziehung zum Menschen sehen. Die
negativen Aussagen zeigen uns unsere Gottesferne und warnen uns davor, von uns
aus eine Beziehung zwischen Gott und unserer Welt herzustellen. Die positiven
Aussagen zeigen uns, wie Gott sich zu uns verhält. Was der Mensch von Gott
erkennt, ist das, was Gott an ihm und für ihn tut. Er erfährt es durch das Wort
Gottes. Solche geistliche Erkenntnis sollten schon die Väter des Alten Bundes aus
der Predigt gewinnen[32]. Aus dieser Erkenntnis erwächst der Glaube.

    „Iam ergo habemus fidem esse divinae erga nos voluntatis notitiam ex
    eius verbo perceptam."[33]

Calvins Ausführungen in Institutio II 10, in denen er das verbindende Band der
Gnade Gottes zwischen Altem und Neuem Bund aufzeigen will, bestätigten erneut das besondere Verständnis von ‚erkennen' bei Calvin und zeigen auf, was
Calvin unter dem den Glauben begründenden Wort verstand. Unbestrittene Tatsache ist, so setzt Calvin ein, daß die Väter das Wort Gottes hatten und zwar
nicht nur das Wort vom Zorn und Gericht Gottes, sondern auch das Wort von
der Gnade. Dem Worte Gottes, dem Worte der Gnade wohnt lebenschaffende
Kraft inne[34]. Es ist kein leeres Wort wie Menschenworte. Das Wort, das bereits
die Juden von Gott empfangen haben, erleuchtet die Frommen zur Erkenntnis
Gottes und verleiht ihnen Gemeinschaft mit Gott[35]. Dies Wort bringt Gott nahe,
bringt Gott und Mensch zusammen. Hier ist der Ort und dies ist die Art und
Weise, wie Gott sich uns mitteilt[36]. Wer dies Wort angenommen hat, hat Gott
selber aufgenommen, hat Gemeinschaft mit Gott und damit ewiges Leben. *Es
geht Calvin* bei der Wahrung des Bilderverbotes nicht allein um Gottes- und
Christusbilder, sondern *um die Ausschließlichkeit der Offenbarung durch das Wort
Gottes*. „Bilder sind untauglich, Gottes Geheimnisse zu vergegenwärtigen"[37]. Allein Gottes Wort kann uns Gott nahe bringen:

    „quand il est *question de venir à Dieu*, et que nous n'en approchions point,

---

30. OS II 77, 14—18 = Müller 118, 40—44 (Frage 23 des Genf. Kat. 1545); OS II 78,
11 f. = Müller 119, 18 f. (Frage 27 des Genf. Kat. 1545); OS II 127, 21—25 = Müller
145, 11—14 (Frage 296 des Genf. Kat. 1545).
31. OS II 79, 25—27 = Müller 120, 14—16 (Frage 37 des Genf. Kat. 1545).
32. OS V 10, 19 f.
33. OS IV 15, 10 f.
34. OS III 408, 11 f.
35. OS III 408, 22 ff.
36. OS III 408, 17—19.
37. OS III 91, 5 f. (s. o. bei Anm. 7).

sinon d'autant qu'il *nous a conduit* par sa parolle?"[38]
Darum ist das Wort wie ein Spiegel, in dem der Glaube Gott schaut[39].

3. Christologische Fundierung

a) Der Schatten Christi im Alten Testament

Die Kenntnis von Gottes Willen uns gegenüber weckt nur deshalb Glauben in uns, weil es ein gnädiger Wille ist[40]. Das einzige Unterpfand der Liebe Gottes zu uns ist Christus.

‚Iam autem visum est, unicum amoris pignus esse Christum'[41].

Durch die Verheißung durch Prophetenmund war Christus schon den Juden bekannt:

„Quamvis ergo unigenitus ille qui nobis hodie est splendor gloriae et character substantiae Dei patris, olim Judaeis innotuerit ..."[42]

„... insistendum est ... Judaeis ... habuisse ipsos et cognovisse mediatorem Christum, per quem et Deo coniungerentur et promissionum eius compotes forent."[43]

Dies darf nicht dahin mißverstanden werden, daß die Juden den Christus Jesus bereits gekannt hätten, sondern muß der besonderen Bedeutung von ‚bekannt machen' und von ‚erkennen' bei Calvin entsprechend als ‚durch den Glauben anteilhaben' verstanden werden. Ihr Glaube, der sich auf das Wort der Gnade Gottes gründete[44], war im Grunde Glaube an Christus, in dem sich die Gnade Gottes voll und ganz offenbarte; war Glaube an Christus, der allezeit das Ziel des Handelns Gottes gewesen ist[45]. Die Liebe Gottes, die sich uns in Christus zeigt, galt bereits den Juden. Allein von ihr lebten sie und durch sie hatten sie ewiges Leben[46]. Dennoch besteht ein Unterschied, der nicht übersehen werden darf. Wohl haben schon Mose und die Propheten den Vätern Gottes Barmherzigkeit und Treue bezeugt[47], aber „plenior Christi manifestatio in Evangelio exhibita est"[48]. Wir haben nicht nur wie die Alten das Gesetz und die Propheten, Weisung und Verheißung. Wir haben das Evangelium.

---

38. Op. 26 p 156, zitiert nach Grau a. a. O. 19 (Kursivsetzung ist von mir). (1. Teil des Zitates oben bei Anm. 8).
39. OS IV 14, 31—15, 1.
40. OS IV 15 und 16.
41. OS IV 16, 21.
42. OS III 399, 13—15 (1559).
43. OS III 404, 14 ff. (1539).
44. OS IV 15.
45. OS III 399, 35 f.; OS III 406, 16.
46. OS III 405.
47. OS IV 13, 24 f.; 16, 6. 18.
48. OS IV 13, 25 f.; cf. OS III 399, 35 f.

„Porro Evangelium accipio pro clara mysterii Christi manifestatione."[49]
Die Juden hatten den Schatten, den Christus vorauswarf. Wir „sehen im Lichte
des Evangeliums von Angesicht zu Angesicht, was dem alttestamentlichen Volk
nur verhüllt und aus der Ferne gezeigt wurde"[50].

b) Jesus Christus ist Gottes Bild
   Sermo Dei carnem induit[51].

Es gibt für uns keine andere Erkenntnismöglichkeit als die von Gott gewählte
Offenbarung in seinem Sohne[52]. Wir erkennen Gott weder durch Versenkung in
Bilder noch durch tiefsinnige Gedankengänge[53]. Wir erkennen Gott, indem er uns
in Jesus Christus begegnet. „Der sonst verborgene Gott erschließt sich uns in Christus persönlich".[54] Jesus Christus ist „das lebendige Bild Gottes seines Vaters"[55]. „In Christo suam iustitiam, bonitatem, sapientiam, virtutem, se denique
totum nobis exhibet. Cavendum ergo ne alibi eum quaeremus: nam extra Christum quidquid se Dei nomine venditabit, idolum erit".[56]

Jesus Christus ist das einzige wahre Bild Gottes.
„non frustra vocatus Christus invisibilis Dei imago" (Kol. 1, 15)[57].
Dieselbe christologische Aussage, die in der orthodoxen Kirche Grundlage der
Ikonenmalerei ist, die von den katholischen Theologen aufgenommen und zur
Verteidigung ihres Bildgebrauches genannt wurde[58], führt Calvin zur strikten
Ablehnung des Offenbarungsbildes. Auch Calvin sagt nicht nur:
   „Qui Filius erat Dei filius hominis factus est." oder
   „Verbum carnem esse factum." sondern auch:
   „Manifestatum fuisse in carnem." und
   „in carne patefactus est."[59]
Ja, unter Berufung auf Paulus:
   „Deum qui iussit e tenebris lumen splendescere, nunc illuxisse cordibus
   nostris, ad illustrandam notitiam gloriae Dei in facie Jesu Christi (2. Kor. 4, 6);
   quia ubi apparuit in hac sua imagine, quodammodo se *fecit visibilem*, praeut
   obscura et umbratilis ante fuerat eius species."[60]

---

49. OS III 399, 26 f.
50. OS III 399, 8 ff.; CR 24, 417, 33 ff.
51. OS III 458, 6.
52. Kommentar zu 2. Kor. 4, 6.
53. nach OS III 86, 18 f.: („vacua et meteorica speculatio").
54. Komm. zu 2. Kor. 4, 4; zitiert nach der Übersetzung von Gertrud Graffmann,
    a. a. O. 518.
55. CR 26, 427, zitiert nach Niesel: Die Theologie Calvins S. 34.
56. CR 52, 85 zu Col. 1, 15.
57. OS III 325, 23.
58. s. Eckius, Beilage V unter I.
59. OS III 458, 19 f.; 458, 16; 465, 11 f.; 466, 9.
60. OS III 399, 17−23 (1559); cf. dazu Komm. zu 2. Kor. 4, 4 (Kursivsetzung von mir).

Der unsichtbare Gott hat sich uns in Jesus Christus sichtbar gemacht. Aus dieser christologischen Aussage ergibt sich für die Bilderfreunde, daß Gott seit der Menschwerdung Christi darstellbar, „umschreibbar"[61], geworden ist. Aus der Menschwerdung Christi, der Incarnation des Logos, ergibt sich für die Bilderfreunde nicht nur das Recht, sondern auch die Notwendigkeit der Ikone. Sie stellt die Wirklichkeit und Einheit der beiden Naturen in der einen göttlichen Person in Christus dar. Die Ikone ist laut dem Konzil zu Nicäa von 787 „Legitimation der wahren und nicht nur scheinbaren Menschwerdung des göttlichen Logos"[62]. Für Calvin dagegen ergibt sich aus der Incarnation die Ausschließlichkeit der Offenbarung Gottes in Jesus Christus. Wenn er in Institutio II, 14 bei der Erläuterung der Einheit der beiden Naturen Christi, unseres Mittlers, unter Hinweis auf Joh. 1, 14 von der Offenbarung des Sohnes Gottes im Fleisch redet[63], bestreitet er zugleich, daß die Sohnschaft Christi mit der Offenbarung im Fleische erst begonnen habe; er bestreitet, daß Christus, wie Servet u. a. meinen, nur als der Fleischgewordene Gottes Sohn sei[64]. Jesus Christus ist Gottes Sohn von Ewigkeit her. Und wenn es heißt „das Wort ward Fleisch", so ist damit nicht gemeint, das Wort verwandelte sich in oder vermischte sich mit Fleisch, sondern nahm Wohnung im Fleisch[65]. Anders gesagt, Jesus Christus ist nicht nur Gottes Sohn von Ewigkeit her, sondern ist auch nach seiner Menschwerdung Gottes Sohn geblieben und wird es in Ewigkeit bleiben.

> „quia etsi in unam personam coaluit immensa Verbi essentia cum natura hominis, nullam tamen inclusionem fingimus. Mirabiliter enim e caelo descendit Filius Dei, ut caelum tamen non relinqueret: mirabiliter in utero Virginis gestari, in terris versari, et in cruce pendere voluit, ut semper mundum impleret, sicut ab initio."[66]

Er ist Gottes Sohn, auch abgesehen von seiner Menschheit (extra carnem)[67]. Nicht in irgendeinem Menschen offenbart sich Gott, sondern in seinem Mensch gewordenen Sohn, und darum ist die Offenbarung, die Christus uns bringt, nicht einfach von seinem menschlichen Antlitz abzulesen. Mensch geworden ist Gott, damit wir ihn ergreifen können[68]. Wer aber nach der bloßen Menschheit Christi greift, faßt ins Leere. Das Argument der Darstellbarkeit Gottes seit der Menschwerdung, das die papistische Kirche von Byzanz übernommen hatte, ist für Calvin nicht stichhaltig, nicht einmal erwähnenswert, weil die Offenbarung Gottes in Christus weder in der mit menschlichen Augen schaubaren Gestalt Jesu besteht noch in Jesu Erscheinung Gottes unfaßbares Wesens menschlichen Sinnen und

---

61. Terminologie der orthodoxen Kirche, s. etwa Nicephorus Migne PG 100, 236 B.
62. nach Schückler: Wesen und Theologie der Ikonenkunst, Universitas Jg. 7, 1952, S. 1281.
63. OS III 458, 16 ff.
64. OS III 466, 8 ff.
65. OS III 458, 16 ff.
66. OS III 458, 7—13.
67. OS III 466, 11 f.
68. OS III 352, 20—26; 326, 6 f.

menschlichen Verstand faßbar machen will, sondern ein nur im Glauben zu ergreifendes und erfahrbares Handeln Gottes an und mit dem Menschen ist.

Damit scheint Calvin nur die Bilderlehre der Papisten seiner Zeit zu treffen, nicht aber die byzantinische Ikonenlehre, nach der die Ikone ja gerade nicht das Göttliche durch menschliche Mittel ausdrücken, das Göttliche im irdischen Antlitz Jesu zeigen und somit Gott auf die Erde herabziehen will, sondern umgekehrt die „irdische, die diesseitige Wirklichkeit ... heimholt in das Göttliche"[69], den Menschen in den Himmel emporhebt. Man erinnert sich an den gerade bei Calvin so oft wiederkehrenden Satz von den Herzen, die sich zum Himmel emporheben sollen[70]. Es ist aber doch sehr die Frage, ob hinter der Ikonenkunst — bei aller Großartigkeit des theologischen und psychologichsen Aufbaus — ein Selbstbetrug steckt. Ist Gott seit der Menschwerdung Christi „umschreibbar" geworden, dann doch von Menschen nur mit menschlichen Mitteln. Kann wirklich von Gott gewirkte Inkarnation und menschliches Wissen auf einer Linie gesehen werden[71]? Kann ein Mensch, und sei es ein im Schoße seiner Kirche und deren Liturgie ruhender Mönch, etwas anderes im Bilde aufzeigen als das, was innerhalb der dem Menschen gesteckten Grenzen ist, und sei es noch so „mysteriös" überhöht? Darf er es versuchen, nachdem in der Heiligen Schrift Alten und Neuen Testamentes das Geheimnis Gottes ausdrücklich dem Wort anvertraut wird? Dies gerade ist die Aussage des 1. Teiles des Bilderverbotes nach Calvin, daß dem Menschen untersagt wird, Gott, der doch unbegreiflich ist, unseren menschlichen, irdischen Sinnen zu unterwerfen und es zu wagen, ihn auf irgendeine Art zu vergegenwärtigen[72]. Die Herzen in die Höhe zu richten ist etwas anderes, als mit Händen in den Bereich des Himmels greifen zu wollen; als den Anspruch zu erheben, Menschen durch Schau einer von Menschenhänden gemachten Ikone als einer Theophanie Gottes in den Himmel emporzuheben und ihnen sozusagen eine Vorschau dessen zu schenken, was erst nach Tod und Auferstehung auf die von Gott Begnadeten wartet[73]. Ist denn die Ikone mehr als Menschenwerk? Ist sie nicht trotz Gebet und Fasten des Malers, trotz dem der Heiligen Schrift und der Liturgie entnommenen Gehalt und entsprechender vorgeschriebener Gestaltung Menschenwerk? Arbeitet Gott an der Ikone mit, so wie er der Verkündigung des Evangeliums die

69. Julius Tyciak: Die Liturgie als Quelle östlicher Frömmigkeit, Freiburg 1937, S. 131 nach Schückler a. a. O. 1276.

70. OS IV 399, 19 ff.; Müller, Bekenntnisschriften 151, 24 ff. Auch Farel, Zwingli und Bucer lieben diesen Gedanken. cf. das „sursum corda" der römischen Messe, auf das Calvin selber hinweist OS IV 400, 1.

71. s. dazu oben S. 96—110.

72. OS III 359, 19—21.

73. Schückler a. a. O. 1284 zitiert Julius Tyciak a. a. O. 136: Dieses Schauen ... „ist doch schon eine Vorausnahme der verheißenen Schau von Angesicht zu Angesicht." Dazu Kurt Onasch a. a. O. 244: „So wäre hier noch weit kritischer zu fragen, ob nicht nur eine Vorausnahme, sondern mehr noch ein Vorwegnehmen eines eschatologischen Geheimnisses am Werke ist, das sich in der Ostkirche nicht nur in der Ikone Ausdruck verschafft." cf. dazu OS III 325, 20 ff.

Mithilfe des Heiligen Geistes versprochen hat? Zeigt sich nicht gerade in der Liturgie der Ikonenweihe die erschreckende Nähe zum heidnischen Kultbild, das erst in dem Augenblick aus einem Menschenwerk zu einem wunderwirkenden Götterbild wird, in dem in feierlicher Handlung das Numen des betreffenden Gottes in ihm Einzug gehalten, Wohnung genommen hat[74]? Bei der Segnung der Ikone wird gebetet: „Wir bitten Dich, unseren König, die Gnade Deines Heiligen Geistes und Deinen Engel auf dieses Bild zu senden"[75].

Die Inkarnation begründet nicht die Möglichkeit der Darstellung, Umschreibung, Repräsentation Gottes in der Ikone; nicht nur, weil Gott sich in Christus einmalig, und d. h. nur einmal und auf einzigartige wunderbare unserem Verstand unfaßliche Weise in diese Welt hineinbegeben hat, ohne damit einen Freibrief auszustellen für alle menschlichen Versuche, göttliche und menschliche Natur im Bilde, im Nachvollzuge, auf pneumatische oder sonst eine Weise „irgendwie"[76] zu vereinen, sondern auch aus einem weiteren Grunde:

Jesus Christus „ascendit in caelum"[77].

Nach Calvin faßt die Inkarnation allein das Geheimnis Christi nicht. Ja, es ist ein großes Wunder, daß der Sohn Gottes vom Himmel herabstieg und doch den Himmel nicht verließ. Aber zu dem Bild Gottes, das Christus uns zeigt, gehört seine ebenso wunderbare Rückkehr zu dem Vater, den er nie verlassen hat. Wunderbar, denn der verklärte Christus trägt unser Fleisch an sich. Leiblich hat er uns verlassen, um geistlich mit der Vollmacht des zur Rechten Gottes Sitzenden gegenwärtig zu sein. Einst wird er auch leiblich wiederkehren. Uns aber, die wir in der Zeit zwischen Himmelfahrt und Wiederkunft leben, ist Christus aus den Augen entschwunden.

„In caelum ergo sublatus, corporis sui praesentiam e conspectu nostro sustulit ... modo fide tenet, oculis non videt."[78]

Calvin beruft sich auf Mt. 26, 11 und Mk. 16, 19; Mt. 28, 20 und Heb. 9, 3[79].

---

74. s. Exkurs II Abschnitt 3.

75. Tyciak a. a. O. 128 (zitiert nach Schückler a. a. O. 1283).

76. Georg Schückler a. a. O. 1283: „Man muß die heilige Ikone aus ihrer pneumatischen Existenz heraus pneumatisch zu verstehen versuchen und sie pneumatisch deuten." Dazu die vage Ausdrucksweise S. 1283 f.: „Sie (die Ikone) ist nicht bloß ein Hinweis auf das Urbild, sondern das Urbild, Christus, wird in ihr und durch sie irgendwie gegenwärtig." Durch dieses „irgendwie" wird das echte pneumatische Wirken Gottes auf Erden in die Nähe des ‚Numinosen' gerückt, des Geheimnisvollen, dem der Mensch aller Zeiten und aller Religionen erschauernd gegenübersteht. Gott will aber nicht ‚irgendwie' gegenwärtig sein, sondern im Wort, d. h. in Verkündigung und Sakrament, durch Wirkung des Heiligen Geistes. Ist nicht in der Freiheit, die Gott bei aller gütigen Herabneigung zum Menschen stets wahrt, der eigentliche Grund des 1. Teiles des Bilderverbotes zu suchen; der Grund dafür, daß Gott, wenn er durch Menschen Menschen nahe kommen will, es durch das Wort, das ein Mensch spricht, aber nicht durch ein Bild, einen Gegenstand, tun will?

77. OS III 502, 34.

78. OS III 502, 11; 503, 3 f.

79. OS III 502.

Immer wieder (besonders auch bei der Lehre vom Abendmahl)[80], legt Calvin den Ton darauf, daß *Christus leiblich im Himmel ist.* So etwa auch im Genfer Katechismus von 1545:

„Quod autem nobiscum habitat, idne de corporis praesentia intelligendum? — Non. Alia enim ratio est corporis, quod in coelum receptum est: alia virtutis, quae ubique est diffusa."[81]

und im Consensus Tigurinus:

„Christus, quatenus homo est, non alibi quam in caelo, nec aliter quam mente et fidei intelligentia quaerendum est."[82]

Nur im Glauben ist Christus uns erreichbar; im Glauben, dem der Heilige Geist zu Hilfe eilt.

„Nunc iusta fidei definitio nobis constabit si dicamus esse divinae erga nos benevolentiae firmam certamque cognitionem quae gratuitae in Christo promissionis veritate fundata, per Spiritum sanctum et revelatur mentibus nostris et cordibus obsignatur."[83]

Der Heilige Geist offenbart unserem Verstand die sich auf die Wahrheit der uns in Christus geschenkten Verheißung gründende Erkenntnis von Gottes Wohlwollen gegen uns und prägt sie unserem Herzen ein.

„... ut noverimus, Deum sicuti nos per filium redemit et servavit, ita per spiritum facere nos huius redemptionis ac salutis compotes."[84]

Durch den Heiligen Geist läßt Gott uns an der Erlösung und Rettung durch Christus teilhaben. Wenn es in Eph. 1, 13 heißt, wir seien mit dem ‚Geist der Verheißung' versiegelt, so bedeutet dies, daß wir mit Christus nur verkehren können, soweit wir ihn in seinen Verheißungen fassen. „Nec vero aliter Christo fruimur, nisi quatenus eum amplectimur promissionibus suis vestitum"[85]. Denn wir wandeln im Glauben und nicht im Schauen (2. Kor. 5, 7). Es gilt nicht, Christus auf Erden im Bilde zu suchen. Es gilt auch nicht, Christus auf Erden unter den Elementen von Brot und Wein verborgen zu suchen. Es gilt, Sinn und Herz zum Himmel zu erheben[86]. Gemeinschaft mit Gott haben wir weder durch ein Bild noch durch einen anderen irdischen selbstgewählten Gegenstand, auch nicht durch die sichtbaren Elemente des Abendmahles, sondern allein durch den Heiligen

---

80. Inst. IV 17, 26—29; OS V 378—387; Die Bedeutung der Himmelfahrt, derzufolge Christus wohl geistlich, aber nicht leiblich bei uns ist, wurde bereits vor Calvin betont. So etwa von Capito im Kinderbericht beim Abendmahl, Cohrs II 135 ff.

81. OS II 86, 23—25 = Müller, Bek. Schriften S. 124, 19—22 (Frage 79 im Genf. Kat. 1545).

82. Müller Bekenntnisschriften S. 162, 38 ff.

83. OS IV 16, 31—35 (1539); cf. Jud und Zwingli o. S. 155.

84. OS II 88, 6—8 = Müller 125, 9—11 (Frage 89 des Genf. Kat. 1545).

85. OS III 401, 12 ff. (1559). Hinweis auf Eph. 1, 13 in der Übersetzung von O. Weber S. 258.

86. OS II 131, 7 ff. = Müller 146, 48 f. (Frage 313 des Genf. Kat. 1545); OS II 140, 23 ff. = Müller 151, 24 f. (Frage 355 des Genf. Kat. 1545); OS II 132, 13 f. = Müller 147, 27.

Geist[87], dem es nicht schwer fällt, zu vereinen, was räumlich getrennt ist:

„Verum, qui hoc fieri potest, cum in coelo sit Christi corpus: nos autem in terra adhuc peregrinemur? — Hoc mirifica arcanaque spiritus sui virtute efficit: cui difficile non est sociare, quae locorum intervallo alioqui sunt disiuncta."[88]

Darum wehrt Calvin sich in der Abendmahlsfrage gegen Luthers Deutung der Worte ‚das ist mein Leib' im Sinne von ‚da ist mein Leib'. Darum wehrt er sich gegen den Anspruch der Ikone, Gottes Nähe vermitteln zu können. Gott ist nicht gebunden, sondern frei. Wir haben Christus nur im Wort (in Predigt und Sakrament)[89]; nur im Hören und nicht im Schauen, nur durch die Hilfe des Heiligen Geistes und nicht aus eignem Vermögen; aber wir haben den ganzen Christus, den Mensch gewordenen Sohn Gottes, der „in unserem Fleisch zur Herrlichkeit erhoben wurde, wie er einst in demselben gelitten hat. Darauf beruht die Zuversicht unseres Glaubens"[90]. Und „wir haben in Christus alles, was zur Vollkommenheit himmlischen Lebens gehört"[91]. Das Anliegen Calvins in der Abendmahlsfrage war, die Himmelfahrt Jesu Christi und damit unsere Auferstehungshoffnung zu wahren. Das Anliegen Calvins in der Bilderfrage war, die Ausschließlichkeit der Offenbarung Gottes in Christus und der Verbindung mit Gott durch den Heiligen Geist zu wahren. Christus ist das wahre Bild Gottes[92], der einzige Ort, an dem Gott wahrhaft zu finden ist[93]. Christus ist uns nur durch den Heiligen Geist erreichbar. Wir haben also nur durch die durch den Heiligen Geist gewirkte und unserem Verstand und Herz eingeprägte Verkündigung des fleischgewordenen, auferstandenen und zur Rechten Gottes sitzenden Christus Verbindung mit Gott.

87. OS II 131, 7 f. = Müller 146, 48 f. (Frage 313); Müller 160, 23 ff.

88. OS II 140, 17 ff. = Müller 157, 17 ff. (Frage 354).

89. Predigt und Sakrament sind hier bewußt im Gegensatz zur Ikone als ‚Wort' zusammengefaßt. Calvin selber stellt verbum praedicatio und sacramentum im 4. Abschnitt des Genfer Katechismus als Mittel, durch die Gott sich uns mitteilt, zusammen (OS II 127 ff. s. bes. 130, 14 f.; 138, 20 ff.). Wohl wendet das Sakrament sich auch an die Augen, aber in ganz anderer Weise als die Ikone. Die Sakramente (Taufe und Abendmahl) werden von Calvin auch als echte Bilder bezeichnet (OS II 131, 16 und OS III 102, 20 ff.). Das Entscheidende beim Sakrament ist jedoch für Calvin wie für Luther das dabei gesprochene Wort (OS V 263), an das die verheißene Wirksamkeit des Heiligen Geistes (Calvin: der Heilige Geist hebt uns beim Abendmahl in den Himmel zu dem dort weilenden Christus; Luther: der Heilige Geist macht Christus und uns gleichzeitig) gebunden ist. Über die Besonderheit der Sakramente als sichtbarer und greifbarer Zeichen ist im folgenden Abschnitt, der Calvins Stellung im Blick auf die ‚Papisten' betrachtet, zu reden.

90. Kommentar zu 2. Kor. 5, 16; OS V 386, 1—9.

91. OS III 401, 16 f.; zitiert nach der Übersetzung von O. Weber 258.

92. CR 26, 427; CR 23, 11.

93. CR 52, 85 (zitiert bei Anm. 56).

4. Theologische Mitte

„non frustra vocatus Christus invisibilis Dei imago."[94]
Calvin versteht unter Christus als dem Bilde Gottes etwas anderes als die Bilderfreunde. Hinter der verschiedenen Haltung Gottesbildern und Christusbildern gegenüber steht eine verschiedene Christologie. Die Nichterwähnung der christologischen Argumente des 8. Jahrhunderts bei Calvin hat ihren Grund nicht nur in einer anderen Christologie und Soteriologie, sondern vor allem in einer anderen Fragestellung. Die Problematik Calvins trifft sich mit der des 8./9. Jahrhunderts zwar in einem Punkt, in dem Anspruch der Ikone, „Vehikel"[95], Träger und Mittler des Göttlichen zu sein, deckt sich aber nicht mit ihr.

Bilderfeinde und -freunde des 8./9. Jahrhunderts tragen den Bilderstreit auf dem Feld der Christologie aus. Es dreht sich zwar um das Bild Christi, es geht aber damit zugleich um die Grundfragen der Christologie. „Die Identität der Bilder mit ihren göttlichen und heiligen Prototypen und die Bilderlehre überhaupt" spielen „bei den orthodoxen byzantinischen Theologen deshalb eine so große Rolle, weil sich hier das Kernstück von deren Dogmatik, das Incarnationsdogma zu wiederholen schien. Die erstrebte sinnliche Nähe des Unfaßbaren, Göttlichen sahen sie hier wie dort gegeben. Das ging so weit, daß Theodor von Studion behaupten konnte, es werde durch die Abschaffung der Bilder und ihrer Verehrung auch Christus verleugnet und sein Heilswerk aufgehoben"[96]. Calvin hat eine andere Grundfrage. In Christus ist der unsichtbare Gott sichtbar geworden. Darum geht es in der Offenbarung durch Christus nicht darum, *Christi* Angesicht, sondern *Gottes* Angesicht zu schauen. Fordert das Bilderverbot die Einhaltung des von Gott gewählten Offenbarungsweges, so fordert es im Blick auf den in Christus sichtbar gewordenen Gott, nicht beim Bild Jesu Christi stehen zu bleiben, sondern in der Tatoffenbarung durch ihn Gottes Angesicht zu suchen. Es dreht sich in der Bilderfrage bei Calvin nicht um das Christusbild, sondern um das Bild Gottes. Es geht nicht nur um die Incarnation und die Einheit von Gott und Mensch in Christus. Es geht auch nicht nur um die rechte Erfassung des Gesamtwerkes Christi. Es geht in der Wahrung der einzigartigen uns gegebenen Offenbarung des allein wahren Gottes gegenüber Spekulation, Aberglaube und Götzendienst um[97] die Wahrung der uns geschenkten Offenbarung[98] des dreieinigen Gottes:

> „Sed alia quoque speciali nota qua propius possit dignosci (1560: pour discerner Dieu d'avec les idoles) se designat; nam ita se praedicat unicum esse, ut distincte in tribus personis considerandum proponat, quas nisi tenemus, nudum et inane duntaxat Dei nomen sine vero Deo in cerebro nostro volitat."[99]

---

94. OS III 325, 23.
95. Harnack: Lehrbuch Bd. 2, S. 480 nach Ladner a. a. O. 6.
96. Ladner a. a. O. 5 f. unter Berufung auf Harnack.
97. s. etwa Institutio I 11, 1 und 8 und II 8, 17.
98. Dementsprechend enthält die Institutio anstelle einer Lehre vom Wesen Gottes die Lehre vom dreieinigen Gott.
99. OS III 109, 19 ff.

Weil es um den Verkehr mit dem dreieinigen Gott geht, ist die Bilderfrage von Calvin nicht in die Christologie, sondern in die Gotteslehre eingebaut worden. So wird das Bilderverbot in der Institutio zweimal behandelt. In dem Abschnitt über die Erkenntnis Gottes des Schöpfers wird es ausführlich erörtert. In dem Abschnitt von der Erkenntnis Gottes des Erlösers, in dem Calvin den Dekalog behandelt, wird es kurz gestreift.

Während nach orthodoxer Lehre damals wie heute „das Zentrum, ja das Recht der Ikonenmalerei in der Menschwerdung Christi, im Geheimnis des inkarnierten Logos liegt"[100], liegt für Calvin das Zentrum des Bilderverbotes und damit das Unrecht der Ikonenmalerei in dem Geheimnis des trinitarischen Gottes.

Der orthodoxen Christologie, nach der die Inkarnation das Recht der Ikonenmalerei begründet, setzt Calvin seine Trinitätstheologie entgegen, nach der die Offenbarung in Christus nicht von dem Handeln des Vaters und nicht von der Wirksamkeit des Heiligen Geistes losgelöst gesehen werden kann; nach der die Liebe Gottes des Vaters durch den inkarnierten, gekreuzigten und auferstandenen, verklärten und im Heiligen Geist verkündigten und aufgenommenen Christus offenbar wird. Die gesamte christologische Problematik des 7./8. Jahrhunderts ist damit für Calvin ausgeschaltet. Das Christusbild braucht nicht gesondert betrachtet zu werden. Denn ein Christusbild, das nicht Gottes Bild sein will, wird von dem 1. Teil des Bilderverbotes nicht berührt, und ein Christusbild, das Gottesbild sein will, muß auf Grund der Forderung des 1. Teiles des Bilderverbotes abgelehnt werden. Das besondere Anliegen Calvins in der Bilderfrage ist neben der Wahrung der von Gott gewählten Tatoffenbarung in Christus und der Wahrung der Gottheit und Menschheit Christi[101] die Wahrung der Einheit der Trinität.

---

100. Schückler a. a. O. 1278.

101. Die Wahrung der Gottheit Christi ist Calvin auch sonst ein wichtiges Anliegen. So betont er stets, daß alle Offenbarung, auch alle im AT uns überlieferte Offenbarung durch Christus geschehen ist (OS III 118 ff. und 327, 24 ff.). Denn Christus ist Gott von Ewigkeit her. Das Schwergewicht liegt jedoch bei dem ‚und' von Gottheit und Menschheit Christi. So geht es Calvin in der Betonung der leiblichen Himmelfahrt Christi in der Bilderfrage anscheinend um die Wahrung der Gottheit, in der Abendmahlslehre wiederum um die Wahrung der Menschheit Christi, im Grunde jedoch in beiden Fällen um die unvermischte Einheit, um das ‚und', in dem sich Gottheit und Menschheit die Waage halten, denn darauf beruht unsere Hoffnung, daß in Jesus Christus Gott Mensch wurde und dabei Gott blieb, daß in Jesus Christus der menschgewordene Sohn Gottes zum Vater heimkehrte und Mensch blieb. In Jesus Christus ist Gott und Mensch eins geworden und darum ging es, daß Jesus Christus Gott und Mensch blieb, in seiner Erniedrigung und in seiner Herrlichkeit. Nur in Jesus Christus sind wir mit Gott eins.

VI. Die negative Aussage des 1. Teiles des Bilderverbotes

1. Kein Offenbarungsbild

Die Ikone ist unter den vorhandenen Bildern zwar die reinste Erscheinung des Bildes, das Calvin ablehnt, aber nicht die einzige. Calvin setzt der Ikone und jedem Bild, das Erkenntnis Gottes, Begegnung mit Gott, Offenbarung bringen will, als die einzige uns von Gott gegebene Offenbarung, als das einzige legitime Bild Gottes, Jesus Christus, den menschgewordenen und zum Vater heimgekehrten, bei uns durch den Heiligen Geist gegenwärtigen Sohn Gottes und als das einzige erlaubte Offenbarungsmittel das von Gott selber gewählte und mit der Verheißung der Mitwirkung des Heiligen Geistes ausgestattete Wort in praedicatio und sacramentum entgegen.

Gemäß der Forderung des 1. Teiles des Bilderverbotes, keinen anderen als den von Gott selbst gewählten Weg zu suchen, wendet sich Calvin nicht nur gegen jedes Bild, das Offenbarung zu vermitteln beansprucht, sondern gegen jeden Versuch, durch Liturgie, heilige Handlungen, symbolische Figuren, kultisch geprägte Räume oder irgendein anderes selbstgewähltes Mittel Verbindung mit Gott aufzunehmen, Gottes Gegenwart gleichsam technisch herbeizuführen und den Himmel vorzeitig zu öffnen, weil ein solcher Versuch einerseits den Menschen auf Irrwege bringt und andrerseits Gottes Freiheit und Ehre antastet[1].

2. Kein Verkündigungsbild

Die strenge Unterscheidung von revelatio und praedicatio kannte Calvin noch nicht. Der Sache nach hat er wohl zwischen Offenbarung und Verkündigung unterschieden. Das zeigt sich bereits in dem Aufbau seiner Institutio, wo er in drei Büchern die Erkenntnis Gottes des Schöpfers, die Erkenntnis Gottes des Erlösers und die Aneignung der Gnade im Glauben durch den Heiligen Geist behandelt und im 4. und letzten Buch von den äußeren Mitteln redet, mit denen Gott uns zur Gemeinschaft mit Christus einlädt und darin erhält[2]. Diese äußeren Mittel faßt er in seinem Kommentar zum 1. Kor. bei K. 13, 12 in dem Satz zusammen: „Wir aber ... schauen Gott nur in seinem Wort, den Sakramenten und dem ganzen Dienst der Kirche"[3]. Ebenda sagt er, die Predigt des Evangeliums sei das Mittel, das Gott eingesetzt habe, um sich uns darin zu offenbaren. Dem Wortlaut nach ist hier zwar von ‚Offenbarung' die Rede, der Sache nach von der ‚Verkündigung' oder — dem Wortschatz Calvins gemäßer — von der Verkündigung als ‚Offenbarungs*mittel*'. Calvin eigentümlich ist außerdem die auf seinem besonderen Verständnis des Begriffes ‚Erkenntnis'[4] beruhende Ineinssetzung von

---

1. OS III 136, 11—137, 10.
2. OS V 2, 3 ff.
3. Kommentar zu 1. Kor. 13, 12 (Übersetzung von Gertrud Graffmann a. a. O. 435).
4. s. o. S. 189 f.

,verkündigen' und ,lehren'. So kann er sagen: „Cuius testificando causa tam evangelii *praedicatio* instituta est"[5], oder aber auch „sed quia plenior Christi manifestatio in Evangelio exhibita est, merito vocatur a Paulo *doctrina* fidei"[6]. Nur wer die besondere Bedeutung von ,Erkenntnis' bei Calvin im Auge behält, versteht, was er in Abwehr des ,papistischen' Argumentes von den Bildern als Laienbibel sagen will. „Wer recht belehrt werden will, muß anderswo als bei den Bildern lernen, was man von Gott wissen muß"[7]. Dieselben Menschen, die die Papisten ,Laien' (idiotas) nennen, hat der Herr als seine Jünger oder Schüler (discipulis) und d. h. als ,Gottesgelehrte' (theodidactos) der Offenbarung seiner himmlischen Wissenschaft (caelestis suae philosophiae revelatio) gewürdigt[8]. Der Herr will seine Jünger „in den heilsamen Geheimnissen seines Reiches ausbilden lassen"[9], und zwar durch Menschen. Gott will uns „durch Menschen unterrichten"[10]. Er will auch heute nicht nur, daß wir „aufmerksam in der Schrift lesen, sondern setzt Lehrer über uns"[11]. „Pastoribus iniuncta est caelestis doctrinae praedicatio"[12]. Damit nimmt Gott „Rücksicht auf unsere Schwachheit". „Obwohl Gottes Kraft nicht an solche äußeren Mittel gebunden ist, hat er dennoch uns an diese geordnete Art der Unterrichtung gebunden"[13]. „Aus solcher Lehre leuchtet uns Gottes Angesicht entgegen". Denn wenn den Gläubigen einstmals geboten wurde, Gottes Angesicht im Heiligtum zu suchen (Ps. 105, 4) . . ., so geschah dies nur darum, weil für sie die Lehre des Gesetzes und die prophetischen Ermahnungen das lebendige Bild Gottes waren. So erklärt auch Paulus, daß in seiner Predigt die ,Klarheit Gottes in dem Angesichte Jesu Christi' aufleuchte (2. Kor. 4, 6)[14]. „Die Kirche wird nicht anders als durch die äußere Predigt erbaut."[15] Calvin richtet sich mit diesen Ausführungen gegen Fanatiker[16], die auf die Predigt meinen verzichten zu können. Unserer Schwachheit wegen haben wir diese Hilfsmittel nötig, sind wir auf „den Mund und Dienst von Menschen" angewiesen[17]. Aber das einzige Hilfsmittel dieser Art ist das menschliche Wort und nicht das Bild. Und nur „weil sie selbst stumm waren, haben die Vorsteher der Kirche den Bildern das Lehramt übertragen"[18]. Calvin redet hier nicht von einem Bilderbuch, das die Predigt unterstützen will, sondern von einem

5. Müller a. a. O. 160, 26 (Kursivsetzung ist von mir).
6. OS IV 13, 22 ff.; cf. OS III 399, 27 (1. Tim. 4, 6). (Kursivsetzung ist von mir.)
7. OS III 95, 1 f.; s. o. S. 185 und 203 f.
8. OS I 44, 34; OS III 95, 24.
9. OS III 96, 1.
10. OS V 8, 38 f.
11. OS V 9, 1.
12. OS V 8, 8 f.
13. OS V 9, 5 und 16 ff.
14. OS V 9, 32 ff.
15. OS V 10, 1 f.
16. OS V 9, 17 f.
17. OS V 9, 32.
18. OS III 96, 5 f.; in Anlehnung an O. Webers Übersetzung S. 44.

Bild, das die Predigt ersetzen will; von einem verkündigenden Bild, das vollgültig an die Stelle der Predigt treten will. Das Bild kann und darf aber nicht an die Stelle des Wortes Gottes treten; es darf nicht Laienbibel sein und etwas von Gott ‚sagen‘, weil Gott zur Übermittlung seiner Kenntnis als einziges Hilfsmittel das gesprochene menschliche Wort in Predigt und Sakrament freigegeben hat.

„In verbi sui praedicatione et sacris mysteriis communem illic omnibus doctrinam proponi iussit."[19]
Calvin hat nicht nur das Offenbarungsbild der orthodoxen Kirche abgelehnt, sondern auch das Verkündigungsbild, das bereits im 3. bis 5. Jahrhundert sich anbahnte und das heute wieder mancherorts gefordert wird, z. T. sogar mit dem Hinweis auf die leeren Kirchen und die fehlende Predigt: Der mit Bildern geschmückte Kirchenraum soll dem Besucher, der die Stille des Gotteshauses auch außerhalb des Gottesdienstes aufsucht, eine Predigt halten[20]. Calvin aber ruft aus: Wozu die vielen Kreuze in den Kirchen? Sie wären überflüssig, wenn Christus recht gepredigt würde. Paulus hat uns die Kreuzigung Christi durch die Predigt vor Augen gemalt[21].

Calvin geht in der Bilderfrage grundsätzlich von dem Bild Gottes aus, dessen einziger Zweck Offenbarung oder Verkündigung sein kann. Von der Ablehnung dieses auch im christlichen Raum allein kultisch bestimmten Bildes gelangt er zu einem Kriterium für alle Bilder christlichen Inhaltes. Das Verbot der Verkündigung oder Offenbarung durch ein Gottesbild setzt auch dem Gebrauch der vom Bilderverbot 1. und 2. Teiles nicht berührten Bilder eine deutliche Grenze. Die an sich zu Belehrung und Aufmunterung erlaubten Geschichts- und Geschichtenbilder, sowie die lediglich als Schmuck brauchbaren Personengemälde und Standbilder[22] können und dürfen niemals den Anspruch erheben, verkündigen zu wollen. Die ersten sind im kirchlichen Unterricht nützlich, die anderen im Privatgebrauch zumindest nicht schädlich, solange sie nicht an die Stelle der fehlenden Predigt treten wollen oder sollen.

---

19. OS III 95, 18 f. (OS I 44, 25 f.).

20. So H. C. von Haebler: Das Bild in der ev. Kirche S. 6. S. dazu, was oben S. 88, 92, 95, 127 ff. über die Aufgabe, die Luther dem Bild gibt, gesagt wird. Das Bild ist ohne Predigt wertlos, wenn nicht schädlich.

21. frei nach OS III 96, 6 ff.

22. OS III 101, 7 ff.

VII. Die positive Aussage des Bilderverbotes

Erkenntnis Gottes führt nach Calvin zur Anbetung Gottes. Vermittelt wird die Erkenntnis Gottes durch die Predigt. Predigt und Anbetung geschehen im Gottesdienst. So treffen sich die beiden Teile des Bilderverbotes in den beiden entsprechenden Geboten zu einem gemeinsamen Thema:

„purus et legitimus Dei cultus."[1]

Bereits im Vorwort des Dekalog ist die wechselseitige Beziehung zwischen Gott und dem angesprochenen Menschen festgelegt.

„Subest enim locutioni relatio mutua quae in promissione continetur. Ero illis in Deum, ipsi erunt mihi in populum (Jer. 31, 33)."[2]

Diese wechselseitige Beziehung ist nicht umkehrbar:

„Sub nomine Jehovah imperium et legitima dominatio designatur: quod si ab ipso sunt omnia, et in ipso consistunt, aequum est ut in ipsum referantur: quemadmodum ait Paulus (Rm. 11, 36)."[3]

Das Bilderverbot ordnet in der positiven Aussage seiner beiden Teile die Form des wechselseitigen Verkehrs zwischen Gott und Mensch. Dem Reden Gottes zum Menschen muß die Antwort des Menschen entsprechen:

„Spiritualis est Evangelii doctrina." „Summa autem est, spiritualem esse Dei cultum, ut eius natura respondeat."[4]

Dem ‚geistlichen Evangelium' hat ein ‚geistlicher Gottesdienst' zu entsprechen. Wie bereits ausgeführt, bedeutet ‚geistlich' bei Calvin ‚nicht zur vergänglichen irdischen Welt, sondern zur Welt Gottes gehörend'[5] und der Satz ‚Gott ist Geist und muß seinem Wesen entsprechend geistlich angebetet werden'[6] hat den Sinn: ‚Gott ist uns unerreichbar und nur so, wie er sich uns offenbart, kann er von uns begriffen und ergriffen werden'. ‚Gott geistlich anbeten' bedeutet dann ‚mit Gott so verkehren, wie es seiner Offenbarung entspricht'. Dies galt bereits den Juden. Dies gilt auch den Christen:

„... de l'adorer en esprit ... Cognoissons donc que Dieu se manifestant par sa voix, a voulu exclure toutes images, non point seulement quant aux Juifs, mais à nous ..."[7]

---

1. CR 34, 459.
2. Inst. II 8, 14 = OS III 355, 19—21.
3. Inst. II 8, 13 = OS III 355, 10—12.
4. OS III 405, 15 f.; CR 24, 376, 23 f.
5. s. o. S. 205.
6. OS III 327, 18 f.: „quia, ut spiritualis est, non alio quam spirituali cultu oblectatur."; cf. o. Anm. 4; s. o. S. 172.
7. Op. 26, 148, zitiert nach Grau a. a. O. 16. Schon im Alten Testament hatte der Kult die doppelte Funktion, Verbindung herzustellen von Gott zum Menschen durch Priester und Propheten und vom Menschen zu Gott durch Priester. Den heidnischen Priestern stand ein Gottesbild und der Name Gottes zur Verfügung, um Gottes Gegenwart herbeizuführen. Der jüdische Priester ist auf die bildlose Lade und die freiwillige Anwesenheit Jahwes angewiesen, der sich durch keinerlei Mittel, sei es ein Name oder irgendein Gegenstand herbeizitieren oder festhalten läßt.

Ebenso wie die Predigt des Evangeliums geistlich, d. h. gottgemäß, gottgewirkt und in ihrer Wirksamkeit von Gott abhängig ist, soll auch die Antwort des Menschen geistlich sein, sich in derselben Kategorie bewegen, mit den von Gott dazu freigegebenen Mitteln erfolgen und in den von Gott in seinem Wort vorgezeichneten Bahnen verlaufen[8]. Sie soll gottgemäß sein und d. h. auch als Antwort gottgewirkt und soll sich der Abhängigkeit von Gott in ihrer Wirkung bewußt sein.

Gott hat wohl — so führt Calvin in Institutio II 8, 15 aus — unter Berücksichtigung der menschlichen Undankbarkeit und Wankelmütigkeit und der Neigung zu irrigen, vermessenen Spekulationen dem Menschen bestimmte Hilfen an die Hand gegeben, um ihn bei der richtigen Verehrung zu halten. So etwa im Vorwort zum Dekalog in Erinnerung an seine wunderbare Tat:

„Solet etiam (quo nos in verbo sui unius cultu retineat) certis epithetis sese insignire, quibus sacrum suum numen ab omnibus idolis ac diis commentitiis discernit."

„... ita nos quibusdam veluti cancellis circumscribit, ne huc aut illuc evagemur, et temere nobis fingamus novum aliquem Deum, si derelicto Deo vivo, idolum erigamus."[9]

Gott hat dem Menschen in den Namen, die er sich auf Grund seiner Wohltaten beilegte, einen Anhaltspunkt gegeben, damit er Gott nicht verfehle. Für das Bilderverbot ergibt sich daraus: Diese Namen, Titel und Kennzeichen, zu denen auch der Tempel und die Cherubim gehören, sind nicht dazu da, Gott an ein Volk oder an einen Ort zu binden.

„sed in hoc duntaxat sunt positae ut cogitationes piorum in illo Deo sistant, qui suo foedere, quod cum Israele pepigit, sese ita repraesentavit ut ab eiusmodi idea deflectere nullo modo liceat."[10]

Sie sind Hilfsmittel, der menschlichen Schwäche angepaßt. Aber Gott läßt sich auch mit ihnen nicht festlegen, nicht zwingen, nicht zitieren.

Dem in der Christenheit aufgekommenen unkultischen Bildgebrauch, den das Bilderverbot nicht verbietet, hat Calvin sein Recht und seinen Platz gelassen.

Calvin hat nicht nur die Unrechtmäßigkeit der Verwendung des christlichen Bildes als Offenbarungs- oder Verkündigungsmittel erkannt, sondern hat auch die falsche Einengung des Bilderverbotes auf eine rein negative Aussage und auf den engen Bereich des Bildes aufgehoben und dem Bilderverbot einen neuen Gehalt gegeben, bzw. den alten Gehalt unter Berücksichtigung der neuen Offenbarung Gottes in Christus deutlich gemacht.

Der Verkehr mit Gott muß nach beiden Richtungen in gleicher Weise und entsprechend dem uns geoffenbarten Wesen Gottes geschehen. Das Reden zu Gott muß dem Hören auf Gott entsprechen.

---

8. OS V 227, 17. 20.
9. OS III 356, 9—11. 16—18.
10. OS III 356, 26—29.

Auf den ersten Blick[11] entsprach das Gebot zum ersten Teil des Bilderverbotes
‚Du sollst auf Gottes Wort hören'
nicht der von Calvin angegebenen Motivierung des Bilderverbotes:

„Finis ergo praecepti est, quod superstitiosis ritibus legitimum sui cultum non vult profanari."[12]

Nach Calvin muß aber der rechtmäßigen Anbetung die rechte Erkenntnis vorausgegangen sein. Diese erhalten wir nur durch das Hören auf das Wort Gottes. Erkenntnis Gottes geschieht nur in der Begegnung mit Gott, beruht auf Offenbarung. Gott der Vater begegnet uns in der geistgewirkten Verkündigung seines Sohnes. Diese Erkenntnis führt zum rechtmäßigen Bekenntnis, zur rechtmäßigen Antwort in Gebet und Lobgesang, zu Anbetung, Lob und Dank durch den Heiligen Geist. So kommt durch den Heiligen Geist Christus heute in der Verkündigung zum Menschen, und so erhebt der Heilige Geist den Gläubigen zu Christus in den Himmel und zur rechtmäßigen geistlichen Anbetung seiner himmlischen Herrlichkeit.[13]

Calvin hat die Motivierung des Bilderverbotes wie die des Ersten Gebotes dem Vorwort entnommen. Im Ersten Gebot wird uns gesagt, *daß* ein Gott ist und daß ein Gott zu verehren ist. Denn Gott allein will unser Gott und Herr sein. Im Bilderverbot wird uns gesagt, *wie* Gott ist, wie er zu uns steht, und wie er zu verehren ist. Denn seine Verehrung muß ihm als unserem einzigen Herrn und Gott entsprechen[14]. In seinen beiden Teilen redet das Bilderverbot vom rechten Verkehr zwischen Gott und Mensch; vom rechtmäßigen Gottesdienst. Der Gottesdienst muß dem Wesen Gottes entsprechen. Gottes Wesen für uns ist das des dreieinigen Gottes: Der Vater, der im Sohne zu uns gekommen ist und durch den Heiligen Geist uns zu sich emporhebt. Dementsprechend ist der Gottesdienst seinem Inhalt nach Predigt von Christus, in dem Gott sich uns offenbart (positive Aussage des 1. Teiles des Bilderverbotes) und Anrufung, Anbetung und Dank (positive Aussage des 2. Teiles des Bilderverbotes) durch den Heiligen Geist.

Nicht nur im Gehalt, sondern auch in der äußeren Gestaltung soll der Gottesdienst der uns geschenkten Offenbarung entsprechen. Darum ist das *Evangelium die Richtlinie für Gehalt und Gestalt unseres Gottesdienstes.* Allein das Wort ist Träger der Offenbarung. Darum ist das menschliche Wort das einzig legitime Verkündigungsmittel. Nur in der Verkündigung des Evangeliums in Wort und Sakrament kommt Christus zu uns.

Ihrer Bestimmung entsprechend sind Gottesdienst und gottesdienstlicher Raum schriftgemäß und worthaft zu gestalten. Kein Bild, weder ein Gottes-Bild noch irgend ein anderes Bild oder ein symbolhaftes Zeichen wie etwa das Kreuz, darf eine gottesdienstliche Funktion haben[15]. Daher hat ein Bild im gottesdienstlichen

---

11. s. o. S. 171.
12. OS III 359, 12 f.; s. o. S. 170 bei Anm. 14.
13. OS V 399, 20—400, 8.
14. OS III 106, 3—10.
15. OS III 95, 15 ff. und 96, 8 ff.

Raum keinen Sinn und kein Recht. Der christliche Gottesdienst soll reiner Wortgottesdienst sein und nicht darstellender Gottesdienst wie in der orthodoxen und
z. T. auch in der katholischen Kirche. Es gereicht den Kirchen zur Unehre, wenn
sie

> „alias recipiant imagines quam vivas illas et iconicas, quas verbo suo Domi-
> nus consecravit: Baptismum intelligo et Coenam Domini, cum aliis ceremo-
> niis quibus oculos nostros et studiosius detineri, et vividius affici convenit
> quam ut alias hominum ingenio fabrefactas requirant."[16]

Daher sind die einzigen Bilder, die in den Kirchen gezeigt werden dürfen, Taufe
und Abendmahl[17]. Diese beiden Zeremonien sind von Christus selber eingesetzt.
Hier dürfen wir unter sichtbaren Zeichen mit Gott in Gemeinschaft stehen. Die
Aufgabe der Sakramente ist wie die des verkündigten Wortes Gottes, uns Christus
darzubieten und vor Augen zu stellen und in ihm alle Schätze der himmlischen
Gnade[18]. Calvin deutet als weitere erlaubte Bilder noch andere von Christus ein-
gesetzte Zeremonien, d. h. Merkzeichen der Gnade und des Heils, Hilfsmittel der
wahren Frömmigkeit und zugleich entsprechend der im Gottesdienst zum Ausdruck gebrachten wechselseitigen Beziehung zwischen Gott und uns Zeichen unseres Treue-Bekenntnisses zu Gott[19], an. Eine dieser Zeremonien im Neuen Bund ist
die Handauflegung[20]. Alles andere an äußerem sichtbarem Schmuck ist nicht heilsnotwendig, sondern überflüssig, ja oft schädlich, weil es die Gemeinde vom rechten Gottesdienst abhält.

> „In verbi sui praedicatione et sacris mysteriis communem illic omnibus doc-
> trinam proponi iussit: in quam parum sedulo intentum sibi animum esse pro-
> dunt qui oculis ad idola contemplanda circumaguntur."[21]

Ein Bild im gottesdienstlichen Raum birgt in sich — auch wenn es nur zum
Schmuck angebracht werden sollte — eine doppelte Gefahr. Es könnte aus einem
Schmuckgegenstand zum Objekt der Verehrung werden oder als Verkündigungs-

---

16. OS III 102, 21—25.

17. Was Calvin im Zusammenhang mit Taufe und Abendmahl vom Bild sagt, ist genau
das, was Luther von den signa sacramentalia sagt, die er deutlich von sonstigen Zeichen
und Bildern abhebt (s. o. S. 97 ff.). Luther nannte im Gegensatz zu allen anderen Bildern
Christus, das Evangelium und die Sakramente die „rechten Bilder Gottes". Das Bild,
das Luther zuläßt, ist nicht das Bild, das Calvin ablehnt. Darin sind beide sich einig:
Es gibt nur eine Offenbarung Gottes: Jesus Christus. Und es gibt für uns nur zwei sichtbare, von Gott ausdrücklich seiner Verheißung beigegebene Zeichen, die uns der Gnade
Gottes versichern sollen: Taufe und Abendmahl. Auch Luther warnt ausdrücklich davor,
andere Zeichen zu suchen als die uns von Gott gegebenen.

18. OS V 274, 18—20 (Nach O. Webers Übersetzung a. a. O. 889).

19. OS V 277, 20 ff. 25 ff.

20. OS V 278, 16 ff. Ebenda (Inst. IV 14, 20) führt Calvin Zusammenhang und Unterschied der Sakramente des Alten Bundes (Beschneidung, Reinigung und Opfer) und des
Neuen Bundes (Taufe und Abendmahl) aus. Beide sollen zu Christus führen. Die Sakramente des Alten Bundes weisen auf den verheißenen Christus hin, die des Neuen bezeugen die in Christus geschehene Offenbarung.

21. OS III 95, 18—21.

mittel eine Funktion einnehmen, die ihm nicht zukommt[22]. Zumindest liegt die Gefahr der Ablenkung durch Bilder sehr nahe. Sie stören und bringen die Predigt um ihre volle Wirkung. Somit ist den Bildern durch das Bilderverbot in seinen beiden Teilen eine deutliche Grenze gesetzt. Die Gefahr der Störung, des Götzendienstes und der Zweckentfremdung lassen die Bilder dem gottesdienstlichen Raum zur Unehre statt zur Ehre dienen.

Durch die Verankerung der Einzigartigkeit der Offenbarung und Verkündigung des dreieinigen Gottes im Bilderverbot gewinnt Calvin die Möglichkeit einer praktischen Orientierung in Kultfragen, z. B. der Gestaltung des gottesdienstlichen Raumes, Gestaltung der Liturgie, Ausrichtung des äußeren Ablaufes des Gottesdienstes usw. Mit Hilfe des Bilderverbotes bringt Calvin Verkündigung, Theologie, Bildende Kunst, Liturgie und Christliche Musik auf einen gemeinsamen Nenner. Kriterium ihrer Rechtmäßigkeit ist die Heilige Schrift. Ausrichtung, Sinn und Ziel ist die Ehre Gottes. Zur Ehre Gottes dienen und dem Worte Gottes entsprechen muß alles, was wir vor Gottes Angesicht tun. Damit erhält die Anwendung des Gebotes, das im Bilderverbot enthalten ist, einen weiten Raum, der sich nicht nur auf den Gottesdienst im kirchlichen Gebäude, sondern auf unser ganzes Leben erstreckt.

---

22. cf. CR 24, 546 unten.

Schluß

Die Bilderlehre von Luther und Calvin
in ihrer Einheit und Verschiedenheit

Luther und Calvin nehmen eine verschiedene Stellung in der Bilderfrage ein, stehen aber nicht in direktem Gegensatz zueinander. Jeder hat seiner Bildanschauung, seiner reformatorischen Aufgabe und seinem theologischen Anliegen gemäß der Schwierigkeit, die aus dem neuen christlichen Bildgebrauch für die aktuelle Auslegung des Bilderverbotes entstanden ist, Rechnung getragen und eine Lösung gefunden, die er mit Gründen aus der Heiligen Schrift belegt. Dabei liegt der entscheidende Unterschied weder in der Hermeneutik noch in der Christologie oder der Gotteslehre noch in der Bildauffassung, sondern in der Grundfrage, die sich jeweils mit einem anderen Bildtyp befaßt. Das Bild, das Calvin ablehnt, ist nicht das Bild, das Luther erlaubt und wünscht. In Ablehnung und Zustimmung zu einigen Bildarten stimmen sie teilweise überein. Da sie in ihrem Anliegen von verschiedenen Bildern reden, können sie nicht gegeneinander ausgespielt werden. Jeder muß in seinem Anliegen gehört werden.

Beide haben den engen Zusammenhang des Bilderverbotes mit dem 1. Gebot gesehen. Während Luther das Bilderverbot dem 1. Gebot unter- und einordnet, gibt Calvin ihm über den Sinnzusammenhang des 1. Gebotes hinaus in seiner 1. Hälfte eine eigene Bedeutung. Er fragt grundsätzlich nach der Möglichkeit und Erlaubtheit eines Gottesbildes und damit nach der Legitimität der Offenbarung bzw. Verkündigung durch Bilder. So gewinnt er sein Bildverständnis abstrakt von seiner Grundfrage her. Ein Bild Gottes ist ein Bild, das Gott offenbaren will. Es geht um die Begegnung zwischen Gott und Mensch. Die umfassende Frage des dem 1. Gebot gegenüber selbständigen Teilverbotes des Bilderverbotes, das seinem Wortlaut nach die Herstellung von Kultbildern verbietet, ist die Frage der rechten Offenbarung und Verkündigung. Das Bilderverbot wendet sich nicht nur gegen jedes Bild, das Offenbarung zu vermitteln beansprucht, sondern gegen jeden Versuch, durch Liturgie, heilige Handlungen, symbolische Figuren, kultisch geprägte Räume oder sonst irgendein selbstgewähltes Mittel, Verbindung zu Gott aufzunehmen, weil ein solcher Versuch den Menschen auf Irrwege führt und Gottes Freiheit und Ehre antastet. Gott hat den Weg bereits festgelegt. In Jesus Christus ist der unsichtbare, ungreifbare Gott sichtbar und greifbar geworden. Das wahre Bild Gottes und damit der einzige Ort, an dem Gott wahrhaft zu finden ist, ist Jesus Christus. Damit ist nicht etwa die Herstellung von Christus-Bildern möglich geworden. Grundlage der Erlaubtheit oder Notwendigkeit von Christusbildern kann die Menschwerdung nur sein, wenn dem Bild selber Offenbarungscharakter zugebilligt werden soll. Christus offenbart uns jedoch nicht *sein* Bild, sondern das Bild *Gottes*. Gott begegnet uns in dem menschgewordenen, gekreuzigten und auferstandenen Christus. Diese Begegnung vermittelt der Heilige Geist. Deshalb war das Anliegen Calvins in der Bilderfrage, die Ausschließlichkeit der Offenbarung Gottes in Christus und der Verbindung mit Gott durch den Heiligen Geist zu wahren. Weil es um den Verkehr mit dem dreieinigen Gott geht, ist die Bilderfrage von Calvin nicht in die Christologie, sondern in die Gotteslehre eingebaut worden.

So wie Gott sich in der Offenbarung an Jesus Christus gebunden hat, so hat er als Offenbarungsmittel, dessen der Heilige Geist sich bedient, das Wort ausgewählt. Gott kommt zu uns durch Menschenmund, durch geistgewirkte Verkündigung. Deshalb darf ein Bild nach Calvin weder den Anspruch der Offenbarung noch den der Verkündigung erheben. Hierin sieht Calvin die auch für die Christenheit verbindliche eigenständige negative Aussage des Bilderverbotes.

Für Luther enthält das 1. Gebot bereits das Evangelium von Christus. An ein Bild, das Offenbarung bringen will, hat er nicht gedacht. Verkündigung durch das Bild als Predigtersatz lehnt er ab. Auch Luther trägt die Bilderfrage nicht auf dem Feld der Christologie aus. Auch für ihn ist Christus das einzig wahre Bild Gottes. Auch für ihn gibt es keine Offenbarungsmöglichkeit außer und neben Christus. Dennoch hält er — im Gegensatz zu Calvin — ein Bild Jesu Christi für erlaubt. Das Bild Christi, das Luther wertvoll war, ist jedoch nicht das Bild Christi, das Calvin ablehnte. Es will weder offenbaren noch verkündigen. Verkündigung ist auch bei Luther allein Wort und Sakrament vorbehalten. Calvin nennt Taufe und Abendmahl die „einzigen legitimen Bilder Gottes". Luther nennt sie die „rechten lebendigen Bilder Gottes" im Gegensatz zu den toten Bildern, die kein eigenes Leben und damit auch keine eigene Aussage haben. Luther begründet sein Christusbild nicht mit der Menschwerdung Gottes, sondern setzt es einfach als im Herzen eines Gläubigen vorhanden voraus und stellt es wie alle andern Bilder unter das 1. Gebot. Er entscheidet die gesamte Bilderfrage vom 1. Gebot her. So wie er in Auslegung und Anwendung des Bilderverbotes in der doppelten Frontstellung des Bilderkampfes in der Kritik am katholischen Bild und in der Ablehnung des Bildersturmes das 1. Gebot entscheiden läßt, so begründet er den rechten Gebrauch der Bilder mit dem 1. Gebot: „Ich bin der Herr, dein Gott, der ich dich in Jesus Christus erlöst habe". Der Angelpunkt der Theologie Luthers und damit auch seiner Stellung in der Bilderfrage ist die Güte Gottes. Gottes Güte ist es, die sich unserer Sprache bedient und es uns ermöglicht und erlaubt, in Begriffen und Bildern, die unserer Vorstellungswelt entnommen und deshalb an sich Gott unangemessen sind, von und zu ihm zu reden. Darum dürfen wir auch gemalte Bilder haben und gebrauchen. Sie dürfen nur nicht mehr sein wollen, als ein Bild nach Gottes Güte sein darf. Bildwort und gemaltes Bild sind wie bildhafte Rede und anschauliche Bildhandlung in der Heiligen Schrift Veranschaulichung und sichtbare Erinnerung an Gottes Wort und Tat. So ist das von Luther gewünschte Bild eine Art gemalte Bildrede, die das gesprochene oder geschriebene Wort Gottes voraussetzt. Durch das gesprochene Wort will Gott zu uns reden. Durch das gemalte Bild spricht nur ein Mensch zu uns, der an Gottes Wort erinnert.

Die soteriologische Ausrichtung der Theologie Luthers, in der seine positive Stellung zum Bild begründet ist, schlägt sich wiederum nieder in der Forderung eines bestimmten Bildinhaltes mit entsprechendem Bildgebrauch. Das Bild wendet sich an Christen, d. h. an Menschen, die das, was es sagen will, bereits gehört und im Glauben aufgenommen haben. Daher ist für Luther der Inhalt für Predigt und

Bild der gleiche, nicht aber die Funktion. Die Thematik des evangelischen Bildes ist durch die Heilige Schrift gegeben und begrenzt. Luther fordert das nach Inhalt und Gestaltung schriftgemäße Bild, dem das vor- und übergeordnete Schriftwort auch sichtbar beigegeben werden kann, und stellt es in den Dienst der Unterweisung, Verkündigung und Seelsorge. Das Bild soll nicht bekehren, sondern erinnern und zur Antwort auf Gottes Gnadentat aufrufen, zu Gehorsam in Furcht und Vertrauen, zur Freude in Lob und Dank. Das Christusbild kann bei dieser Auffassung von der Aufgabe eines christlichen Bildes lediglich das Beste all der Bilder sein, die Gottes Geschichte in Jesus Christus wiedererzählen. Luther denkt dabei überwiegend an den gekreuzigten Christus.

Dem rechten, trostreichen Bild muß die rechte, trostreiche, aufrichtende Predigt vorausgehen und folgen. Das Bild bedarf des Schriftwortes, um recht verstanden zu werden. Ohne das Wort, das dem gemalten Bild den textgemäßen Sinn gibt und bewahrt, ist das Bild nicht nur wertlos, sondern dem Mißverständnis und damit dem Mißbrauch ausgesetzt und bildet eine Gefahr. Nur ein Christ kann ein Bild für Christen schaffen. Nur ein Christ kann ein solches Bild recht gebrauchen. Nur wo Gottes Wort recht gepredigt und gehört wird, haben Bilder Berechtigung und Wert. Nur ein solches Bild und nur ein solcher Bildgebrauch darf sich auf Luther berufen.

Thematik, Ausführung und Gebrauch der Bilder wird nach Luther durch die Heilige Schrift vorbestimmt und eingegrenzt. Auch Calvin gibt dem Bild einen von der Heiligen Schrift her vorgegebenen und eingegrenzten Raum, grenzt diesen Raum aber in der Thematik und im Gebrauch von der Aufgabe her weiter ein als Luther. Er erkennt den Nutzen der Geschichtsbilder an, lehnt aber das Gottesbild und damit das Christusbild in jeder Form ab, weil es seiner Meinung nach keine andere Funktion als die der Offenbarung und Verkündigung haben kann. Es ist entweder sinnlos und leer, weil es keine Offenbarung bringt, oder ein Sakrileg, weil es geschichtslos und bildhaft offenbaren oder verkündigen will. Ebensowenig wie jeder, der ein Bild fordert, sich auf Luther berufen darf, kann jeder, der ein Bild ablehnt, sich auf Calvin berufen.

Calvin hat nicht nur dem Bild im evangelischen Bereich durch die beiden Teile des Bilderverbotes genaue Grenzen gezogen, sondern die Einengung des Bilderverbotes auf die Thematik des Bildes und eine rein negative Aussage aufgehoben und dem Bilderverbot vom Neuen Testament her wieder einen positiven Gehalt gegeben: Der rechte Verkehr zwischen Gott und Mensch. Gott ist in seinem Sohne zu uns gekommen und hebt uns durch den Heiligen Geist zu sich empor. Deshalb ist der Gottesdienst seinem Inhalt nach geistgewirkte Predigt von Christus, in dem Gott sich uns offenbart, und Antwort des Menschen in Anrufung, Anbetung und Dank durch den Heiligen Geist. Und nicht nur im Gehalt, sondern auch in der Gestalt hat der Gottesdienst der uns geschenkten Offenbarung des dreieinigen Gottes zu entsprechen. So wird das Evangelium zur Richtschnur für Gehalt und Gestalt des Gottesdienstes sowie für die Gestaltung des gottesdienstlichen Raumes. Ihrer Bestimmung gemäß sind Gottesdienst und gottesdienstlicher Raum schriftgemäß und worthaft zu gestalten. Weder ein Bild noch irgendein symbolhaftes Zeichen darf eine gottesdienstliche Funktion haben. Denn der christliche Gottesdienst ist reiner Wortgottesdienst und nicht darstellender Gottesdienst. Die einzigen Bilder, die in ihm gezeigt werden dürfen, sind Taufe und Abendmahl sowie weitere worthafte Zeremonien. Da ein Bild im gottesdienstlichen Raum nicht nur eine dreifache Gefahr in sich birgt — Verehrung des Bildes, Verkündigungsanspruch durch das Bild und Ablenkung von der Wortverkündigung — sondern keinerlei Funktion im Gottesdienst haben darf und damit im gottesdienstlichen Raum sinnlos und sinnwidrig ist, wünscht Calvin bildlose Kirchen.

Weil es im Bilderverbot um den rechten Verkehr zwischen Gott und Mensch geht, darf seine Geltung nicht nur auf den Bereich des Gottesdienstes eingeschränkt werden. Es gilt für alle Bereiche unseres Lebens. So bringt Calvin durch das Bilderverbot Theologie, Verkündigung und Unterweisung, Gottesdienst und gottesdienstlichen Raum, christliche Kunst, ja das gesamte Leben eines Christen in Alltag und Sonntag unter einen gemeinsamen Nenner. Kriterium ihrer Rechtmäßigkeit ist die Heilige Schrift. Ausrichtung, Sinn und Ziel ist die Ehre Gottes. Zur Ehre Gottes dienen und dem Worte Gottes entsprechen muß alles, was wir vor Gottes Angesicht tun.

Calvin steht mit seinen positiven Aussagen des Bilderverbotes nicht im Gegensatz zu Luther. Aber was Calvin im Bilderverbot verankert, gehört nach Luther in den Sinnzusammenhang des 1. Gebotes. So kann Luther einmal wie Calvin sagen, die Aussage des Bilderverbotes, die auch den Christen gelte, sei die Forderung, Gottes Wort zu hören, und ein andermal betonen, der rechte und d. h. der von Gott befohlene Gottesdienst, der das ganze Leben umfasse, sei bereits im 1. Gebot gefordert. Denn „deus et cultus sunt relativa" und „habere deum est colere deum". Das 1. Gebot enthält nach Luther alles, was über Gott, das rechte Leben vor Gott und den rechten Gottesdienst zu sagen ist. Luther sah im katholischen Gottesdienst und Leben seiner Zeit die inhaltsleere Form und forderte den rechten Inhalt, der sich dann die rechte Form schaffen könne. Calvin als Mann der zweiten Generation sah, daß der Inhalt nicht ohne rechte Form sein kann, forderte neben dem rechten Gehalt die rechte Gestalt und gab mit seiner positiven Aussage des Bilderverbotes für alle Bereiche christlichen Lebens den zentralen Maßstab für die dem christlichen Glauben entsprechende Form.

Um rechten Gewinn aus der Betrachtung der Stellung Calvins und Luthers in der Bilderfrage zu haben, ist es nicht nur nötig beide in ihren verschiedenen Aussagen von dem ihrer reformatorischen Aufgabe entsprechenden Zentralanliegen in der Bilderfrage her zu verstehen, sondern eben auch beide Seiten mit ihren Vorzügen und Gefahren zu sehen, Calvin in seiner Eindeutigkeit, die nicht zur Einseitigkeit werden darf, Luther in seiner Weite, die nicht zur Bedenkenlosigkeit werden darf. So wie Calvin in seiner Entwicklung zum Reformator und in seiner Gesamttheologie ohne Luther nicht recht verstanden und gewürdigt werden kann, darf m. E. auch Luther nicht für sich, nicht ohne Abschirmung und Weiterführung durch Calvin gesehen und aufgenommen werden. Auch im Bereich der Bilderfrage ist es nötig, Gnade und Freiheit Gottes zu erkennen und zu wahren. So wie nach Luther die Gnade Gottes der Verkündigung das Bild als Hilfsmittel beigibt, ist nach Calvin die Freiheit Gottes der eigentliche Grund dafür, daß er nicht durch einen dinghaften Gegenstand, sondern durch geistgewirktes Wort zu uns kommen will.

Die m. E. für uns heute wesentlichen Aussagen sind bei Calvin die Ablehnung von Offenbarung oder Verkündigung durch ein Bild oder ähnliche Mittel sowie die Ausrichtung aller Lebensbereiche von einer Zentralaussage her, und bei Luther die Forderung von Zuordnung und Unterordnung des Bildes zur und unter die Verkündigung, sowie die Betonung des Primates des 1. Gebotes über das Bilderverbot, des Gehaltes über die Gestalt.

Exkurs I

Die Auslegung des Bilderverbotes in den katholischen Beichtbüchlein

Mit wenigen Ausnahmen wird in den katholischen Beichtbüchlein der Dekalog in Form der im Mittelalter üblich gewordenen Merkverse gebracht. Das Bilderverbot fehlt fast durchweg[1]. Dagegen gehen die meisten Beichtbüchlein, die nicht nur den Text der Gebote zitieren, in der Auslegung des 1. Gebotes auch auf das Bilderverbot ein[2]. Sie rechnen das Bilderverbot also zum 1. Gebot, entwerten jedoch seine Aussage bis hin zur entgegengesetzten Forderung. Dabei wird das Bilderverbot auf den Bilderdienst der Heiden und den Abfall des jüdischen Volkes zum heidnischen Bilderdienst bezogen[3] und seine direkte Geltung nur für die Zeit des Alten Bundes anerkannt[4]. Die Kirche darf und soll Bilder haben, ja, in den meisten Beichtbüchlein, die auf die Bilderfrage eingehen, wird die Notwendigkeit der Bilder betont: „Die ersten Christen brauchten keine Bilder, sie hatten Christum im Herzen, jetzt müssen wir durch die Bilder an Christi Leiden gemahnt werden"[5]. Die Bilder sind nötig wegen der ungelehrten Menschen, die nicht lesen können, wegen der menschlichen Trägheit, die zur Andacht bewegt werden soll und wegen der Vergeßlichkeit zur Erinnerung an die gehörten Geschichten[6]. Verboten ist lediglich die Anbetung eines Bildes. Die Verehrung des Bildes ist erlaubt. Der Unterschied liegt darin, daß die Anbetung dem Bilde gilt, die Verehrung der durch das Bild dargestellten Person[7]. Nur wenige warnen vor dem abergläubischen Mißbrauch der Bilder oder klagen über unziemliche Bilder[8]. Doch auch sie lassen die Verehrung des Bildes gelten.

---

1. s. Beilage I.
2. s. o. S. 22, Anm. 28.
3. Der Seele Trost, Geffcken S. 46. „Also die heiden, die die Sonne anbetten, oder den Mane oder die sternen, oder den dunner, oder die Baume, oder steyn, oder bilde, das miszhaget gode ser. Das hat er wol bewiset dem Judschen Volke, davon wil ich dir eyn wenich sagen".
4. Nicolaus von Lyra, Preceptor. Col. 1501 B 3 nach Geffcken S. 58 „freilich seien im Alten Bunde die Bilder verboten gewesen, während die Kirche sie zu lassen und zu verehren gebiete, aber ‚deus in lege veteri non fuit humanitatus nec homo factus, ideo tunc non debuit habere figuram vel imaginem'."
5. Nicolaus Rus, Geffcken S. 57.
6. Bonaventura, Geffcken S. 59, die Bilder seien nötig ‚propter simplicium ruditatem, propter affectus tarditatem, propter memoriae labilitatem'.
N. von Lyra, Geffcken Beilage 25; s. im Text 1. Teil B 2 bei Anm. 32.
7. Spiegel des Sünders, 1470, Geffcken Beilage Sp. 52; Joh. Gerson Sp. 38, Wolffs Beichtbüchlein 1478, Falk S. 30 m;
N. de Lyra, Preceptorium, Dtsch. 1452, Geffcken Beilage Sp. 24 u. a.
8. Nicolaus Rus, Geffcken S. 57, Gerson, Beilage S. 38, Wolffs Beichtbüchlein, Falk S. 30 m.

Exkurs II

Das Bilderverbot im Alten Testament

1. Die Stellung des Bilderverbotes im Dekalog

Anstelle einer eigenen Strukturanalyse des Bilderverbotes übernehme ich die Ergebnisse von Walter Zimmerli[1]: Exodus 20

v. 4a: *Grundworte:* Du sollst dir kein Bildnis machen.

v. 4b: *Näherbestimmung:* noch irgendein Abbild von (all?) dem, was oben im Himmel, noch von dem, was unten auf Erden, noch dem, was im Wasser unter der Erde ist (diese Ausführung ist syntaktisch ungenau angefügt).

v. 5a: Deuteronomischer *Zusatz,* der das Abgöttereiverbot von v. 3 wieder aufnimmt: Du sollst dich vor ihnen nicht niederwerfen und dich ihnen nicht zum Knechte machen[2].

v. 5b: *Schluß,* der gattungsmäßig eine Selbstvorstellung Jahwes ist.

Daraus ergibt sich:

Schon in deuteronomischer Zeit war die Auffassung vertreten, nach der das Bilderverbot zum 1. Gebot zu nehmen und ganz in dessen Schatten zu lesen ist[3]. Diese Interpretation wird jedoch der formalen Anlage des Dekalog nicht gerecht. Vielmehr rät uns die formgeschichtliche Analyse eindeutig, im Bilderverbot das 2. innerhalb der 10 Worte des Dekalog zu sehen. Der deuteronomische Bearbeiter verwischt die klaren Konturen der beiden Gebote, zeigt aber, daß beide in ihrer Ausrichtung in großer Nähe zueinander stehen[4].

Ergebnis: *Jede der beiden Zählungsarten kann sich auf echte Tatbestände im kanonischen Dekalogtext berufen[5].*

Calvins Zählung entspricht der formalen Anlage des Dekalog. Luthers Zählung entspricht der Auslegung des älteren uns bekannten Interpreten des Dekalog, der wie Luther späterhin den inhaltlichen Zusammenhang des Bilderverbotes mit dem Abgöttereiverbot gesehen und in der Zählung zum Ausdruck gebracht hat.

---

1. Walter Zimmerli: Das Zweite Gebot, Festschrift für Albrecht Bertholet, S. 551 ff.

2. Zimmerli stellte fest, daß die Formel „sich niederwerfen und dienen" deuteronomisch ist und außer beim Bilderverbot sonst nur mit „fremde Götter" verbunden ist. Daraus schließt er:

v. 5a und auch 5b. 6 beziehen sich über das Bilderverbot hinweg auf v. 3, das Abgöttereiverbot.

v. 4 ist jedoch seiner Form nach älter als 5a und nicht nachträglich eingesetzt, sondern v. 5a ist ein erweiternder Zusatz zum Dekalog. (S. 556) Der dt. Ergänzer hat das Bilderverbot mit dem ersten Gebot zusammen als ein Gebot behandelt (S. 557).

3. a. a. O. 557.

4. a. a. O. 558. In beiden wird nach Zimmerli von der Antastung des alleinigen Herrenrechtes geredet 556.

5. a. a. O. 557.

2. Der Inhalt des Bilderverbotes

Um zu ermitteln, welche Bilder im Alten Testament verboten werden, habe ich die im Bilderverbot und an anderen Stellen des Alten Testamentes vorkommenden Bildarten zusammengestellt:

Ex. 20, 4	פֶּסֶל	aus Holz geschnitztes oder aus Stein gehauenes Bild
Ex. 20, 23b	אֱלֹהֵי כֶסֶף וֵאלֹהֵי זָהָב	silberne und goldene Götter
Ex. 34, 17	אֱלֹהֵי מַסֵּכָה	aus Metall gegossenes Götterbild
Ex. 34, 13 und 1. Kg. 14, 23	מִזְבְּחוֹת וּמַצֵּבוֹת וַאֲשֵׁרִים	Altäre, Säulen, Pfähle (Ascheren)

Daraus ergibt sich:

1. Es werden nur Standbilder, keine Wandgemälde genannt. Eine Übersetzung, die sich genau an den Wortbestand halten will, muß dann übersetzen:

Du sollst dir kein *Standbild* machen.

Dieser Übersetzung entspricht die griechisch-orthodoxe Auslegung des Bilderverbotes. Luther und Calvin lehnen dies als buchstäbliche Auslegung ab.

2. Es werden nur Kultbilder genannt. Weil das Alte Testament nur Kultbilder kannte, können auch im Bilderverbot keine anderen Bilder gemeint sein. Die dem Wortsinn entsprechende Übersetzung wäre:

Du sollst dir kein *Kultbild* machen.

3. Es werden alle Arten der damals in der heidnischen Umwelt des Alten Testamentes üblichen Götterbilder — geschnitzt, aus Stein gehauen, aus Metall gegossen, in Menschen- und Tiergestalt — oder auch gestaltlose Kultsteine verboten. Die Übersetzung müßte lauten:

Du sollst dir *überhaupt kein Kultbild* machen.

3. Die Bedeutung des Götterbildes für die heidnische Umwelt
des Alten Testamentes

„Das Götterbild in der Umwelt des Alten Testamentes hat seine Bedeutung nicht darin, daß es eine ‚Abbildung‘ der Gottheit im Sinne einer getreuen Nachbildung eines himmlischen Urbildes ist. Es ist vielmehr ein Körper, den das göttliche Fluidum beseelt ... Daher ist die äußere Gestalt des Bildes für für seinen Verehrer von sekundärer Bedeutung; entscheidend für den religiösen Wert eines Götterbildes ist allein der Geistbesitz ..."

„Als Träger des göttlichen Fluidums bedeutet das Gottesbild die reale Gegenwart der Gottheit und empfängt entsprechende Ehrungen und Opfer."

„Das Götterbild ist ... immer ein Machtmittel in der Hand des Priesters für den Umgang mit der Gottheit[1].

Daraus ergibt sich:

1. Auch die Heiden haben das Götterbild nicht einfach mit ihrem Gott gleichgesetzt[2].

2. Ein Götterbild wurde hergestellt, um einen sichtbaren und greifbaren Gegenstand zu haben, der die Gegenwart des betreffenden Gottes verbürgte.

3. Dieses Götterbild vertritt die Gottheit, ja in ihm wohnt die Gottheit. Das wird beim einfachen Volk im praktischen Verhalten oft zu einer Gleichsetzung der Gottheit mit ihrem Bilde geführt haben. Von ‚da ist Gott‘ zu ‚das ist Gott‘ ist kein großer Schritt.

4. Über das Wesen der Gottheit sagt die äußere Form nichts oder nur andeutungsweise etwas aus.

5. Ein Götterbild wird *nur* zu kultischen Zwecken hergestellt. Die Vorstellung eines Götterbildes, das anderen Zwecken dienen könnte, ist der heidnischen Umwelt des Alten Testamentes und damit auch dem Alten Testament fremd.

6. Bilderbenützung ist mit Bilderdienst identisch. Ein Bild haben heißt in diesem Bild den betreffenden Gott verehren, anbeten und zu Hilfe rufen.

7. Darum ist der Kult der Heiden, im Alten Testament Götzendienst genannt, immer Bilderdienst.

8. In der prophetischen Bilderpolemik des Alten Testamentes zeigt sich noch dieselbe Wertung des Bildes. Unter der Voraussetzung, daß der Wert des Götterbildes von der Anwesenheit des Gottes in ihm abhängt, erklären die Propheten die Götter der Heiden für ‚Nichtse‘, denn ihre Götterbilder sind nur Holz und Stein, tote Materie, täuschen etwas vor, was sie nicht sind, erfüllen nicht ihren Zweck und haben deshalb keine Daseinsberechtigung[3].

Bilderverehrer und Bilderfeind haben im Alten Testament dieselbe Bildauffassung.

---

1. Karl-Heinz Bernhardt: Gott und Bild, S. 67, 68, 155.
2. s. von Rad: Theologie des Alten Testamentes I 212.
3. Karl-Heinz Bernhardt: a. a. O. 111.

4. Begründung des Bilderverbotes im Alten Testament

Die theologische Begründung des Bilderverbotes im Alten Testament war nicht immer dieselbe[1].

Die ursprüngliche Motivierung ist nicht mehr klar erkennbar. Man kann nur vermuten, daß es sich schon zu Anfang gegen das richtet, was dem Bild in der Umwelt seinen Wert verleiht. Die Begründung wäre dann: Gott läßt sich nicht dingfest machen; er ist der Herr.

Nach K. H. Bernhardt ist das Bilderverbot am besten aus dem Geschehen der Mosezeit zu verstehen, in der es begründet ist. Die zu einer Amphyktionie zusammengeschlossenen israelitischen Völkerstämme scharten sich um das bildlose Ladeheiligtum Jahwes, den sie freiwillig als ihren Gott angenommen hatten. Jahwe erwies sich als Führergott, der sich nicht wie die anderen Götter in die Macht eines Priesters begibt[2]. Dem entspricht die älteste Fassung des Bilderverbotes: (Dt. 27, 15), die sich nach von Rad gegen ein Jahwebild richtet. Der offizielle Kult war bildlos[3].

Ex. 20, 5a entnimmt die Begründung dem 1. Gebot, in dessen Zusammenhang der deuteronomische Bearbeiter das Bilderverbot sah. Es richtet sich gegen den kanaanäischen Bilderkult. v. 4b verwehrt die Darstellung Jahwes im Bild einer anderen Gottheit[4].

Der Deuteronomist begründet das Bilderverbot aus der Tatsache, daß Israel am Sinai von dem aus dem Feuer redenden Jahwe keine Gestalt gesehen habe (Dt. 4, 15 f.). Israel ist nicht wie andere Völker auf ein Kultbild angewiesen. *Gott hat* zu ihnen *gesprochen*, ohne daß sie eine Gestalt gesehen hätten[5].

Deuterojesaja (Jes. 40, 12 ff. 25) begründet das Bilderverbot aus dem Schöpfungsglauben: Die Natur ist keine Erscheinungsform Jahwes, der der Herr der Welt ist[6].

All diesen verschiedenen Begründungen gemeinsam ist die bereits im Vorwort zur Geltung gebrachte Betonung der Einzigartigkeit Jahwes, des in seiner Freiheit und Macht unerreichbaren Herren (Führer und Herr seines Volkes; Schöpfer und Herr der Welt), der mit seinem auserwählten Volk verkehrt, wann, wo und wie er will.

---

1. s. von Rad im Theologischen Wörterbuch II 380, 4 ff.
2. Karl-Heinz Bernhardt a. a. O. 154 f.
3. von Rad: Theologie des Alten Testamentes I 214.
4. Walter Zimmerli a. a. O. 554.
5. von Rad: Theologie des Alten Testamentes I 216 und Theologisches Wörterbuch II 380, 8 ff.; Zimmerli a. a. O. 562 f.
6. von Rad: Theologisches Wörterbuch II 379, 38 ff.

Exkurs III

Die christliche Bildanschauung

Ende des 2. Jahrhunderts hat sich nach Walter Elliger[1] eine „neue christliche Bildanschauung" gebildet und langsam durchgesetzt, nach der das Bild nicht mehr wie in der heidnischen Umwelt des Alten Testamentes rein kultische Aufgaben, sondern profane Aufgaben hatte. Hinsichtlich dieser Aufgaben hat das christliche Bild im Laufe der Zeit einen Wandel durchgemacht.

In Rom finden sich schon Mitte des 2. Jahrhunderts Spuren einer christlichen Bildwelt. Die neue christliche Bildanschauung wurde durch die römische Sepulkralkunst vorbereitet. Die Bilder in den Katakomben wollen nur *einen* bestimmten Gedanken zum Ausdruck bringen: den Gedanken der Auferstehung bzw. der Errettung aus dem Tode. Diese Bildauffassung hat argumentativen Charakter. Das subjektive Bekenntnis wird gleichsam Manifestation der objektiven Wahrheit. Die sepulkral-symbolischen Darstellungen zeigen einen demonstrativen Charakter. Als die Christenheit staatlich anerkannt war und Kirchen erbauen konnte, sah sich die Bildkunst einer neuen Aufgabe gegenüber: Es ging nun nicht mehr um die Selbstdarstellung des Glaubens, sondern um Belehrung und Erziehung des Kirchenvolkes. Dabei erhob man über Bibelkenntnis und Bibelverständnis hinaus die spezifisch dogmatische Belehrung zum Zweck der Kirchenmalerei. Das Gesetz des Glaubens wurde zum Inhalt der christlichen Bildkunst. Hauptzweck der Kirchenmalerei war es, den Frommen das, was sie zu glauben hatten, anschaulich vor Augen zu führen und dadurch einzuprägen[2]. Zur didaktischen tritt die pädagogische Tendenz: Das rechte Leben eines Christen soll in eindrucksvollen Beispielen der Gemeinde vor Augen geführt werden. Ein Gemälde in der Apsis der Kirche mit dem Weltgericht als Inhalt ist die Predigt der Kirche an die Lebendigen, daß sie im Blick auf das Gericht die rechte Lehre bewahren und das rechte Leben führen sollen. Von daher erhalten die Heiligendarstellungen an den Wänden immer größere Bedeutung. Im Blick auf den Richter ruft man sie um Hilfe an. Das Bild will also bezeugen, verkündigen, belehren und ermahnen, nicht aber offenbaren oder die Gegenwart Gottes sicherstellen.

---

1. Walter Elliger: Die Stellung der Alten Christen zu den Bildern in den ersten vier Jahrhunderten, besonders Teil II, S. 30, 35, 40 f., 82 f., 90—96.
2. vgl. Ludwig Bartning: Jesu Darstellung in der bildenden Kunst, S. 11: „Das Glaubensbekenntnis ist das Inhaltsverzeichnis der christlichen Kunst."

Beilage I

Das 1. und 2. Gebot in katholischen Beichtbüchlein

1) Dederichs Christenspiegel   1480, Köln (Moufang IX)

1. Du sollst lieb haben Gott deinen Herrn aus allem deinem Herzen, aus aller deiner Seele, aus all deinem Gedächtnisse und aus aller deiner Kraft und Macht.

2. Du sollst den Namen Gottes ...

2) Johannes Gerson: Opusculum tripartitum   1510 (Geffcken Beil. Sp. 37)

1. Hab lieb got deinen herren auß gantzem deim hertzen, auß gantzer deiner verstendnisz und auß gantzer deiner krafft.

2. Du solt nicht schweren ...

3) Spiegel des Sünders   um 1470, Augsburg (Geffcken Beil. Sp. 51 u. 54)

1. Hab lieb got deinen herrn aus gantzem deim hertzen, in gantzer deiner sele und in gantzem deim gemüt.

2. nit gebrauch eitel den namen deines gots.

4) Augsburger Beichtbüchlein   1504 (Falk S. 86 f.)

1. Du solt deinen herren got anbeten und dem allain dienen.

2. Du solt den namen dins herren gots ...

5) Nikolaus von Lyra: Preceptorium   1452 (Geffcken Beil. Sp. 23 f. u. 26)

1. ... das wir einen ewigen got sullen anbetten dryualtiglichen, das ist mit ganczem glouben, mit lutter hoffnunge und volkomener mynne ... (nach Augustin)

Du solt nit anbetten fremde gott

2. Du solt den namen ...

6) Wolffs Beichtbüchlein   1478, Frankfurt (Falk S. 23)

1. Eyn got saltu anbeden, gleuben, liephan uber alle creature, hoffen, dyenen und eren.

2. und bij synem namen nit sweren.

7) Heidelberger Bilderhandschrift   ca. 1400 (Geffcken Beil. Sp. 2 u. 4)

1. Du salt nicht fremde gote haben.

2. Den namen gotes ...

8) Der Sele Trost   vor 1407 (Geffcken S. 46)

1. non adorabis deum alienum.

Mensche du en solt keyn aptgot anbeden ...

2. (Gottes Namen)

9) Die Hymelstrass, Stephanus Lanzkrana   1484, Wien (Geffcken Beil Sp. 110)

1. Ich bin der herr dein gott, du wirst nit haben fremde goetter.

2. (Gottes Namen)

10) Spiegel des Sünders   1570, Augsburg (Geffcken Beil. Sp. 50)

1. Ich bin got dein herr, der ich dich auszgefuert hab von der erden Egipti, von dem hausz der dienstberkeyt. Du solt nit habend fremd goeter vor mir. Nit mach dir einen ausgehawen got, noch auch all gleichnusz, die do ist im himel ...

Beilage II

Evangelische Katechismen ohne Bilderverbot

Luther war nicht der einzige unter den Reformatoren, der das Bilderverbot im Text des Dekalogs ausließ und in der Auslegung in seinen Katechismen weder das Bilderverbot noch Bilder erwähnte — obwohl nur wenige wie er sich in den für Kinder bestimmten Schriften völlig der Polemik enthielten. Es waren auch nicht nur treue Anhänger Luthers, die das Bilderverbot ausließen.

1. Noch stark katholisch ausgerichtete Katechismen wie die „Tabula" von *Pinciamus*, die noch aus vorreformatorischer Zeit stammte (1513), aber 1529 evangelisch umgearbeitet wurde, wobei die gegen Ende des Mittelalters bes. verbreitete hexamentrische Form des Dekalog unverändert blieb: „unum crede Deum, nec iures vana ipsum" (Cohrs IV 297; III 415. 439, 2). *Hegendorfer:* Paraenesis, 1529 (uni crede deo) und Institutio, 1526 (mit Ex. 20, 3) (Cohrs III 391, 25 und 266. 24 f.), die beide in katholischen Kreisen gebraucht wurden. (Cohrs III 348. 349. 355).

2. Luthers Mitarbeiter:

a) *Melanchthon* in seinem Enchiridion von 1523 (Cohrs I 33, 26 f.), den Scholien von 1523 (Cohrs I 71, 5 ff.), seinen Katechismuspredigten von 1528 (Cohrs III 58, 36) und in der „Kurtzen Auslegung der Zehen gepot" in der Wittenberger Ausgabe von 1529 (Cohrs I 238). *Bugenhagen* in der Braunschweiger Kirchenordnung 1529 (Cohrs III 72, 4 f.).

b) Andererseits konnte auch auf Luthers Seite das Bilderverbot bei der Auslegung des 1. Gebotes genannt werden: *Georg Stenneberg:* Katechismus, 1545 (Reu 3, 2, 2 S. 855 f.). Er wendet sich unter Berufung auf Melanchthon (De Ecclesiae autoritate et de veterum scriptis libellis, 1539 CR XXIII 617 u) gegen Bilder und Bilderverehrung. In Melanchthons deutscher Übersetzung eines *Unbekannten*, 1525, sowie in dem gemeinsamen Druck mit dem Catechismus puerilis und der Expositio primae tabulae Decalogi von *Bugenhagen* und einem *Brenz*schen Katechismus wird in der Auslegung des 1. Gebotes das Bilderverbot mitzitiert (Cohrs I 72, 10 ff und 69 u).

3. Anhänger der Wittenberger Reformation:
Der lutherische Theologe *Johannes Brenz:* Catechismus minor, 1529 (Cohrs III 148, 26).
Der lutherisch beeinflußte Katechismus von Andreas Althamer 1529 (Cohrs III 8) und nach ihm Johann Toltz: Wie man junge christen unterweisen soll. ca. 1526/27 (Cohrs IV 32 f.).
Kaspar Loener: Unterricht des Glaubens, 1529 (Cohrs III 471, 24).
Petrus Schultz: Frag und Antwort, 1527 — Stark von Luthers KF beeinflußt (Cohrs II 209, 211, 36).
Urban Rhegius: Catechismus minor 1535 (Reu 3, 2, 2 S. 594, 35 ff.).
Urban Rhegius: Catechesis 1542 (Reu 3, 2, 2 S. 628, 24 f. und 631, 21 f.).

4. Der ehemalige Lutherschüler *Agricola:*
130 gemeine Fragstücke, 1528 (Cohrs II 203, 21).

Elementa pietatis congesta: Christlicher Kinderbericht, 1527 (Cohrs II 21, 9 f.), dessen Auslegung des 1. Gebotes von Luthers Exoduspredigten von 1524 (WA 20, 205) beeinflußt zu sein scheint (Cohrs II 9).

Die Straßburger Katechismustafel 1524/26 (Cohrs I 119).

5. Katechismen, die mehrere Katechismen aus beiden Seiten zum Vorbild haben: *Kaspar Gräter:* Catechismus, 1528 (Cohrs II 329).

Benutzung des Büchleins für die Laien (Nr. 13 in Cohrs I) und anderer Schriften Luthers. Daneben Urban Rhegius' Auslegung der 12 Artikel, Agricolas 130 Fragestücke und Baders Gesprächsbüchlein, sowie besonders Capitos Kinderbericht (Cohrs II 314 f.).

Conrad Sam: Christliche Unterweisung, 1529 (Cohrs III 116, 17 f.).

Eine Zusammenarbeit sämtlicher in Ulm gebräuchlicher Katechismen: Althamers Katechismus, Capitos Kinderbericht, Agricolas 130 Fragestücke, (Cohrs III 80). — Dagegen dachte Sam in der Abendmahlslehre zwinglianisch (Cohrs III 79), in Front gegen Althamer und abhängig von Capito (Cohrs III 79; IV 384).

Der Basler Reformator *Oekolampad:* Frag und Antwort, 1525/26 (Cohrs IV 14).

Beilage III

Das Bilderverbot in katholischen Beichtbüchlein, vorreformatorischen und reformatorischen Katechismen

A Das Bilderverbot als Teil des Abgöttereiverbotes

I Ohne den Nebensatz über Ägypten: statt Ex. 20, 2 wird Dt. 6, 4 zitiert

1. Wickliff: The poor Caitiff		Geffcken Beil. Sp. 215
2. Ein Schüler Wyclifs: The Lantern light	um 1400	Geffcken S. 39
3. Katechismus der Waldenser	um 1489	Zezschwitz S. 14
4. Katechismus der Böhmischen Brüder	1521	Zezschwitz S. 43

    (Dt. 6, 4 u. Ex. 20, 3 — 6 u. Dt. 6, 5 = Mt. 22, 37 u. Mt. 22, 39 b)

II Vollständig zitiert nach Ex. 20, 2 — 6

5. Spiegel des Sünders, Augsburg	1470	Geffcken Beil. Sp. 50

    (Ex. 20, 1 ff. nach der Vulgata)

6. Leo Jud: Züricher Katechismustafel	1525	Cohrs I 126 f.

    (Ex. 20, 1 ff. u. Dt. 6, 5; Mt. 22, 37 — 39 u. m.)

7. Zwingli: Eine Antwort	April 1525	ZW IV 85
8. H. Gerharts schöne Frag und Antwort	1525	Cohrs I 166, 19 ff.

    (Text aus der „Züricher Katechismustafel" entnommen)

9. Johann Baders Gesprächsbüchlein	1526	Cohrs I 273, 33 — 274, 5

    (nach Luthers Übersetzung im 1. Teil des AT,
    Ausgaben von 1523 — 25 Cohrs IV 298)

10. Otto Braunfels: Catechesis	1529	Cohrs III 340 f.

    (Vulgatafassung. Cohrs IV 296)

11. Katechismus von St. Gallen		Cohrs II 203 ff.

    (Umarbeitung von Nr. 4)

III 1. Gebot: Ex. 20, 2; 2. Gebot: Abgöttereiverbot und Bilderverbot.

12. Gottsälige Anfierung ... Straßburg	1534	Reu S. 4, Anm. 3
13. Augsburger Katechismus (Wolfhart)	1533	Reu S. 760
14. Bucer: Kurze schriftliche Erklärung	1534	Reu S. 61
15. Bucer: Kürtzer Katechismus	1543	Reu S. 67 A 2

B Das Bilderverbot als zweites Gebot

16. Leo Jud: Der größere Katechismus, Zürich	1534	Jud S. 37
17. Leo Jud: Der kürzere Katechismus, Zürich	1535/41	Jud S. 258
18. Matthäus Zell:	1535/37	Reu S. 130, 125, 127
Frag und Antwort, Straßburg		
19. Calvin: Institutio	1536	OS I 42
20. Calvin: Katechismus	1537	OS I 383
21. Calvin: Genfer Katechismus	1542	Niesel 17
22. Bucer: Der kürtzer Katechismus	1537	Reu S. 83

    (Auszug von Nr. 14)

Beilage IV

Straßburger Katechismen

A Ohne Bilderverbot

1. Bearbeitung des Katechismus der   1522   Cohrs I 10 + 16
   Böhmischen Brüder
   (ohne F 60 u. 61, Anbetung des Bildes Christi und der Hostie)
2. Eustasius Kannel: Evangelisches Gesetz   1524   Cohrs I 87 ff.
   ohne Dekalog (der deutschen Übersetzung von Melanchthons
   Enchiridion nahe verwandt)
3. Straßburger Katechismustafel   ca. 1524/26   Cohrs I 119
   (nahe verwandt mit Luthers kurzer Auslegung von 1518) ohne Bilderverbot

B Abgötterei und Bilderverbot als ein Gebot

4. Capito: Kinderbericht   1527   Cohrs II 100 ff.
   ohne Dekalog. (aber Entfernung der Bildgötzen durch die Obrigkeit gefordert
   Cohrs II 119 f.)
5. Otto Braunfels   1529   Cohrs III 340 ff.
   Bilderverbot = Teil des 1. Gebotes
   (vollständiger Text u. Dt. 6, 4)
6. Gottsälige Anfierung   1534   Reu 4, A 3
   Vorwort (Ex. 20, 2)   = 1. Gebot
   Abgötterei u. Bilderverbot   = 2. Gebot
7. Bucer: Kurze schriftliche Erklärung   1534   Reu 61
8. Bucer: Kürtzer Katechismus   1543   Reu 67 A 2
   Vorwort (Ex. 20, 2)   = 1. Gebot
   Abgötterei u. Bilderverbot   = 2. Gebot

C Bilderverbot als zweites Gebot

9. Zell: Frag und Antwort   1535 u. 37   Reu 125, 127, 130
   Vorwort und Abgöttereiverbot = 1. Gebot
   Bilderverbot   = 2. Gebot
10. Bucer: Der kürtzer Katechismus   1537   Reu 83
    (Auszug aus 1534)
    Vorwort und Abgöttereiverbot = 1. Gebot
    Bilderverbot   = 2. Gebot

Beilage V

Eckius: De non tollendis Christi et sanctorum imaginibus (1522)

I *Deus invisibilis visibilis factus est ac figurabilis, per verbi incarnationem.*

II Christus primus author imaginum in ecclesia, de Abagero et Veronica.

III Imaginum usus ab Apostolis.

IV Imaginum usum esse antiquum in ecclesia, ex Eusebio, Augustino, Hieronymo et Ambr. probatur.

V Rationabilem esse imaginum usum quia *laycos instruant,* et in sanctos referant.

VI Rationabilem esse imaginum usum, quia *recordari faciant* intuentem.

VII ut *ad imitationem provocent* laudabiles sunt imagines.

VIII *Devotionem* auget imaginum usus.

IX qui imaginibus fuerint adversarii.

X Romani pontifices imperatoribus imagines delentibus restituerunt.

XI imaginum usus, occasio fuit imperium in Germanos transferendi.

XII quid mali evenerit imperatoribus imagines tollentibus.

XIII *haeresis* foeliciana *imagines tollens* in Frankfurt *damnata* sub Carolo.

XIV decreta contra Tollentes imagines.

XV rationes capitiosae quibus nituntur Iconomastiges.

XVI Diluitur ratio prima et qua ratione *Imagines* venerandae sint explicatur.

XVII rationes de serpente aeneo et quod adorare debemus in spiritu et veritate, imagines non tollunt.

XVIII Aliae rationes contrariae diluuntur cum peroratione.

(Kursivsetzung ist von mir)

Beilage VI

signa visibilia (s. o. zu S. 97 ff.)

Zitat bei Preuß S. 63−65	*Abschnitt*	*Thema*
WA 9, 348, 9 ff.	Bearbeitung einer Predigt zu Gen. 9, 9: „Siehe, ich richte mit euch einen Bund auf".	Bund und Bundeszeichen, signa sacramentalia im NT: Taufe u. Abendmahl.
WA 42, 184, 18 u. 185, 32	Vorlesung zu Gen. 4, 3: Kains Opfer	signum gratiae (dei); im NT: Taufe und Abendmahl
WA 47, 138, 25, u. 36	Predigt zu Joh. 3, 22: „. . . Jesus . . . taufte'	signum gratiae neben dem Wort: Taufe, Abendmahl und Absolution
WA 6, 385, 35	Sermon vom NT	Zeichen beim Abendmahl (wie im AT)
WA 6, 517	De captivitate	signa sacramentalia bei Taufe und Abendmahl (wie im AT)
WA 10/3, 141, 30	Predigt zu Mk. 16, 14 ff. ‚Wer da glaubet und getauft wird'	Zwei äußerliche Zeichen im NT: Taufe und Abendmahl
WA 13, 432, 15	Praelectiones in Prophetas minores, zu Hab. 2, 2	sichtbare Zeichen beim Prophetenwort; signum im NT: Taufe
WA 18, 136, 9 u. 137, 11	Wider die himml. Propheten (Streitschrift)	sichtbare Zeichen beim Sakrament
WA 23, 261, 12	Daß diese Worte . . . (Streitschrift)	gegen Ecolampad: sichtbare Zeichen beim Sakrament
WA 25, 64, 31	Vorlesung über Titus u. Philemon; zu Phil. 3, 5 Bad der Wiedergeburt	gegen Schwärmer, die das Wort der HS wie res externa (aqua) beim Sakrament verachten
WA 25, 157, 19	Vorlesung über Jes.; zu Jes. 20: Zeichenhandlung	externa signa im AT; Taufe und Abendmahl im NT
WA 42, 242, 31	Genesisvorlesung: zu Gen. 4, 26 b ‚zu der Zeit fing man an zu predigen von des Herrn Namen'	Wahrer Gottesdienst im AT, mit ceremonia; Heute: docendo, audiendo, participando Sacramentalia

| WA 42, 626, 16 | zu Gen. 17, 2—6: Bund mit Abraham | Bundeszeichen im AT, signum divinae voluntatis. Heute: Baptismus, Eucharistia et claves |
| WA 49, 74 f. u. 76, 12 | Gründonnerstagpredigt. Zu Mtth. 26, 17: Einsetzung des Abendmahles | Äußere Zeichen: im AT und heute (Brot und Wein). Wir sehen Gott ,non in majestate'. Aber wir haben ,signum ... quod deus adsit: Evangelium, Baptismus, claves, parentes'. |

Literaturverzeichnis

A Quellen

Aktenstücke zur Wittenberger Bewegung, hrsg. Barge, Leipzig, 1912.

Drei Beichtbüchlein, hrsg. Franz Falk (Reformationsgeschichtliche Studien und Texte Heft 2, 1907).

Die Bekenntnisschriften der evangelisch-lutherischen Kirche, hrsg. vom deutschen ev. Kirchenausschuß 1930 (abgekürzt: Bek.-Schr. Der darin enthaltene Große Katechismus und der Kleine Katechismus werden abgekürzt GK und KK).

Die Bekenntnisschriften der reformierten Kirche ed. E. F. K. Müller, Leipzig 1903.

Die Bekenntnisschriften und Kirchenordnungen der nach Gottes Wort reformierten Kirchen, hrsg. W. Niesel, 1948, 3. Auflage.

Der Bilderkatechismus des 15. Jhs., Johannes Geffcken, 1855, Leipzig.

Martin Bucer: Deutsche Schriften, Bd. 1 und 3.

Wolfgang Capito, Was man halten und antworten soll ... (Straßburg 1524) in: Dr. M. Luthers Sämmtliche Schriften, hrsg. von J. G. Walch, Bd. 20 (St. Louis, Mo. 1890, Sp. 340—351).

Corpus Reformatorum Calvini opera 1869 ff. (abgekürzt CR oder Op).

Calvini opera selecta ed. P. Barth et W. Niesel, 1926 ff. (abgekürzt OS).

Calvin, Unterricht in der christlichen Religion, dtsch. von O. Weber, 1955.

Calvins Lebenswerk in seinen Briefen, dtsch. von Rudolf Schwarz, 1909.

Calvins Auslegung des Römerbriefes und der beiden Korintherbriefe, deutsch, hrsg. von O. Weber, 1960.

Eckius Opera contra Ludderum, 1531 ff.

Evangelisches Kirchengesangbuch, 1951 (abgekürzt EKG).

Der Heidelberger Bilderkatechismus und vier verwandte Katechismen, hrsg. A. Lang, 1907 (Schriften für Reformationsgeschichte, 31. Jg., 1913, Leipzig).

Andreas Bodenstein von Karlstadt, Von Abtuhung der Bilder ... 1522 (Lietzmann Kleine Texte Nr. 74).

— Ob man gemach faren und des ergernüssen der schwachen verschonen soll (Flugschriftensammlung der Gustav-Freytag-Bibliothek zu Frankfurt a. M.).

— Die Wittenberger Ordnung von 1522 (Lietzmann Kleine Texte Nr. 21).

Leo Jud, Katechismen, hrsg. R. Ritter-Zweifel, Zürich 1955.

Katholische Katechismen des 16. Jhs., hrsg. Christian Moufang, Mainz 1881.

Die evangelischen Katechismen vor Luthers Enchiridion, hrsg. Cohrs (Monumenta Germaniae Paedagogica XX—XXIV, 1900 ff., Berlin).

Die Katechismen der Waldenser und Böhmischen Brüder, hrsg. Gerhard von Zezschwitz, Erlangen 1863.

Martin Luthers Werke, Weimarer Ausgabe, 1833 ff. (abgekürzt WA).

— Tischreden (abgekürzt WA TR).

— Briefe (abgekürzt WA Br).

— Deutsche Bibel (abgekürzt WA DB).

— Erlanger Ausgabe 1823 ff. (abgekürzt EA).

Luthers Briefwechsel, hrsg. Enders u. a., 1884 ff. (abgekürzt Enders).

— De Wette (abgekürzt De Wette).

Martin Luthers Werke in Auswahl, hrsg. Clemen, 1925 ff. (abgekürzt Cl).

Martin Luthers Bibelübersetzungen, hrsg. Bindseil-Niemeyer.

D. M. Lutheri Exegetica Opera Latina, hrsg. Joh. Linke.

Philipp Melanchthon, Loci Communes, hrsg. Kolde, 1890.

Nicephorus, Patrologia series graeca, Migne.

Origenes, De principiis II, GCS 22.

Quellen zur Geschichte des Katechismusunterrichtes Bd. I, Johann Michael Reu, Gütersloh 1904.

Quellen zur Geschichte des Papsttums, Tübingen 1924, 4. Auflage.

Huldreich Zwinglis Werke, Corpus Reformatorum 88 ff. (abgekürzt ZW I ff.).

B *Darstellungen*

Achelis, Hans: Der christliche Kirchenbau, Leipzig 1935.

Barge, Hermann: Andreas Bodenstein von Karlstadt, 2 Bde., Leipzig 1905.
— Frühprotestantisches Gemeindechristentum, 1910.

Barth, Heinrich: Die Freiheit der Entscheidung im Denken Augustins, 1935.

Barth, Karl: Kirchliche Dogmatik I/2; II/1 und IV/2.

Bartning, Ludwig: Jesu Darstellung in der bildenden Kunst, Berlin 1928.

Bernhardt, Karl-Heinz: Gott und Bild, Berlin 1956.

Blanke, Fritz: Aus der Welt der Reformation, 1960.

Brunner, Peter: Die Kunst im Gottesdienst, Leiturgia I, Kassel 1959, S. 313 ff.

Buchholz, Friedrich: Protestantismus und Kunst im 16. Jh., Leipzig 1928 (Studien über christliche Denkmäler H. 17).

Bultmann, Rudolf: Die Geschichte der synoptischen Tradition, Göttingen 1958[4].

Campenhausen, Hans Freiherr v.: Die Bilderfrage als theologisches Problem der alten Kirche, in: ZThK 49, 1952, S. 33—60.
— Die Bilderfrage in der Reformationszeit (in: ZKG 68, 1957, S. 96—128), ebenso in: ders., Tradition und Leben, 1960, S. 361—407.

Cetto, Anna Maria: Mittelalterliche Miniaturen (Orbis Pictus, Bd. 8, Bern 1950).

Dirks, Walter: Christi Passion, Frühmittelalterliche Buchmalerei, Bd. I, Maria Laach 1956.

Doumergue: Jean Calvin, Bd. II, 1900.

Eichrodt, Walter: Theologie des Alten Testamentes, Bd. I, 1948.

Elliger, Walter: Die Stellung der Alten Christen zu den Bildern in den ersten vier Jahrhunderten, 2 Bde., Leipzig, 1930 und 1934 (Studien über christliche Denkmäler NF, H. 20 und 23).

Farner, Oscar: Huldrych Zwingli, Bd. 3, 1954.

Galling, Kurt: Biblisches Reallexikon, Tübingen 1937.

Gerdes, Hayo: Luthers Streit mit den Schwärmern um das rechte Verständnis des Gesetzes Mose, 1955.

Gerke, Friedrich: Der Christus Dürers und Luthers (Glaube und Volk in der Entscheidung, H. 4, Jg. 5, 1936).

Grau, Marta: Calvins Stellung zur Kunst, Würzburg 1917 (Dissertation).

Haebler, Hans-Carl von: Das Bild in der evangelischen Kirche, Berlin 1957.

Hausrath, Adolf: Luthers Leben, Bd. I, Berlin 1905.

Heidrich, Ernst: Dürer und die Reformation, Leipzig 1909.

Holl, Karl: Gesammelte Aufsätze, Bd. I, Tübingen 1921.

Howe, Günter: Das Gottesbild im Abendland, Witten und Berlin 1957 (Hrsg.).

Jüngel, Eberhard: Keine Menschenlosigkeit Gottes (Ev. Theol., 31. Jg., Juli 1971, S. 376 ff.).

Kammerer, Imanuel: Die Reformation von Isny (Blätter für württembergische Kirchengeschichte, 3. Folge, 53. Jg., 1953).

Kampschulte, F. W.: Johannes Calvin, seine Kirche und sein Staat in Genf, Bd. I, Leipzig 1869.

Klapheck-Strümpell, Anna: Der Dom zu Xanten, Berlin 1944 (Führer zu großen Baudenkmälern, H. 33).

Koch, Hugo: Die altchristliche Bilderfrage, Göttingen 1917.

Köberle, Adolf: Rechtfertigung und Heiligung, 1929.

Kümmel, Werner: Die älteste religiöse Kunst der Juden, Zürich 1946 (Judaica, Jg. 2, Heft 1).

Ladner, Gerhard: Der Bilderstreit und die Kunstlehre der byzantinischen und abendländischen Theologie (ZKG 50, 1931).

Lang, August: Johannes Calvin, Leipzig 1909.
— Die Quellen der Institutio von 1536 (Ev. Theol., Jg. 3, H. 3, 1936, S. 100 ff.).

Lasch, Gustav: Calvin und die Kunst (Christl. Kunstblatt Nr. 51, 1919).

Lehfeldt, Paul: Luthers Verhältnis zu Kunst und Künstlern, Berlin 1892.

Meyer, Johannes: Historischer Kommentar zu Luthers Kleinem Katechismus, Gütersloh, 1929.

Nestle, Eberhard: Kleinigkeiten (Theol. Studien aus Württemberg, 1886).

Niesel, Wilhelm: Die Theologie Calvins, München 1957.
— Calvin und Luther (Reformierte Kirchenzeitung, Jg. 81, 1931, S. 195 ff.).

Obbink, H. Th.: Jahwe-Bilder, Utrecht 1929 (ZAW NF 6, S. 264 ff.).

Onasch, Kurt: Gott schaut dich an, Berlin 1949.
— Buchbesprechung in Theol. Rundschau NF 22, 1954.

Peschke, Erhard: Die Böhmischen Brüder im Urteil ihrer Zeit, Arbeiten z. Theologie, H. 17, Stuttgart 1964.

Preuß, Hans: Deutsche Frömmigkeit, 1926.
— Martin Luther der Künstler, Gütersloh 1931.

Rad, Gerhard von: Theologie des Alten Testamentes, Bd. I, München 1957.
— Besprechung von Hubert Schrade: Der verborgene Gott (Verkündigung und Forschung 1951/52, München).

Rentschka, Paul: Die Dekalogkatechese des hl. Augustin, Kempten 1905.

Rinderknecht-Zeller: Methodik christlicher Unterweisung, Zürich 1960.

Rogge, Christian: Luther und die Kirchenbilder seiner Zeit, Leipzig 1912 (Schriften des Vereins für Reformationsgeschichte, Jg. 29).

Schöne, Wolfgang: Das Gottesbild im Abendland, Witten und Berlin 1957.

Schramm, Albert: Die Illustrationen der Lutherbibel, 1923.

Schückler, Georg: Wesen und Theologie der Ikonenkunst (Universitas, Jg. 7, 1952).

246

Söhngen, Oskar: Kirchenbau und kirchliche Kunst in heutiger Zeit (Die Ev. Christenheit in Deutschland, Stuttgart 1958, S. 325 ff.).

Stählin, Wilhelm: Symbolon, Stuttgart 1958.

Stucki, Alfred: Guillaume Farel, St. Gallen 1942.

Thulin, Oskar: Cranachaltäre der Reformation, Berlin 1955.

Trillhaas, Wolfgang: Adiaphoron (Th. L. Ztg. 1954, Sp. 458 ff.).

Tyciak, Julius: Die Liturgie als Quelle östlicher Frömmigkeit, Freiburg 1937.

Verkhowsky, S.: Der neue Mensch in Christus (Ev. Theologie 11, 1951/52).

Weber, Otto: Grundlagen der Dogmatik, Bd. II, Neukirchen 1962.

Weerda, Jan: Die Bilderfrage in der Geschichte und Theologie der reformierten Kirche (Ev. Kirchenbautagung, Erfurt 1954 und Karlsruhe 1956, bearbeitet von Walter Heyer, S. 289 ff.).

Werckshagen, C.: Der Protestantismus am Ende des 19. Jh. s. 2. Bde., 1901/08.

Windelband-Heimsoeth: Lehrbuch der Philosophie, Tübingen 1957, 15. Aufl.

Wittenberg, Martin: Das Kreuz in Gottes Hause, 1958 (Kunst und Kirche, Jg. 21, H. 2, 51 ff.).

Zimmerli, Walter: Das zweite Gebot (Festschrift für Albrecht Bertholet, Tübingen 1950, S. 551 ff.).

Zimmermann, Hildegard: Lukas Cranach d. Ä. Folgen der Wittenberger Heiligtümer (Schriften der Gesellschaft der Freunde der Universität Halle-Wittenberg, H. 1, Halle 1929).

Evangelisches Kirchenlexikon, Göttingen 1956 ff. (abgek. EKL).
   Bilder (O. Thulin), Bd. I, Sp. 524.
   Christologie (F. Lau), Bd. I, Sp. 767.
   Reformation (F. Lau, J. Courvoisier, J. Weerda, R. Wittram), Bd. III, Sp. 497, 503, 510, 541.
   Sinnbilder (H. Jursch), Bd. III, Sp. 960.
   Symbol (K. G. Steck), Bd. III, Sp. 1238.
Religion in Geschichte und Gegenwart, Tübingen 1957 ff., 3. Auflage (abgek. RGG).
   Christologie (W. Pannenberg), Bd. I, Sp. 1774.
Theologisches Wörterbuch, Bd. II, Stuttgart 1935 (abgek. ThW) (G. von Rad, G. Kittel), S. 379 und 384.

DATE DUE

GAYLORD			PRINTED IN U.S.A.